Henri Bergeron

DE LA MÊME AUTEURE

Nom d'une Bobinette, 50 ans déjà, Les Éditions Publistar, 2003

CHRISTINE LAMER

Henri Bergeron

Par un beau dimanche…

LES ÉDITIONS
PUBLISTAR
QUEBECOR MEDIA

Catalogage avant publication de Bibliothèque et Archives Canada

Lamer, Christine

    Henri Bergeron : par un beau dimanche –

    ISBN 2-89562-158-6

    1. Bergeron, Henri, 1925-2000. 2. Animateurs de télévision – Canada – Biographies. 3. Annonceurs de radio – Canada – Biographies. I. Titre.

PN1992.4.B47L35 2006   791.4502'8'092   C2005-942515-6

Directrice des éditions : Annie Tonneau
Révision linguistique : Corinne de Vailly
Correction d'épreuves : Céline Bouchard
Mise en pages : Luc Jacques
Photo de la couverture : Collection d'Yvonne Bergeron
Graphisme de la couverture : Éric Dupuis
Photo de l'auteure : Pierre Dionne

L'éditeur a mis tout en œuvre pour rechercher les auteurs et propriétaires
des photographies et illustrations paraissant dans cet ouvrage. En cas d'omission,
il reste néanmoins ouvert aux remarques des lecteurs attentifs.

Remerciements

Les Éditions Publistar reconnaissent l'aide financière du gouvernement du Canada par l'entremise du Programme d'aide au développement de l'industrie de l'édition (PADIÉ) pour ses activités d'édition. Nous remercions la Société de développement des entreprises culturelles du Québec (SODEC) du soutien accordé à notre programme de publication. Gouvernement du Québec – Programme de crédit d'impôt pour l'édition de livres – gestion SODEC.

Les Éditions Publistar
7, chemin Bates, Outremont (Québec) H2V 4V7
Téléphone : (514) 849 5259
Télécopieur : (514) 270-3515

Distribution au Canada
Québec-Livres
2185, autoroute des Laurentides
Laval (Québec) H7S 1Z6
Téléphone : (450) 687-1210
Télécopieur : (450) 687-1331

© Les Éditions Publistar, 2006
Dépôt légal : 1er trimestre 2006
Bibliothèque nationale du Québec
Bibliothèque nationale du Canada
ISBN : 2-89562-158-6

À Yvonne Bergeron,
ma chère maman Yvonne,
pour son consentement ainsi que
son appui constant et fidèle.

À Denys Bergeron,
l'homme de ma vie,
qui m'a guidée judicieusement
dans le grand jardin de son père.

Préface

C'est à la Xe Biennale de la langue française, à Lisbonne, en 1983, que j'ai fait la connaissance d'Henri Bergeron. Après une allocution sur l'enseignement de la grammaire – nous avons tous des perversités plus ou moins avouables –, Henri s'est dirigé vers moi. Pour la première fois, j'ai entendu cette voix déjà connue de beaucoup et qui demeure présente à tant de mémoires : « Je souhaiterais enregistrer un entretien avec vous, pour Radio-Canada. »

Je n'étais jamais intervenu dans une assemblée de la francophonie. Ce nom, Radio-Canada, ne laissa pas de m'impressionner. Je faillis me prendre pour quelqu'un d'importance. Par bonheur, à la parfaite courtoisie qu'était la sienne, Henri ajoutait tant de présence, tant de chaleur humaine que le micro tendu s'offrit non pour des propos magistraux, mais pour un échange immédiatement heureux.

Son compagnonnage avec la Biennale de la langue française et avec son fondateur, Alain Guillermou, remontait à la première biennale, celle de Namur en 1965. Il lui restera fidèle. Quand la mission d'organiser les biennales me fut confiée, en 1993, j'ai pu compter sur ses conseils, et les suivre.

Aujourd'hui encore je revois le petit bureau de notre premier entretien, le magnétophone, les divers appareils, la pluie qui tombait sans fin sur Lisbonne et, casque sur les oreilles, me semble-t-il, le fidèle réalisateur Gilbert Picard.

Marque impérissable des liens entre la biennale et ses amis, les célèbres membres de son comité d'honneur : Henri Bergeron, Gilbert Picard, et ces noms qui nous lient à Radio-Canada : Philippe Desjardins, Robert Dubuc, Jean-Marie Laurence, puis Marcel Paré, Jean Cadieux, qui accueillit la biennale de Moncton en 1977, Alain Landry et Norman Moyer, nos vices-présidents.

Je retrouvai Henri à Tours, pour la XIe Biennale. Ce qui aurait pu n'être qu'une relation bisanuelle et cordiale allait devenir un lien beaucoup plus fort par la grâce de nos épouses respectives : Yvonne et Colette. Dire qu'elles furent tout de suite « sur la même longueur d'onde » serait peu dire. Entre nous, entre nos familles et nos enfants, ce fut une belle et franche amitié que nous avons bientôt commencé de vivre.

Quant aux infatigables Yvonne et Colette, des ruelles « dispendieuses » de Marrakech à nos promenades dans New York, que de pas nous auront-elles coûtés !

Et voici qu'au nom de cette amitié, l'honneur d'une préface m'échoie, dans laquelle je veux oublier ton absence, cher Henri, pour parler comme nous parlions autrefois.

Le Québec et le Canada savent ce qu'ils doivent à ton amour de la langue française. Un amour exigeant où tu savais mettre tes talents de communicateur au service d'une expression simple et élégante, sans fausses fioritures comme sans faux naturel. On dit parfois que les mots ne sont jamais à la hauteur des situations. Faribole ! Ils sont ce que nous sommes et, si manque une hauteur, c'est toujours la nôtre. Qu'il t'ait fallu tenir des propos de conférence ou des propos familiers, parler aux puissants ou au premier passant, je t'ai écouté avec bonheur : tu étais toujours à la hauteur de la situation et tes mots, tes phrases, tes intonations y trouvaient leur juste place.

Henri, j'ai vu tant de passants inconnus venir vers toi, te saluer, te parler. Une image me reste, emblématique de ces rencontres. Kamouraska, le soir. Deux dames avaient demandé à mon épouse : «C'est bien Monsieur Bergeron ? Vous croyez qu'on peut le saluer ? »

Les dépliants touristiques de Kamouraska proclament : «Nos couchers de soleil sont les plus beaux du monde.» Tous les dépliants de tourisme mentent. Celui-là aussi. Les couchers de soleil de Kamouraska sont plus beaux qu'ils le disent.

Les branches proches, vert sombre. Lisse, comme immobile, le Saint-Laurent rose de cette rive passe peu à peu dans les bleus rougis, puis bleuis. Les îles sont noires. L'autre rive est de monts faits de brume, tous les gris de toutes les brumes : la plume d'un pigeon, la pruine d'une quetsche, la pierre de Québec, une encre bleu noir diluée, une traîne d'orage, un souvenir de mélancolie. Pour tout voir, il faut tourner la tête. Loin vers l'ouest. Loin vers le golfe. Et l'horizon du nord a un au-delà.

Ce soir d'été, moment magique dans le silence, je te revois, tu écoutais les deux inconnues qui te connaissaient si bien, tu leur parlais avec tant de gentillesse sincère – votre groupe murmurant se dessinait sur la nappe bleuie du fleuve, sur les gris brumeux de l'autre rive où le soleil couchant commençait d'étendre ses roses encore pâles, ses jaunes déjà vifs.

L'album de nos heures partagées, je le feuillette si souvent. Ce n'est pas un album de photos muettes. Chaque image laisse entendre des mots.

Nous traversons Rimouski quand Radio-Canada diffuse un entretien avec Guy Béart. Une heure, presque pleine. Le *Bal chez Temporel* vole sur l'archipel du Bic.

Grande Vallée. Deux hommes sur un banc près du pont couvert. «Ah! vous venez de France!» Ils disent «de France». Ils ne disent pas d'Europe, ou du Vieux Continent. Ils se souviennent d'un Français venu s'établir il y dix ans, huit peut-être, et puis parti, «faute d'ouvrage». Ils parlent étés, ils parlent hivers. Hivers d'hier, de grande neige. Hivers d'aujourd'hui et de moindre neige.

Sous le soleil d'août imaginer la neige, ne pas comprendre la neige. Demander. Réponse : «Elle venait jusque-là.» Mesurer ce *jusque-là* de la hauteur de sa tête. Et regarder, essayer de se représenter la neige, sur la rue, sur les fleurs, sur les hommes... Sans comprendre.

Près les cinq clochers de Trois-Pistoles, VLB conte de ses mots non mous qu'une étudiante anglophone, tous les soirs, apprend là le français en lisant *Les Misérables*. Nous croisons une Libanaise venue pour la représentation de *L'Héritage*. Tu précises qu'il fut un moment de soixante mille personnes avec une seule *Grammaire française*. En gros, six cents personnes par page?

Les cimetières que nous parcourons sont des arbres généalogiques. Trois noms. Cinq parfois. Mais alors il s'agit d'un gros bourg.

Saguenay. De l'aube au cap Trinité. Le mot *paysage* est trop étroit. Proposer *espace*? *Espace-temps*.

Sherbrooke Ouest, Maisonneuve, Place des Arts, Sainte-Catherine (coin Saint-Urbain), René-Lévesque, descente de Saint-Laurent, le Vieux Port, la Friponne (près du quai Victoria), l'Hôtel de Ville et la colonne Nelson; à droite, vue du balcon.

Le long du quai de minces patineuses glissent (en rêvant de l'hiver?). Un guitariste chantonne la *Complainte du phoque en Alaska*.

Sur la ville flottait, cette année-là, l'homme sans visage de Magritte.

Sanguinet, de nouveau Sainte-Catherine (coin Saint-Denis), Berri, Saint-Hubert vers Sherbrooke (Est?) Je suis perdu.

Du pont Champlain, le jour, la nuit, l'oscillogramme de la ville : la courbe du Mont-Royal et les gratte-ciel. Un bel andante que flanque une strette claquée.

Cher Henri, cette préface ressemble si peu à une préface. Mais il ne m'appartient pas d'évoquer ta vie publique, CKSB ou CKCH-Hull, *Les Beaux dimanches* ou tes reportages, commentaires... Je ne les ai pas entendus en direct. Et tant d'autres en parlent bien mieux que moi. Ce livre en témoigne, où ta belle-fille Christine a recueilli les témoignages de ceux qui t'ont connu.

Je veux rester dans la tonalité de ce qui nous unissaient, de ce qui nous unit : nos familles et une langue partagée avec la même passion.

Les souvenirs de famille, surtout rapportés à un étranger, même s'il est un ami, demandent infiniment de discrétion quand cet ami les reprend à son compte. Aussi, je les garde dans mon cœur. Comme je garde dans mon cœur ceux que j'ai vécus, tant de moments passés avec tes frères et tes sœurs, avec tes enfants, tes enfants qui surent être si gentils avec mon fils Bertrand quand il eut la joie de voir son dernier court-métrage sélectionné pour Rouyn-Noranda.

Mais il en est deux que je veux évoquer. L'un parce qu'il nous faisait éclater de rire. L'autre parce qu'il me fait venir les larmes aux yeux.

Le premier est affaire de religion et de langue française. C'est celui de cette sœur Céline à qui l'écolier Henri déclara, un jour de catéchisme qu'elle abandonnait l'anglais pour le français : « Que vous êtes belle quand vous parlez français ! » L'épisode se retrouve dans *Un bavard se tait pour écrire* et j'ai bonheur à le relire en entendant nos rires.

Le second est affaire de mémoire et de respect. Dès qu'il a su que la guerre était déclarée, le père d'Yvonne s'est engagé. Et sur le bateau, ce mois d'août 1914, d'il y a presque un siècle, il pestait : « La guerre finirait avant qu'il n'ait débarqué ! Allez ! Qu'on pousse les feux ! Il y a si loin de Montréal au Havre ! »

Il eut tout le temps... Quatre longues années de temps, de boue, d'obus...

Puis il revint au Manitoba, reprendre son travail. Voici aujourd'hui, chez une de ses filles, trois médailles du tiroir des souvenirs : croix de guerre, médaille militaire, Légion d'honneur.

Je pense aux pages tournées des registres de la mémoire, aux galets de Dieppe...

Cher Henri, te souviens-tu de ce jour où tu me fis découvrir le métro de Montréal ? Bien sûr, dès l'entrée trois employés te reconnurent, tu me présentas : un Parisien, et la conversation prit l'allure d'une chanson où Bastille, Sherbrooke, La Motte-Picquet-Grenelle, Place-des-Arts, Richelieu-Drouot, Bonaventure et Filles-du-Calvaire mêlèrent leurs rails.

Te souviens-tu Henri de la banlieue d'Albany ? Nous cherchions un restaurant. Avec Yvonne et Colette, nous avons souvent cherché, et trouvé, un restaurant. Mais là, rien à l'horizon. Et toi, expliquant à des Américains incrédules : « Je suis avec des amis qui viennent de France pour faire un bon repas... » Ils nous regardaient comme des extraterrestres.

Te souviens-tu des fables de La Fontaine récitées en conduisant :

Qu'un ami véritable est une douce chose !
Il cherche vos besoins au fond de votre cœur ;
Il vous épargne la pudeur
De les lui découvrir vous-même ;
Un songe, un rien, tout lui fait peur
Quand il s'agit de ce qu'il aime.

Te souviens-tu de l'or clair d'un parfait chablis, le vin préféré d'Yvonne, dans la nuit de New York, des nuits musiciennes de Marrakech, de Versailles ensoleillé où Colette et moi avions le bonheur de vous accueillir comme vous nous accueilliez à Outremont, de la Biennale de la langue française réunie à Québec, et puis de celle de La Fayette, de nos promenades sous la lune dans Bucarest endormie, belle capitale d'un pays qui venait de se libérer ?

Te souviens-tu, les Champs-Élysées, la place de la Concorde, le quai du Louvre sous la pluie, Guillaume, Bertrand et toi parlant de Montréal dans une brasserie, quai Saint-Michel, et la Rotonde à Montparnasse, où le maître d'hôtel parlait si bien de Montréal ?

Et ce soir d'été où tu m'as donné à lire le manuscrit de ton roman *L'Amazone* ? Comment se peut-il que Prudence Dubé Le Gardeur n'ait pas encore galopé sur les écrans ! Et les entêtés saumons de Matane qui ne voulaient pas sauter ? Le tour de l'île, « quarante-deux milles de choses tranquilles » ?

Et...

Henri Bergeron était une manière de vivre, une plénitude d'être, d'écouter, de parler, d'échanger, de partager...

Cher Henri, la vie a voulu que je mesure aujourd'hui dans ma propre chair l'exacte douleur de l'absence. Il me console d'espérer que toi et Bertrand puissiez ensemble parler de cinéma.

Et, que les esprits forts me pardonnent, mais ce sont les humbles mots d'une vieille prière – saint Ambroise, cela ne nous rajeunit pas – qui me semblent le mieux convenir pour exprimer ce que je ressens : « Seigneur, ne me sépare pas de ceux que j'ai tant aimés, fais que là-haut j'aie la joie de leur présence dont je fus trop tôt privé sur la Terre. »

Roland Eluerd
Président de la Biennale de la langue française

Avant-propos

« L'Histoire l'a regardé passer, l'air de se dire :
"En voilà un qui ne m'a jamais fait honte. Je vais
m'ennuyer de lui. Je ne veux pas l'oublier." »

Yves Boisvert, journaliste
La Presse

J'ai connu Henri Bergeron à l'âge de cinq ans. Avec sa femme Yvonne, il rendait visite à mes parents. J'en conserve un souvenir : il nous avait pris dans ses bras, ma sœur Francine et moi, pour aller nous border dans nos petits lits. Ce qui m'avait surtout frappé, c'était sa voix, une voix grave et douce à la fois.

Plus tard, il devint le marchand de sable que j'écoutais fidèlement à la radio de Radio-Canada. Encore une fois, la voix d'Henri Bergeron me fascinait, notamment ses intonations, toutes différentes, selon les personnages de contes et de légendes qu'il interprétait. J'étais une fidèle loupiote, comme il appelait ses jeunes auditrices au début de chaque émission.

Puis, un jour, je suis entrée officiellement dans le cercle familial des Bergeron, en épousant l'un de ses quatre garçons, le deuxième de la famille, Denys. Rapidement, je me suis attachée à mes beaux-parents à un point tel que je les ai appelés spontanément maman Yvonne et papa Henri. Ils me sont devenus aussi précieux que mes propres parents et j'ai toujours ressenti leur profonde affection à mon égard.

Pendant plus de 32 ans, j'ai surtout connu un père de famille à la personnalité imposante et à la voix impressionnante, une voix amplifiée par une cage thoracique aussi développée que celle d'un ténor. Aussi, lorsque le bavard (comme il aimait se qualifier lui-même) s'est tu à jamais, une voix familière s'éteignait non seulement pour moi, mais aussi pour des centaines de milliers de téléspectateurs qui reconnaissaient le célèbre présentateur à la fine moustache à cette belle voix grave, posée et naturelle.

Mais au-delà de la voix, s'est toujours tenu bien droit un homme fier du travail et du parcours accompli. Un homme comblé qui avait réussi sa vie familiale autant que sa vie professionnelle. Il avait été, *un beau talent,* comme on qualifiait ceux qui se démarquaient, à l'époque, du cours classique. C'était aussi un être profondément croyant qui avait eu la chance de développer ses aptitudes, d'être là au moment opportun et avait eu l'intelligence d'écouter son instinct en empruntant un chemin à bâtir, celui d'un nouveau médium, la télévision. Au petit écran, il projetait toujours l'image d'un homme distingué, élégant et souriant malgré le stress énorme qu'il subissait régulièrement.

Henri Bergeron s'est forgé une personnalité bien à lui, celle d'un homme charmant, accessible et généreux. Mais était-il égal à lui-même? Le communicateur restait-il le même au petit écran comme en coulisse? S'exprimait-il toujours dans le même français juste et recherché, en respectant la bonne accentuation et les termes appropriés? Était-il aussi généreux, aussi distingué et aussi accessible dans la vie courante?

Pour mieux cerner le personnage au fil des années, j'ai voulu interroger tous ceux et celles qui ont bien connu le frère, l'époux, le papa, le collègue de travail et l'ami. Près d'une centaine de personnes se sont gentiment livrées à l'exercice en me confiant leurs souvenirs et leurs réflexions. Je tiens à les en remercier du fond du cœur. Je veux également souligner la collaboration du Service documentation et archives de Radio-Canada, en particulier de Nathalie Lemay et de Stéphane Gourde. Je remercie le journaliste Yves Boisvert et l'auteur compositeur Daniel Lavoie, qui ont gentiment accepté de permettre l'utilisation d'extraits de leurs écrits en citation. En m'accordant sa permission, Daniel Lavoie a écrit : « Je suis heureux d'avoir pu contribuer un peu à l'histoire de cet homme admirable. »

Je remercie le grand ami d'Henri qui a signé la préface. Grâce à Roland Eluerd, la biographie d'Henri Bergeron revêt un panache que personne d'autre n'aurait pu lui offrir.

Je tiens à remercier Les Éditions Quebecor, particulièrement mon éditrice, Annie Tonneau, qui m'a permis de souligner la vie exceptionnelle d'un homme de talent qui a été l'un des pionniers de la radio dans l'Ouest canadien et de la télévision canadienne. Son histoire se devait d'être racontée afin qu'elle demeure bien présente dans notre mémoire collective.

Introduction
Un coin de pays célèbre

« Il n'y a pas de pays sans grands-pères. »
Roch Carrier

L'histoire d'une vie commence toujours par celles qui nous ont précédés, et les ancêtres d'Henri Bergeron ont un remarquable passé qui a fortement marqué le petit Bergeron dès sa naissance. Voici donc un rapide survol de leur histoire et de l'endroit où tous ses aïeux se sont retrouvés, un coin de pays qui s'appelle la montagne Pembina, au Manitoba.

Henri Bergeron est né le 17 mai 1925 à Saint-Lupicin au Manitoba, un hameau situé au sud-ouest de Saint-Boniface, à environ 120 kilomètres de Winnipeg, dans la région de la montagne Pembina qui a inspiré plusieurs des plus beaux écrits d'une Manitobaine également célèbre, la romancière Gabrielle Roy.

La montagne Pembina (nom formé de deux mots amérindiens, *nepin* et *minan* et signifiant baie d'été) doit son nom à la petite baie rouge acidulée que l'on cueille en abondance dans cette région pour en faire une gelée savoureuse. La région est traversée en partie par la rivière du même nom. Y prennent également leurs sources, les rivières La Graisse, Cyprès et la Boyne, qui gonflent la rivière Assiniboine, et puis la rivière Rouge, qui

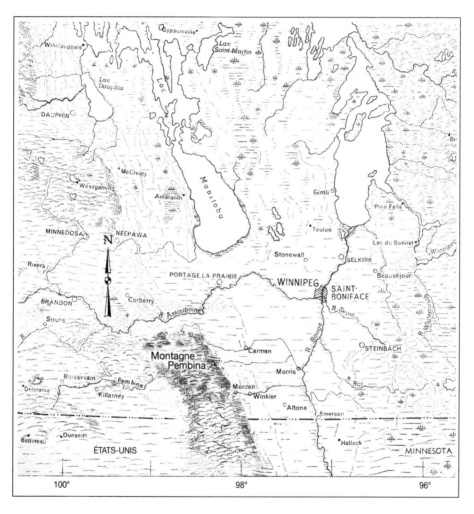

Montagne Pembina, Manitoba

traverse les villes de Winnipeg et de Saint-Boniface. La terre est divisée en sections, en cantons et en alignements et les colons choisissent leur *homestead* (terre entièrement boisée), terre qu'ils devront défricher pour y bâtir un toit et où l'on cultive diverses céréales dont l'avoine, l'orge et le blé.

Cette région vallonnée tranche nettement sur l'immensité de la plaine où pointe l'or blond, de beaux épis dorés à perte de vue. Le Manitoba a été visité par le fondateur de la Compagnie de la baie d'Hudson, l'explorateur français Pierre-Esprit Radisson, et plus tard par l'explorateur canadien-français Pierre Gaultier de Varennes de La Vérendrye, en octobre 1738. Il s'agit d'une vaste province, dont la superficie de 650 000 km^2 surpasse celle de 543 965 km^2 de la terre de France métropolitaine. Si je compare le pays de nos ancêtres à cette portion des Prairies, c'est que le Manitoba, et plus précisément la montagne Pembina, a été colonisé non seulement par des Belges et des Suisses, mais aussi par de nombreux Français venant particulièrement de Bretagne, d'Auvergne et du Jura, entre autres Dom Benoît. Arrivé dans la région de la montagne Pembina en 1890, le chanoine régulier de l'Immaculée-Conception rêve de faire de cette région une petite France.

Il fondera Notre-Dame-de-Lourdes l'année suivante, soit le 14 mai 1891, sur le site où quelques colons bretons, suisses et auvergnats sont déjà installés. Avec l'arrivée des nombreux immigrés catholiques belges, suisses et français, suivront les villages de Bruxelles, Saint-Claude, Mariapolis, Somerset, Haywood, Swan Lake et, en 1920, Saint-Lupicin. Douze ans avant l'arrivée de Dom Benoît, la paroisse de Saint-Léon sera fondée au bord du lac Rond par un alsacien, l'abbé Théobald Bitsche.

Parmi les premiers colons fondateurs de Saint-Lupicin, situé à environ quatre kilomètres au sud-est de Notre-Dame-de-Lourdes et à un peu moins de trois kilomètres d'Altamont, on trouve les familles de Louis Taillefer (originaire de la Savoie) et de Jean-Antoine Bourrier (de la Lozère), arrivés en 1891. Plus tard, les

Morin, Bahauaud, Pinier, Lemaux et Labouré combineront leurs efforts à ceux des Taillefer et des Bourrier pour ériger une première école en rondins, l'école Faure, nommée en l'honneur du président français de l'époque, Félix Faure. Ce petit coin très français se détachera officiellement de Notre-Dame-de-Lourdes en 1920 et deviendra la paroisse de Saint-Lupicin dont le père Joseph Picod sera nommé curé. À ce moment-là, on dénombre une quarantaine de familles. Malheureusement, Louis Taillefer et Jean-Antoine Bourrier meurent avant l'inauguration de la paroisse et c'est pourquoi le père Picod leur accordera le titre de fondateurs de Saint-Lupicin.

Les ancêtres d'Henri Bergeron (Arbre généalogique 1)

Les parents de sa mère Rosalie Bourrier : Marie Vidal et Jean-Antoine Bourrier

Jean-Antoine Bourrier est né le 17 août 1831 à Eschofort (Scoufour, en patois) en Lozère, une région du Languedoc, au sud du Massif central. Jean-Antoine est un solide meunier portant une grosse moustache retroussée aux extrémités. Il aura 10 enfants de Jeanne Bouchard ; celle-ci mourra en donnant naissance à la dernière de la famille, Mélanie. Jean-Antoine Bourrier se remariera à 47 ans avec Marie Vidal qui n'en a que 22. Rapidement la famille s'agrandit et 6 enfants verront le jour : Hyppolyte, Pierre, Léonie, Jules, Émile et Agnès. Jean-Antoine et la jeune Marie travaillent d'arrache-pied la terre peu fertile de la Lozère pour élever et nourrir une si nombreuse famille. Ils sèment à la main, coupent à la faucille et battent les 20 acres de culture au fléau. Marie Vidal fait son pain, son beurre, son fromage et la couture.

Une lettre d'un ami, Jean-Pierre Pantel, parti depuis peu pour le Manitoba, vantant les grands espaces où tout est à faire et à défri-

Arbre généalogique I

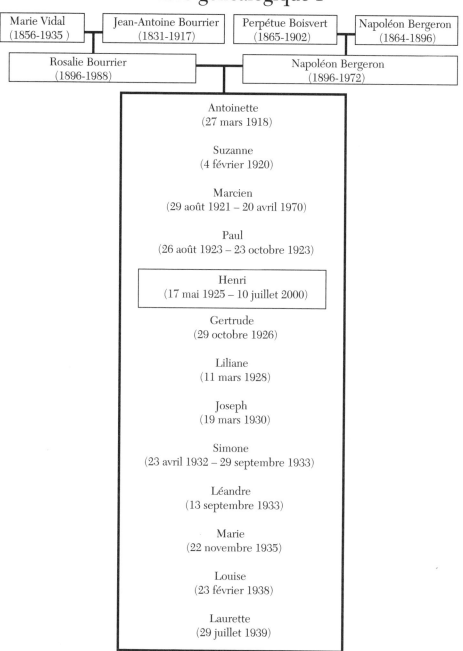

| Marie Vidal (1856-1935) | Jean-Antoine Bourrier (1831-1917) | Perpétue Boisvert (1865-1902) | Napoléon Bergeron (1864-1896) |

| Rosalie Bourrier (1896-1988) | Napoléon Bergeron (1896-1972) |

Antoinette
(27 mars 1918)

Suzanne
(4 février 1920)

Marcien
(29 août 1921 – 20 avril 1970)

Paul
(26 août 1923 – 23 octobre 1923)

Henri
(17 mai 1925 – 10 juillet 2000)

Gertrude
(29 octobre 1926)

Liliane
(11 mars 1928)

Joseph
(19 mars 1930)

Simone
(23 avril 1932 – 29 septembre 1933)

Léandre
(13 septembre 1933)

Marie
(22 novembre 1935)

Louise
(23 février 1938)

Laurette
(29 juillet 1939)

cher, mais qui sent la prospérité, bouleverse la vie des Bourrier. Après avoir vendu la ferme et laissé derrière eux les enfants déjà mariés, Jean-Antoine Bourrier et Marie Vidal s'embarquent à Liverpool avec 10 membres de leur famille à bord d'un bateau à vapeur à destination d'Halifax. La traversée de 16 jours ne sera pas de tout repos pour Marie, qui souffre du mal de mer et qui doit s'occuper de 6 enfants âgés de 6 mois à 13 ans. Ils arriveront pratiquement un mois plus tard à Saint-Léon, à bord d'un chariot tiré par deux bœufs guidés par leur ami Jean-Pierre Pantel.

Après avoir perdu la première récolte à cause de la gelée, les Bourrier achètent pour la somme de 15 dollars, un quart de section, 160 acres d'un *homestead* à environ 6 km de Saint-Léon, endroit qui leur rappelle leur coin vallonné de la Lozère et qui deviendra un jour Saint-Lupicin. C'est à cet endroit que la maman d'Henri Bergeron voit le jour, le 21 juin 1896. Son père a alors 67 ans et sa mère 41. Jean-Antoine Bourrier baptisera la dernière de la famille à la mémoire de son unique sœur, décédée à l'âge de 21 ans, Rosalie.

Wilfrid Laurier, né le 20 novembre 1841 à Saint-Lin au Québec, est élu cette année-là premier ministre du Canada. Il sera le premier francophone à la tête d'un pays en pleine expansion pendant 11 ans.

Les parents de son père Napoléon Bergeron :
Perpétue Boisvert et Napoléon Bergeron
(Arbre généalogique 1)

Napoléon Bergeron n'aura pas la chance de connaître ses parents. Son père Napoléon meurt alors qu'il n'a que deux mois et sa mère, Perpétue Boisvert décède lorsqu'il a cinq ans. À la naissance, il est baptisé Pierre-Siméon mais, à la mort de son père, on lui donne le nom de Napoléon, en souvenir de son paternel.

Perpétue Boisvert est la fille de Félix Boisvert et de Léocadie Rondeau. Elle est née le 30 mai 1865, à Saint-Gabriel-de-Brandon au Québec.

D'un premier mariage, Félix Boisvert aura 2 enfants avec Émilie Paquin qui décédera à l'âge de 32 ans.

Félix Boisvert épouse en secondes noces, Léocadie Rondeau, qui lui donnera huit enfants. Le premier, Théodule, meurt à deux mois et deux filles, Olivine et Mélitine, ne se rendront pas plus loin que six et cinq ans. Les cinq autres enfants vivront par contre tous très vieux, comme leur père. Félix Boisvert, qui aura passé toute sa vie sur la terre du 3ᵉ rang à Saint-Gabriel-de-Brandon, quittera ce monde le 13 avril 1915, à l'âge de 90 ans. Il rejoindra Léocadie au cimetière de Saint-Gabriel, décédée 21 ans plus tôt, en 1894. Perpétue a deux sœurs, Georgianna et Philomène, et deux frères, Siméon et Cléophas.

Les parents d'Henri Bergeron : Rosalie Bourrier et Napoléon Bergeron (Arbre généalogique 1)

Perpétue Boisvert épouse Napoléon Bergeron, le fils de Rosalie Germain et de Léandre Bergeron, le 16 février 1886, à Saint-Gabriel-de-Brandon. En 1890, le jeune couple avec ses trois enfants, Alberta, Josephat et Octavien, s'établit à Saint-Léon au Manitoba où vit la tante de Perpétue, Henriette Rondeau, et son mari Louis Beauchamp.

Napoléon Bergeron est charpentier et construit une maison sur une terre qu'il a défrichée à Saint-Léon. Un autre enfant y voit le jour, Georgianna. À cause du gel, la récolte est perdue ; la famille décide alors de s'établir à Saint-Boniface. Deux autres enfants viennent au monde, Arthur et Anna. La famille retourne à Saint-Léon et, en 1895, Napoléon construit près du lac Rond un moulin de trois étages qui produit des planches et du bardeau et qui sert aussi à moudre le grain. Le dernier étage est réservé au rangement pour la laine à carder. Comme Napoléon se déplace fréquemment pour aller chercher son bois à Notre-Dame-de-Lourdes, il prend froid et meurt des suites d'une pneumonie le 29 avril 1896, deux mois après la naissance du petit dernier, Pierre-Siméon, rebaptisé Napoléon.

La pauvre Perpétue tente de faire marcher le moulin avec l'aide de ses fils et des voisins, mais un incendie vient anéantir le seul moyen de subsistance de la jeune veuve de 34 ans et de ses 7 enfants. Elle accepte d'épouser un veuf de Saint-Alphonse, Joseph Choquette, qui a 8 enfants. Les aléas de la vie n'épargnent pas Perpétue, qui meurt d'une fausse couche 6 mois après son mariage, le 18 février 1902, à 36 ans. Les orphelins sont temporairement accueillis par les chanoinesses de Saint-Léon. Josephat, Georgina, Octavien et Arthur sont adoptés par la famille Routhier; Anna est placée chez les Courcy tandis que Louis Beauchamp et Henriette Rondeau prennent le petit Napoléon. Quant à la pauvre Alberta, elle succombe l'année suivante, le 7 avril 1903, de la tuberculose.

Napoléon ne demeure pas très longtemps chez les Beauchamp. Il va vivre au Québec, dans la famille Roberge, parente des Routhier. Napoléon fréquente le Séminaire de Saint-Hyacinthe, mais il s'ennuie beaucoup de ses frères et sœurs. Aussi, lorsque les Roberge se rendent en visite au Manitoba, Napoléon ne veut plus en repartir. Il sera le bienvenu chez les Routhier et retrouvera les siens avec joie.

À 16 ans, le jeune Napoléon est prêt à gagner sa vie. Il travaille dans les fermes des environs comme homme à tout faire. Lorsqu'il a 18 ans, il arrive à la ferme de Jean-Étienne Bourrier, à Notre-Dame-de-Lourdes, où la benjamine Rosalie prend soin de son vieux père. Après des fréquentations surveillées étroitement par le paternel, un œil dans son bréviaire et l'autre en direction des amoureux qui font des plans d'avenir sur les deux balançoires (deux pour les convenances), Rosalie Bourrier épouse Napoléon Bergeron le 21 novembre 1916. Le jeune Canadien français a appris la demande en mariage en patois auvergnat et le père Bourrier lui donne sa bénédiction en disant : « J'accepte, puisque c'est la volonté de Dieu. Soyez heureux ! Que Dieu vous bénisse ! »

Les 13 enfants de Rosalie Bourrier et de Napoléon Bergeron (Arbre généalogique 1)

En pleine épidémie de grippe espagnole, l'aînée de la famille, Antoinette, naît le 27 mars 1918. Ils vivent alors dans la ferme d'Agnès Bourrier (la sœur de Rosalie) qui est mariée avec Étienne Soulodre, parti à la guerre. Lorsque ce dernier revient en 1919, Rosalie et Napoléon louent un quart de section au nord-est de chez les Soulodre, il s'agit d'une ferme avec une petite maison de deux étages en bois rond blanchie à la chaux. Napoléon creuse un puits, répare l'écurie et construit un poulailler.

Le 4 février 1920, la deuxième de la famille Bergeron voit le jour, une autre belle fille prénommée Suzanne. On célèbre la naissance en buvant du bon vin de pissenlit. La même année, une autre bonne raison de fêter se présente, puisque le père Picod, chanoine régulier de l'Immaculée-Conception, arrive à la gare d'Altamont le 26 juillet, jour de la fête de sainte Anne et devient le curé de Saint-Lupicin.

Puis, les naissances se suivent régulièrement : le 29 août 1921, le premier garçon naît, Marcien, puis c'est au tour de Paul, le 26 août 1923. Malheureusement, le petit meurt dans les bras de sa mère le 23 octobre, des suites d'une double pneumonie. C'est à ce moment-là que Napoléon est embauché comme serre-freins pour la compagnie de chemin de fer Canadien National (CN). Pendant la période effervescente du transport du blé, le *grain rush*, Napoléon gagne la somme de 300 $, une petite fortune pour l'époque. Chaque automne, après les battages, Napoléon se rend à Melville en Saskatchewan pour ne revenir qu'au mois de mars.

Après la naissance au printemps d'un poulain, de trois veaux et d'une douzaine de petits cochons, le cinquième de la famille Bergeron arrive à son tour, soit le 17 mai 1925, à l'heure où, à Rome, le Saint-Père Pie XI canonise Thérèse de l'Enfant-Jésus. Le beau garçon de sept livres et demie est baptisé le même jour et reçoit le nom d'Henri Joseph Georges. Marcien, qui n'a que trois ans, demande à sa maman : «Quand est-ce qu'il viendra jouer avec moi ?»

La famille Bergeron laisse la petite ferme entre les mains du neveu de Rosalie, Firmin Bourrier, pour s'installer plus près de l'école du village. Napoléon travaillant au chemin de fer ne peut plus tenir la ferme comme avant. Le sixième bébé de la famille sera une fille, Gertrude, née le 29 octobre 1926, suivie d'une autre fille, Liliane, le 11 mars 1928. Ensuite, le huitième enfant sera un garçon nommé Joseph, né le jour de la Saint-Joseph, le 19 mars 1930, en pleine Dépression. Le grain ne se vend plus, le prix des animaux a chuté et les ouvriers peinent à se trouver du travail. Le transport du grain ne dure qu'un seul mois. Rosalie et Napoléon n'ont pas le choix, ils retournent vivre dans la ferme. Le 23 avril 1932, c'est la naissance de la petite Simone, mais elle mourra à l'hôpital de Saint-Boniface d'une méningite tuberculeuse deux semaines avant l'arrivée du dixième enfant, Léandre, le 13 septembre 1933. À cause de la sécheresse et des récoltes médiocres, Napoléon se met à la recherche d'une terre plus fertile.

Le 15 septembre 1934, la famille déménage de nouveau et loue une ferme appartenant à un Belge, Joseph Schumacher, à Notre-Dame-de-Lourdes pour une période de cinq ans. La ferme est située tout juste devant celle de Privat Pantel et l'école Saint-Adélard est à deux pas. Cependant, la maison est minuscule ; au rez-de-chaussée, il n'y a qu'une petite pièce et une cuisine exiguë ; à l'étage se trouve une seule chambre que Suzanne s'empresse de diviser avec des rideaux pour que chacun ait son petit coin privé.

La prochaine naissance se fera chez *Choumac*, comme on se plaît à nommer l'endroit. Marie vient au monde le 22 novembre 1935. Quant à Louise et la treizième de la famille, Laurette, elles verront le jour à l'hôpital de Saint-Boniface, respectivement le 23 février 1938 et le 29 août 1939. À ce propos, la belle-sœur de Rosalie, Kate, la femme de son frère Jules Bourrier, fera la remarque suivante : «Well Rose, there's always a baby in your home!» (Eh bien Rose, il y a toujours un bébé chez toi!)

Pantel est un nom familier pour Rosalie. C'est le père de Privat, Jean-Pierre Pantel, originaire de la Lozère qui a encouragé le père de Rosalie à s'établir au Manitoba. Privat Pantel et son épouse, de nationalité belge, ont également une nombreuse famille dont l'aînée, Angèle, deviendra institutrice à l'école de Saint-Adélard. Les voisins s'entraident en faisant des sessions de plumage. Chaque printemps, les fermiers achètent toujours une centaine de poulets chacun, si bien qu'à l'automne on se réunit, tantôt dans l'écurie chez Antoine Badiou, tantôt chez Pierre Monchamp. Un expert pique le coq au palais et, pendant que le sang coule, on se dépêche d'arracher les plumes qui se détachent plus facilement.

Rosalie et Napoléon espèrent toujours de bonnes récoltes, mais presque chaque été apporte, soit de la grêle, des sauterelles, de la sécheresse soit des pluies abondantes qui détruisent les champs de blé. Heureusement que Napoléon sauve la situation en travaillant au chemin de fer. En 1939, devant la menace d'une Deuxième Guerre mondiale, Napoléon a désormais du travail toute l'année au CN à Melville, si bien que la famille abandonne la ferme de Choumac, surtout que le bail arrive à échéance. Les Bergeron s'installent à Notre-Dame-de-Lourdes, près de l'église et des écoles, pour repartir deux ans plus tard, en 1941, rejoindre cette fois Napoléon à Melville, en Saskatchewan. Ils habitent sur Third Avenue (3e avenue), un quartier allemand où tout le monde parle anglais. Le prêtre de la paroisse est polonais, si bien qu'il y a une messe célébrée en polonais et les autres services religieux sont en anglais.

Un an plus tard, Napoléon est muté à Rivière-la-Paix en Alberta, à la suite d'un accident de train qui ne fait, heureusement, pas de victimes. Six mois plus tard, Napoléon se disloque une épaule en voulant attraper un wagon en mouvement. Pendant sa convalescence, il se rend à Saint-Boniface où la sœur de Rosalie, Agnès, et son mari Étienne Soulodre demeurent.

Plusieurs familles ont délaissé la ferme pour s'installer désormais en ville. Elle conseille alors à Napoléon de s'établir à Saint-Boniface où il y a des écoles françaises et anglaises. Napoléon achète une maison, rue Berry, en souhaitant être rapatrié bientôt à Transcona, un centre ferroviaire près de Winnipeg. Il y rejoindra finalement les siens en 1944.

ΔΔΔ

Depuis toujours, l'Homme se pose une question qui demeure sans réponse : que se passe-t-il après la mort ? Où allons-nous ? Notre âme emprunte-t-elle une nouvelle route vers le royaume d'un être suprême qu'il s'appelle Dieu, Bouddha ou Allah ? Certaines personnes, déclarées cliniquement mortes et revenues à la vie, affirment qu'elles ont revu leur vie en quelques secondes comme un film en accéléré. Partant de cet énoncé, j'ai alors imaginé qu'une telle expérience aurait pu arriver à Henri Bergeron au moment de son décès.

Tout au long de ses funérailles, l'esprit d'Henri Bergeron sera aux premières loges pour revivre à travers les propos et les pensées de ses proches et de ses amis, les grands moments qui ont ponctué sa vie.

Il aurait été injuste de bâillonner le communicateur aguerri, l'infatigable conférencier, l'animateur qui se faisait un point d'honneur de bien parler notre langue française. Je cède donc la parole à mon narrateur, Henri Bergeron, un merveilleux et atta-chant bavard, ainsi qu'à ceux et celles qui l'ont connu et aimé.

ΔΔΔ

Vous voudriez connaître le mystère de la mort.
Mais comment le trouverez-vous si vous ne cherchez pas
dans le cœur de la vie ?

Le hibou, dont les yeux attachés à la nuit sont aveugles dans le
jour, ne peut pas dévoiler le secret de la lumière.

Mais si vous voulez vraiment contempler l'énigme de la mort,
ouvrez largement votre cœur à l'élan de la Vie.

Car la vie et la mort ne sont qu'un, comme sont un la rivière
et la mer.

Extrait du « Poème sur la mort », *Le Prophète*
Khalil Gibran

Chapitre 1

Rendez-vous avec la vie

« Dès qu'on remue un souvenir de sa vie, par là même on entraîne les autres à en faire autant. »

Gabrielle Roy

« On meurt vraiment quand tous ceux qui nous ont connus et aimés partent à leur tour. »

Gabriel Contant, designer à Radio-Canada

Les derniers jours à l'hôpital ont été difficiles. Bien que rarement seul, entouré de mes enfants et de ma femme Yvonne, je sentais mon souffle de vie s'amenuiser à mesure que les minutes s'égrenaient inexorablement. Moi qui suis claustrophobe, je n'arrivais plus à respirer normalement. Chaque inspiration était un Everest à surmonter. J'étais à la merci du destin qui m'indiquait la sortie… et puis plus rien… comme un film qui noircit sa dernière image…

Je ne sais pas combien de temps s'est écoulé depuis, mais il y a longtemps que je ne m'étais pas senti aussi bien, aussi serein et aussi léger qu'un courant d'air. Je respire aisément et pourtant je n'entends pas battre mon cœur. Si j'avais réellement les deux pieds sur terre, je devrais m'affoler. Mais voilà, je ne suis plus dans le temps terrestre. Mon esprit se laisse porter par la brise estivale et je revois avec plaisir ce coin familier où j'ai habité pendant près de la moitié de ma vie.

Le temps est chaud et doux, particulièrement en cette matinée du 13 juillet 2000. Le ciel d'Outremont s'est habillé de soleil et quelques nuages laiteux s'étirent par endroit. Les terrasses, rue Bernard, grouillent de clients qui sirotent leur café au lait tout en lisant *Le Devoir*. J'ai toujours été fasciné par le va-et-vient des moineaux qui s'activent fébrilement sous les tables et les allées en piaillant. Les miettes de croissants et de pains au chocolat sont une manne providentielle qui disparaît en un éclair. Attaché à un parcomètre, un chien attend patiemment son maître qui achète sa baguette à la boulangerie. C'est fou comme il me rappelle mon chien Papino, un border-colley avec une petite touffe blanche sur la tête. C'est mon père Napoléon qui avait baptisé le chiot de Popette ainsi, parce qu'il lui trouvait une ressemblance avec la mèche blanche du célèbre Louis-Joseph Papineau. Comme c'est curieux, le chien lève sa tête dans ma direction comme s'il avait lu mes pensées. Devant le café, une jeune maman hassidique suivie de ses quatre autres petits, endimanchés comme elle, pousse un landau. La routine de la vie continue paisiblement. Non, il n'y a rien de changé.

La preuve, des employés de la voirie installent encore leur outillage au coin d'Hutchison et Bernard. Curieusement, l'asphalte n'a jamais bien tenu dans ce coin-là. Si je me rappelle bien, j'avais fait une crevaison avec ma grosse Buick Centurion en roulant dans un de ces horribles cratères. Il y a plus de nids-de-poule à cette intersection que dans notre poulailler jadis à Saint-Lupicin. En y pensant bien, plusieurs rues du quartier auraient grandement besoin de réparation. Heureusement que les érables majestueux tiennent admirablement le coup depuis des décennies. Ils montent fidèlement la garde devant les résidences de brique rouge en formant des allées feuillues et rafraîchissantes. Combien de fois me suis-je amusé à les compter en roulant à vélo ? Parfois mon imagination en ébullition échafaudait des scénarios invraisemblables, alimentée sans doute par les nouvelles crachées par le petit transistor que j'avais fixé sur le guidon. C'était plus fort que moi, je trimbalais l'humanité et ses dernières nouvelles à chaque escapade, histoire de garder contact avec le reste de la planète. Déformation professionnelle, quoi !

Décidément, cette balade à vol d'oiseau est unique et délicieuse et surtout d'une facilité déconcertante ! Je redécouvre, vu d'en haut, les nombreux pâtés de verdure, le parc Outremont en particulier, mais aussi le parc Pratt, qui déploient leur beauté, leur grâce, leurs plans d'eau et leurs fontaines, leurs sentiers étroits et leurs massifs fleuris. Le tableau est spectaculaire et vibrant de couleurs comme une toile de Villeneuve. Oui, j'ai toujours aimé Outremont, la quiétude de ses quartiers résidentiels, l'activité fébrile des rues commerciales et les rencontres impromptues qu'on peut y faire. Souvent, en sortant de la Caisse Populaire, rue Bernard, j'y ai croisé une comédienne, un journaliste ou encore un voisin entrant au Théâtre Outremont. J'ai toujours aimé ces brins de causette improvisés devant la glacerie Le Bilboquet ou le dépanneur du coin, anciennement le National Shop.

C'est aussi la proximité des lieux avec le reste de l'île de Montréal qui m'a attiré dans ce coin de campagne en ville. En deux coups de roues, j'arrivais bien avant l'heure à Radio-Canada. Je n'aurais jamais supporté le stress des bouchons de circulation des ponts ou des autoroutes qui convergent vers la ville aux heures de pointe. L'adrénaline était plus que suffisante sur les plateaux de télévision.

J'y suis arrivé en avril 1963 avec ma femme Yvonne, enceinte de notre dernier, Éric, et des quatre autres enfants. Nous avons alors emménagé dans une belle d'Outremont, rue Wiseman. Nous qui avions vécu dans de petits logements, où nous partagions parfois les lieux avec des locataires pour arrondir les fins de mois, voilà que nous nous installions dans une immense résidence de 14 pièces.

Ah! Te voilà ma belle! Que de beaux souvenirs tu gardes en tes murs! Yvonne avait raison de t'aimer, chère élégante lambrissée de boiseries. Ta grande cuisine parfumait le rez-de-chaussée où la salle à dîner était séparée du grand salon par tes larges portes françaises biseautées qui disparaissaient habilement dans les murs lors des réceptions. À l'étage, chaque enfant avait sa chambre et nous occupions la plus grande avec salle de bains. Mais la curiosité des lieux était sans contredit ton sous-sol. L'ancien propriétaire, monsieur Corbeil, l'avait transformé en salon tahitien avec mobilier de rotin et fresques polynésiennes. Ne manquaient que l'odeur de noix de coco et le clapotis des vagues et on se serait littéralement cru sur un atoll perdu en Océanie. Je préférais de loin l'ambiance feutrée de mon bureau, à l'entrée de la maison, entouré de mes encyclopédies et de mes dictionnaires ou bien encore celle du boudoir où trônait le téléviseur.

Excuse-moi de te le dire, mais quel éléphant blanc tu étais devenue 11 ans plus tard! Dans le genre onéreux, tu ne cédais pas ta place, petite coquine. Après bien des discussions et des larmes, nous t'avons vendue pour nous installer un peu plus au nord, rue Hartland, près de Ducharme. Si je t'ai quittée de façon calculée et rationnelle, Yvonne, de son côté, te délaissait à regret. Je savais qu'elle était bouleversée. J'aurais dû la serrer dans mes bras et la rassurer, mais ce n'était pas pour moi des gestes spontanés. Nous vivions un amour entendu. J'ai manqué de tendresse et d'attention envers elle, j'en suis profondément convaincu. Mais l'étoffe des Bergeron est tissée dans un sens et personne, pas même ma femme, n'aurait pu en déchirer la trame.

Oui, j'ai toujours aimé Outremont, une ville vraiment unique où la bourgeoisie francophone composée d'artistes et d'intellectuels, de gens d'affaires et de professionnels, voisine une communauté hassidique de plus en plus importante. On y dénombre plus de synagogues que d'églises catholiques. Elles sont, soit dit en passant, beaucoup plus fréquentées que nos lieux de prières. Tiens, j'entends le clocher de l'église Sainte-Madeleine qui résonne juste à l'heure pour le rendez-vous.

Que de monde rassemblé sur le parvis! On dirait une première de théâtre ou de concert symphonique. Depuis plusieurs années, quand on se bouscule au portillon de l'église, c'est qu'on y célèbre un mariage ou alors des funérailles...

Je les reconnais tous, à part certains curieux qui s'agglutinent de chaque côté de l'entrée principale. Des équipes de télévision s'affairent discrètement pour capter quelques moments retransmis sans doute aux bulletins de soirée.

Quand même! Je ne vois pas celle de Radio-Canada! Il y a bien TQS, TVA... mais enfin où sont-ils? Ah! ils arrivent en même temps que le cortège funèbre. Il était moins une! Dans notre temps, nous arrivions bien des heures avant d'entrer en ondes et avec des équipes plus nombreuses qu'aujourd'hui. Mince! Mon corps est là-dedans, dans ce cercueil étroit? Heureusement que je flotte au-dessus de la mêlée sinon je n'aurais pas tenu deux secondes. Fichue claustrophobie!

Décidément, le temps superbe et léger contraste avec ce moment solennel, chargé d'émotions et de souvenirs. Oh! Mes *zigounes* pleurent. Je suis désolé mes chères petites-filles. Oui je sais, j'aurais dû tenir encore bien des années. Bon, ça suffit! Assez pleuré! J'ai toujours détesté les larmes et ce n'est pas aujourd'hui que je vais me laisser aller à la mélancolie. Quand même! La cérémonie va commencer et je ne veux pas en perdre ni un mot ni une parole. Silence! Mais qu'est-ce que je raconte! Elles ne me voient pas et m'entendent encore moins. Faudra que je m'habitue.

Église Sainte-Madeleine, Outremont, funérailles d'Henri Bergeron, 10 h 9

Voyons! Si je m'installe au-dessus de l'autel et du prêtre officiant, le curé Pierre Murray, je serai aux premières loges pour voir tout mon monde. Combien de fois me suis-je retrouvé devant un auditoire dans ma vie, sauf que désormais je n'en serai plus l'animateur mais bien le spectateur!

Vu d'ici, l'effet est saisissant, impressionnant. Je ressens le même pincement au ventre que lorsque j'arrivais sur le devant de la scène pour la présentation d'un concert. Le trac ne m'a jamais abandonné, bien au contraire, il s'est amplifié au fil des années. Le trac était un mal nécessaire, fidèle au rendez-vous comme en ce moment, même devant un public familier. Si je m'attendais à vous revoir tous, ma femme Yvonne que j'ai tant aimée ainsi que mes cinq enfants, les petits-enfants, mes sœurs, mes frères, les belles-sœurs, les beaux-frères, les belles-filles, les neveux et nièces, les amis et les collègues de travail. J'avoue que le moment est plutôt cocasse et singulier. J'assiste à mes funérailles! Je ne rêve pourtant pas! C'est bien mon cercueil qui remonte l'allée centrale, escorté par mes garçons, Denys, Alain, Sylvain, Éric, mon frère Jos et mon petit-fils Julien. Toute la nef au garde-à-vous m'accueille aux portes de l'éternité, y compris un couple assis sur une balançoire juste devant moi, au-dessus de l'assemblée! Quel beau portrait de famille! Non mais, je rêve là! On dirait... mais ce sont mes parents, Rosalie et Napoléon!

Napoléon Bergeron, né le 4 mars 1896, décédé le 16 juillet 1972 :

— Non, tu ne rêves pas, Piton. C'est nous, ta mère et moi.

Rosalie Bourrier-Bergeron, née le 21 juin 1896, décédée le 3 janvier 1988 :

— Par la toute puissance et la volonté de Dieu, nous tenions à être les premiers à te souhaiter la bienvenue.

Henri :

— Maman ! Papa ! Mais qu'est-ce que vous faites ici ? Si je m'attendais à vous voir ! Quelle surprise ! Que vous êtes beaux tous les deux sur cette balançoire !

Rosalie Bourrier-Bergeron :

— En 1914, Napoléon en avait construit deux dans le boisé derrière la maison de mon père Jean-Antoine Bourrier. Tous les dimanches, pendant nos fréquentations, il partait à bicyclette de Saint-Léon jusque chez nous à Saint-Lupicin. Ainsi, pour les convenances, nous nous installions chacun sur notre balançoire en faisant des projets d'avenir tout l'après-midi.

Napoléon Bergeron :

— Tu te souviens Rose, j'avais peur que ton père ne m'accorde pas ta main parce que je n'étais pas un Français.

Rosalie Bourrier-Bergeron :

— Mon frère Hyppolite t'avait appris la demande en mariage en patois auvergnat.

Napoléon Bergeron :

— Hé lou pâire, voudras me donna vastre drole ?

Rosalie Bourrier-Bergeron :

— Hé, le père, veux-tu me donner ta fille ? Tu t'en rappelles encore Napoléon ?

Napoléon Bergeron :

— Je vais m'en souvenir pour l'éternité !

Henri :

— C'est à peine croyable ! Quel bonheur ! Vous êtes bien là devant moi, de nouveau réunis ! Je dois avouer que vous êtes le plus beau des cadeaux !

Napoléon Bergeron :

— Tu ferais mieux de t'atteler Piton, parce que t'es pas au bout de tes surprises !

Rosalie Bourrier-Bergeron :

— Ton père a raison Henri. Le bon Dieu t'accorde un privilège unique. Tous ces gens, ton monde, comme tu dis, vont te rappeler de beaux souvenirs. Tu n'as qu'à écouter ce qu'ils ont à dire ou lire simplement leurs pensées, car vois-tu mon Henri, tu as rendez-vous avec ta vie et ceux qui y ont passé.

Henri :

— Mais maman ! Papa ! Où êtes-vous ? Quand même ! Ils ont disparu avec leur balançoire aussi vite qu'un oiseau sur une branche. Si ma vie passe après la mort en un éclair, comme on le prétend, je ferais mieux d'être attentif. Oh ! Mon frère Jos prend la parole. Chut ! Vas-y Jos !

Église Sainte-Madeleine, 10 h 10

Joseph (Jos) Bergeron, frère d'Henri, né le 17 mars 1930 :

— Bon ! Henri, tu me passes le micro. Tu vas te taire assez longtemps, là je peux te parler. C'est vrai ! On ne pouvait pas beaucoup parler à Henri, c'est lui qui t'expliquait. Un jour, en Floride, ma femme Valérie avait expliqué le système d'interurbain Canada Direct. Yvonne, la femme d'Henri, avait tout pris en note. Eh bien, le lendemain, Henri nous avait expliqué la même chose, comme s'il n'avait pas entendu les propos de Valérie la veille. On aurait dit qu'il n'entendait que d'une oreille. C'est nous qui lui avions dit et le lendemain il nous racontait comment faire.

Henri voulait aider l'humanité ! Il nous disait quoi faire, comment le faire. Il le faisait avec une telle générosité que tu ne pouvais pas être brutal avec lui. Il aurait dit à une bonne sœur comment s'habiller !

Un jour, j'ai demandé à Henri : « Henri, es-tu Québécois, Canadien, Manitobain ? » Il m'avait répondu : « Moi, je suis francophone ! »

Je sais qu'Henri était très fier de vivre au Québec. Il le disait souvent : « C'est pas merveilleux Jos ? On vit au Québec, on est Québécois comme notre grand-père. »

Mais Henri aimait aussi le Manitoba. Je me rappelle un jour à Saint-Adélard, Manitoba, les collégiens revenaient à la maison à la Toussaint. Henri était avec ses frères et ses sœurs, maman avait fait un gros repas. Sans vouloir le faire exprès, j'avais frappé la tête d'une dinde un peu trop rudement avec mon petit bâton de bois pour qu'elle ne rentre pas dans la *grainerie*. On m'avait bien averti de surveiller les dindes. Alors, maman a sorti un couteau, lui a tranché la tête et l'a fait cuire pour l'occasion. Nous avions eu un gros festin. Je me rappelle très bien lorsque le temps est venu pour Henri de retourner au collège. Tout à coup, Henri a pris son canif et l'a planté dans la terre en disant sur un ton dramatique – Henri a toujours eu le sens du drame – : « C'est ma terre, c'est ici que je veux vivre, sur cette terre, je ne veux pas partir d'ici... »

Église Sainte-Madeleine, 10 h 11

Henri :

— Eh comment, que je m'en rappelle, Jos ! C'était ma première sortie depuis mon entrée au collège de Saint-Boniface à l'âge de 12 ans, le 7 septembre 1937. Je m'étais tellement ennuyé de ma famille que je redoutais le moment du départ. Mon chien Papino me manquait, mes randonnées vers le boisé en suivant le sentier des vaches, la chasse aux *gophers* (spermophile, sorte d'écureuil) et cette liberté insouciante que j'avais connue jusque-là me manquaient terriblement. J'enviais notre frère aîné Marcien qui avait quitté l'école et travaillait aux champs. Papa lui avait dit qu'il pourrait bientôt, tout comme lui, être employé aux chemins de fer. Je me rappelais combien ma première nuit au dortoir du collège avait été dramatique. Pris d'une nervosité incontrôlable, en pensant à ces huit longues années d'études qui m'attendaient, je m'étais frotté les pieds l'un contre l'autre une partie de la nuit comme pour chasser cette angoisse envahissante. Je m'étais réveillé le lendemain, les pieds meurtris et les draps maculés de sang. Ironiquement, c'était un 8 septembre.

Tout en promenant mon petit frère Léandre sur mon dos, je réalisais cependant que si je prenais la décision de rester à Saint-Adélard, je devrais aller au *high school* (école secondaire) du village de Lourdes et poursuivre une formation plus anglaise que française, ce qui était hors de question. Ma volonté de m'instruire en français et de ne pas décevoir mes parents l'emportait. Du coup, je me suis senti plus léger et surtout soulagé, car je savais que j'aurais aussi déçu notre curé, le père Antoine Champagne. Il m'avait non seulement conduit lui-même au collège dans sa Chevrolet bleue, le jour de mon inscription, mais il défrayait une partie de mon éducation.

Après avoir dit au revoir à toute la famille, je quittais de nouveau mon coin de pays, celui de la montagne Pembina et je repartais vers Saint-Boniface, rejoindre mes compagnons d'Éléments latins, Pierre et Alban Magne, également de Lourdes, et Fortunat Champagne, de Sainte-Anne, le neveu de notre curé. Les portes du savoir s'ouvraient toutes grandes, il n'en tenait qu'à nous de bien faire ce que nous devions faire, *Age Quod Agis*, *Ad Majorem Dei Gloriam*, pour la plus grande gloire de Dieu.

La majorité des jésuites du collège venait du Québec et ils étaient tous d'excellents éducateurs. Je me rappelle entre autres le père François Bourassa, le fils du célèbre Henri Bourassa, qui devint notre titulaire de cours de la première année. Il nous avait inculqué l'esprit d'équipe en divisant la classe en quatre groupes. Nous apprenions nos déclinaisons latines et les verbes irréguliers rapidement dans le seul but de faire gagner nos équipes respectives. Le professeur de Belles-Lettres, le père Bernard Nadeau, le frère de la comédienne Marthe Nadeau, s'ennuyait parfois de son Québec natal. Par une froide journée de février, le sifflement du train en partance pour Montréal avait retentit jusqu'aux oreilles du professeur. Celui-ci, les larmes aux yeux, avait laissé échapper : «Que je voudrais donc être à bord!» Il y avait aussi tous ceux qui venaient du collège Brébeuf ou du collège Sainte-Marie de Montréal et qui étaient d'excellents hockeyeurs. La soutane retroussée dans le ceinturon, ils affrontaient les étudiants de philo. Mais celui qui m'a le plus marqué est le père Lucien Hardy. J'ai eu la chance et le bonheur de le connaître dans les jours qui ont suivi mon arrivée au collège. En plus d'avoir à m'acclimater à mon nouvel environnement, j'avais remarqué la différence de langage entre les Canadiens français et les gens de Lourdes. Le père Hardy, qui est devenu un grand ami et mon confident, m'avait alors donné ce précieux conseil : «Surtout, n'essaie pas d'imiter qui que ce soit. Corrige tout ce que tu crois nécessaire de corriger dans ta façon de t'exprimer et tu seras vraiment toi-même.» J'en ai fait mon leitmotiv toute ma vie.

Église Sainte-Madeleine, 10 h 11

Joseph Bergeron enchaîne :

— ... Moi, j'étais affolé, il fallait qu'il parte. Au fond, j'aurais bien aimé qu'il reste. Mais Henri était docile. Quand est venu le moment de partir, Henri, résigné, est reparti avec le père Champagne.

Chez Henri, la porte était toujours ouverte. Je me rappelle que j'étais entré un soir, rue Wiseman à Outremont, et comme je n'entendais pas de bruit, j'y ai passé la nuit. Je suis reparti le lendemain. Je ne sais pas s'ils étaient là. Je n'avais pas été vérifier dans leur lit!

Henri avait des idées arrêtées sur bien des choses, il aimait la discussion. Il ne tenait pas toujours à gagner. Henri adorait les *partys*, les contacts humains. Et puis les jours de l'An qu'il organisait, les cadeaux pour tout le monde. Le seul reproche que je pourrais faire était que ses enfants étaient rarement là. Tous partaient pour le sud ou dans la belle-famille. Il n'y a que son fils Sylvain qui était là tout le temps. Pauvre Henri ! Il faisait un *party* et tout le monde sacrait le camp. Je trouvais ça ingrat de leur part. Ça, je ne l'ai jamais compris. Et Yvonne qui essayait toujours d'excuser les absents. Pauvre Yvonne !

On l'a aimé, Henri, un être formidable, entier, sincère et généreux. Un jour, en Floride, les essuie-glaces de mon motorisé ne fonctionnaient pas. Henri s'est entêté à les réparer, les mains dans la graisse et tout. Henri croyait que la réparation était faite, mais en mettant le contact, les essuie-glaces frottaient sur le capot ! Yvonne voulait qu'il arrête pour le repas, mais Henri n'entendait rien, il était sourd et tenait à terminer son ouvrage ! Quand Henri avait une tâche à faire, comme à Radio-Canada, il lâchait tout, femme, enfants. Là, il avait décidé que c'était ça qu'il avait à faire, arranger le maudit moteur des essuie-glaces ! Eh bien, il l'a réparé ! On a vendu le motorisé quelques années plus tard et les essuie-glaces fonctionnaient toujours ! Chlik-chlok, chlik-chlok…

Henri ne lâchait pas le morceau facilement ; comme un chien avec son os, c'était à la vie à la mort ! Il voulait refaire le monde et refaire tout le monde ! Mais il le faisait avec une telle sincérité que tu ne pouvais pas te fâcher contre lui. Il aurait même refait la grammaire ! Oui, on l'a aimé Henri.

ΔΔΔ

Chapitre 2

Une sainte enfance

« On vient de son enfance comme
on vient de son pays. »
Antoine de Saint-Exupéry

« De toute façon, pour être désespéré,
il fallait être dans la misère noire.
La nôtre était loin d'être noire ;
elle était tout au plus grise. »
Henri Bergeron

**Église Sainte-Madeleine, 10 h 11,
les funérailles d'Henri Bergeron se poursuivent.**

Henri :

— Sacré Jos ! J'avais peut-être tendance à vouloir refaire
le monde comme tu dis, mais je suis convaincu d'une chose :
si j'avais à revivre ma vie, je n'y changerais absolument rien.
Je referais les mêmes bons coups, les mêmes erreurs. Tous les
événements se sont enchaînés naturellement comme si ma route
était déjà toute tracée depuis ma naissance dans la petite cabane
en bois rond, à Saint-Lupicin au Manitoba.

Suzanne Bergeron-Prince, sœur d'Henri Bergeron, née le 4 février 1920 :

— Après la naissance de l'aînée Antoinette, la mienne et celle de Marcien, maman avait donné le jour à un deuxième garçon prénommé Paul. Malheureusement, il devait décéder deux mois plus tard, d'une double pneumonie. Je n'avais alors que trois ans. Cependant, je me rappelle très bien la naissance d'Henri, un an et demi plus tard. C'était par un beau dimanche. On l'a baptisé le même jour. Marcien avait demandé à maman quand Henri viendrait jouer avec lui. Après les deux sœurs aînées, et le décès de Paul, il était tellement heureux d'avoir enfin un autre petit frère. Tante Béatrice, que maman avait présentée à Arthur, le frère de son mari, est venue pour laver le petit. Au moment de lui laver les parties génitales, la tante Béatrice m'avait dit de m'en aller. Ce qu'on pouvait être scrupuleux dans ce temps-là ! Moi je pensais : « C'est mon bébé, je veux tout voir ! » Mais finalement, je l'ai vu en masse !

Antoinette Bergeron-Nielson, sœur aînée d'Henri, née le 27 mars 1918 :

— Maman avait un certain respect pour Henri, puisqu'il est né un dimanche, le 17 mai 1925, à l'heure où Thérèse de l'Enfant-Jésus a été canonisée. Maman avait une grande dévotion pour sainte Thérèse. Elle avait dit à Henri : « Tu es spécialement béni à cause de la petite Thérèse. » Henri le savait, mais il n'en parlait pas souvent, il avait sa fierté d'homme. Mais il savait qu'il avait été aidé dans sa carrière, son mariage, sa famille et dans ses relations avec le public. Ça a été une inspiration pour lui.

Henri :

— Ma fierté d'homme ! Tu as raison Antoinette, l'influence de sainte Thérèse à ma naissance n'est pas un sujet que j'abordais souvent comme la langue française ou la communication. De ma naissance, j'ai gardé une marque bien nette, une tache bien apparente sur la jambe droite. Quant à sainte Thérèse, je dois avouer que je ne m'en suis pas préoccupé jusqu'au jour où j'ai appris que j'avais le cancer. Ce coup au cœur remue bien des souvenirs. Je me suis rendu compte que j'avais effectivement vécu une vie extraordinaire. J'étais un homme comblé et privilégié qui avait réussi sur tous les plans, la famille, le travail. J'avais réalisé mes rêves les plus audacieux et les plus fous. C'est sans doute à ce moment-là que la petite Thérèse est revenue dans ma vie. Maman aurait-elle eu une vision? Est-ce que la jeune sainte aurait, de quelque façon que ce soit, influé sur le cours de mon existence? Sans pouvoir trouver de réponse claire et surtout rationnelle, je sentais au plus profond de mon cœur qu'il y avait un lien et qu'il était impératif de remonter à la source. J'étais convaincu que je devais faire un pèlerinage à Lisieux, pour interroger et surtout prier ma jeune protectrice.

Yvonne Mercier-Bergeron, la femme d'Henri, née à Saint-Boniface le 10 septembre 1923 :

— Ah mon Dieu! Henri a eu une très belle rémission! Il a été opéré une seconde fois, le 11 juin 1999 et il est décédé le 10 juillet 2000. Il a voulu voir l'île d'Anticosti, alors on a fait une croisière sur l'*Écho des mers* avec notre aînée Lorraine et son fils Anthony, au mois de juillet. Après la croisière, à l'automne, il a voulu aller en France une dernière fois, en Normandie et en Bretagne. C'était en octobre 1999. En arrivant en France, nous sommes allés chez nos amis les Eluerd, à Versailles. On y a passé deux jours et, de là, nous sommes partis pour Rouen voir la cousine Yvonne Burel et son frère René. De Rouen, nous sommes allés à Lisieux. On y a passé une journée. Et de Lisieux, on est partis pour la Bretagne en passant par le mont Saint-Michel. Je pense qu'Henri espérait un peu un miracle. Pour moi aussi, sainte Thérèse avait une signification. Lorsque ma sœur Mimi avait été opérée après sa naissance, maman avait prié sainte Thérèse en se disant qu'il faudrait qu'elle aille faire un pèlerinage, mais elle n'y est jamais allée. Mimi n'y était jamais allée non plus.

Lisieux est un endroit de pèlerinage un peu comme l'oratoire Saint-Joseph, c'est impressionnant et très beau. On a fait brûler des cierges. Là-bas, ce n'est pas des lampions comme chez nous.

Henri avait de l'énergie. Même au mont Saint-Michel, il a transporté les bagages. Les gens n'en revenaient pas! Il n'avait pas du tout l'air d'un cancéreux. Nous n'avons pas arrêté une seconde! En Bretagne, on a visité les parents, les amis et les parents de l'écrivain Ismène Toussaint. Ça a été tout un voyage!

De la Bretagne, nous sommes revenus sur Paris. Nous avons vu le cousin Jacques Burel juste avant de repartir pour Montréal. Henri et Jacques se sont vus pour la dernière fois. Au retour, Henri affirmait qu'il était guéri. Le médecin m'avait dit, quatre mois, peut-être un an… Il a fait un peu plus d'un an.

Fallait avoir de l'énergie pour faire un tel voyage! Et il conduisait! Il prenait son fameux miel (miel énergétique). Il disait que c'était presque un remède miracle. Ça lui donnait beaucoup de dynamisme.

Au retour, comme d'habitude, il a tenu à fêter la veille du jour de l'An, l'arrivée de l'an 2000, chez nous. Il n'était pas question d'aller au restaurant. Il avait toujours dit qu'il espérait voir l'an 2000, même lorsqu'il était tout petit.

En janvier, il a voulu aller en Floride. Alors on est partis en Floride en auto! C'est lui qui conduisait. Là, il était bien, mais à un moment donné en Floride, il a ressenti un peu de douleur et de fatigue. Je pense qu'il s'est fatigué à balayer les feuilles, au jardin. Il en avait ramassé 10 sacs! Il avait beaucoup de difficulté à s'arrêter. Qu'est-ce que tu veux? Tu ne changes pas une nature! Henri n'était pas le genre à s'asseoir sur une chaise longue. Il faisait encore de la bicyclette. Les Bergeron sont tous comme ça!

C'était au mois de mars. À notre retour, il a pris le lit et ça a été le commencement de la fin.

Église Sainte-Madeleine, 10 h 12

Henri :

— C'est absolument fabuleux ! Je n'ai qu'à regarder une personne en particulier et j'entends ses pensées très clairement ! Est-ce la même chose pour tous les passagers en route vers l'au-delà ?

Oui, Yvonne ! Moi, j'étais convaincu d'être tout simplement guéri. Je me sentais tellement en forme, comme si j'avais 20 ans une seconde fois. Au fond, je savais bien que c'était un voyage d'adieu. À Lisieux, j'ai prié sainte Thérèse tout comme j'ai prié maman. Revoir les parents et les amis français a été un doux remède.

Tout cela a commencé le 28 octobre 1998. On m'opérait pour une tumeur maligne au côlon ascendant. Si j'avais pu subir cette opération trois mois plus tôt, peut-être que le cancer aurait été pris à temps, comme on dit ! Déjà cinq ganglions sur sept étaient atteints. J'ai suivi un traitement de chimio pendant cinq mois, et lors d'un test au quatrième mois, on a détecté la présence de deux taches sur le foie, nécessitant une seconde opération. Cette intervention n'a pour ainsi dire pas eu lieu, puisque le 11 juin suivant, le chirurgien a constaté des métastases au péritoine. À ce moment-là, après en avoir discuté avec mon spécialiste, j'ai décidé de revenir à ma vitalité première sans l'aide de médicaments.

Je me remettais difficilement de cette opération ratée, la plaie horizontale au ventre me faisait souffrir. Ma belle-fille Thérèse Des Groseillers, physiothérapeute, m'a alors prescrit un programme vitaminé, combiné à des périodes de repos et une bonne alimentation. J'ai senti en moi une volonté de vivre, de vivre mon présent et de croire à un possible miracle. Lors d'une rencontre fortuite, un ami m'a conseillé de prendre un miel produit par une méthode d'apiculture unique où l'intervention du quartz stimule le nectar des dieux, en quelque sorte. J'ai donc pris ces suppléments à base de miel aux huiles essentielles et j'ai ressenti une énergie incroyable. Je pense que moralement, j'avais besoin d'un signe quelconque, et je crois aux actes providentiels qui nous donnent cette impression de recevoir un message.

Cette nouvelle vitalité m'a procuré un renouveau bienfaiteur et surtout une énergie tellement débordante que j'ai eu la force de donner des conférences aux gens atteints de cancer. J'ai pu faire, non pas un, mais trois voyages, la croisière, la France et finalement la Floride, et j'aurai quand même réalisé mon vœu d'enfance, celui de connaître l'an 2000...

Antoinette Bergeron-Nielson :

— Henri était un bon enfant, pas dissipé, au contraire de son grand frère Marcien qui avait un caractère très difficile, volontaire. À six ans, il m'avait dit : « Moi je veux avoir des raisins. » Je lui ai répondu que maman les gardait pour ses gâteaux. Et Marcien faisait alors du chantage : « Si tu ne m'en donnes pas, je vais aller dehors me coucher sur la neige, je vais mourir et tu vas pleurer ! » Henri était tout le contraire, il n'achetait jamais personne. Il n'avait pas ça en lui. C'était des caractères opposés, mais les deux garçons s'entendaient très bien. Henri admirait Marcien pour son originalité. Comme j'étais l'aînée, je gardais la maison et les enfants pendant que maman allait traire les vaches. Papa était parti six mois par année pour les chemins de fer et revenait en vitesse, une journée ici et là. L'été, il était bien là, mais il était toujours aux champs.

À six ans, je ne jouais pas avec des poupées, mais je changeais les couches de mes frères et sœurs. Je les aimais comme si c'était mes enfants. En pleine Dépression, durant l'été 1933, nous perdions la petite Simone des suites d'une méningite tuberculeuse. Un mois plus tard, naissait le neuvième de la famille, Léandre. C'est la raison pour laquelle à 18 ans, lorsque je suis entrée en communauté, j'avais pratiquement élevé une famille.

Un jour, à Saint-Lupicin, papa avait acheté des clous. Henri avait quatre ans et il avait appris tout seul à en planter sur une planche de bois dans la *grainerie*. Il apprenait par lui-même et il ne cherchait pas à impressionner. Il était humble de nature. Il ne se fâchait jamais. Henri remarquait tout. Un jour, il avait dit à maman : «Mais tu es bien grosse ! Tu es plus grosse que d'habitude !» Il avait dit ça d'une façon tellement candide. Maman avait répondu : «Je mange peut-être trop !» Elle devait être enceinte...

Suzanne Bergeron-Prince :

— Notre mère, Rosalie, s'est mariée en 1916, pendant la guerre. Papa n'avait rien, il était orphelin. Alors, papa et maman ont habité la maison de la sœur de Rosalie, Agnès, et de son mari l'oncle Étienne Soulodre, parti à la guerre. Mais lorsque celui-ci est revenu, bien là, il fallait qu'ils se ramassent comme on dit. On leur a donné un couple de chevaux et papa a loué un carré de terre d'un *homestead* ayant appartenu à un célibataire, Wilfrid Tessier, à Saint-Lupicin. Papa était débrouillard quand même. La terre était à moitié défrichée, il y avait une étable. L'hiver, il n'y avait pas de chemins, c'était de la neige, pis ça finissait là ! On a survécu ! On ne connaissait pas mieux ! On avait des chevaux, trois ou quatre vaches, on était de pauvres fermiers. Mes oncles, étant plus vieux que leur sœur Rosalie, étaient mieux établis. Maman et papa étaient les plus jeunes de leur famille respective. On était pas mal fier du côté de papa. C'était des dames et des messieurs réservés. Tu voyais qu'il y avait une certaine dignité. Puis, du côté de maman, c'était du bon monde, des bons paysans de la France, et ça parlait avec un accent auvergnat. Alors les deux familles, c'était le jour et la nuit !

Quand j'ai eu trois ans, papa a commencé à travailler aux chemins de fer grâce à sa sœur, tante Anna. Son mari, Élie Brousseau, travaillait comme ingénieur pour le CN.

Il y avait tellement de joie avec papa. C'était un bel homme. Henri est le portrait de papa, les mêmes manières. Il avait du Bourrier aussi, mais c'était surtout le vrai genre de papa, fier. Mais avec maman, il fallait être humble, sinon on faisait un péché d'orgueil. On était malmené de ce côté-là. Il n'y avait que la religion. Elle gobait tout ce que ce vieux janséniste de chanoine français disait dans ses sermons, le dimanche. Pour elle, c'était tellement vrai ce qu'il disait, elle en était troublée, ça la rendait nerveuse. Et puis il fallait en mettre et en remettre ! Pourtant, ses sœurs n'étaient pas si fanatiques qu'elle. Mais maman avait été au couvent. Le matin, elle frappait dans ses mains comme une religieuse en disant : « Levez-vous les enfants, donnez votre cœur au bon Dieu… » On a été élevés comme ça.

Antoinette Bergeron-Nielson :

— On voyait une grande différence entre mon père et ma mère. Maman se mettait à genoux pour dire le chapelet et se tenait droite. Elle priait avec sincérité. Mon père était à genoux également, mais les bras appuyés sur le dossier d'une chaise, la tête entre ses mains, l'air de dire : *«A va tu finir!»* Papa n'a jamais rien dit. Il a toujours été jusqu'au bout, mais, quand il se levait, on voyait qu'il disait son *Au nom du Père et du Fils*, rapidement. Alors, les garçons regardaient l'un et l'autre et se disaient : « Les mères prient, mais les hommes ne sont pas obligés d'en faire tant que ça ! »

Je ne pense pas qu'Henri ait eu un grand engouement pour la prêtrise. Il ne m'en a jamais parlé ni à personne que je connaisse. Ça lui avait été plutôt suggéré par maman, peut-être. Elle désirait tant avoir un prêtre dans la famille. En France, chaque famille nombreuse avait un prêtre et au moins une religieuse. Maman poussait peut-être trop sur la religion. Pour ma part, non, parce que c'était mon salut et mon bonheur. Mais les garçons regardaient vers papa qui n'était pas trop fervent. Il était bon pratiquant, il dirigeait la chorale, mais mon père n'a pas été au collège. C'est par ma mère qu'il a aimé la religion et qu'il l'a pratiquée.

Église Sainte-Madeleine, 10 h 13

Henri :

— Tu as raison Antoinette, je n'ai jamais eu une attirance bien marquée pour la prêtrise, même si je sais que maman aurait tellement souhaité voir un de ses fils enfiler la soutane. Lorsqu'il a été question d'entrer au collège, j'associais mes études presque entièrement payées par le père Champagne et même par l'archevêché de Saint-Boniface avec l'obligation de me tourner vers la prêtrise. Après tout, tu avais obtenu ton brevet d'enseignante grâce au fait que tu sois entrée en communauté, et j'y voyais un lien peu rassurant. Heureusement, il n'en avait pas été question ; je devais plutôt participer à quelques travaux d'entretien au collège et promettre de bien étudier, d'avoir une conduite irréprochable et de prier pour la réussite de ma vie. J'ai conjugué les trois promesses sans relâche pendant huit ans. Je me tenais bien sage en classe, contrairement à Ti-Boulet, le paquet de nerfs, qui avait reçu un coup de bouquin de géographie sur la tête de notre professeur de syntaxe, le père Aimé Bertrand. Mon orgueil n'aurait pu supporter le commentaire qui suivi la correction : « Je devrais vous renvoyer à la maison, à votre mère, avec une pancarte accrochée au cou portant l'inscription, à refaire. »

De toute façon, ma timidité freinait la moindre incartade. J'aurais eu trop peur de perdre des points de bonne conduite !

Joseph Bergeron :

— La crainte, la sainte crainte de Dieu, ils nous inculquaient ça très tôt. J'te dis qu'on faisait pas beaucoup de péchés. Mais maman n'était pas *sainte Nitouche* comme Antoinette. Maman pouvait facilement raconter des histoires cochonnes du genre : « Le gars va à la confesse et dit au curé qu'il avait couché avec la voisine. Le curé demande si c'était une habitude et le gars dit, non c'était une chance ! »

Laurette Bergeron-Trudeau, petite sœur d'Henri, née le 29 juillet 1939 :

— Je n'ai jamais senti beaucoup de pression de la part de maman pour devenir une religieuse. Fallait dire nos prières le soir avant de se coucher. Si on n'avait pas dit nos prières, maman n'était pas de bonne humeur, elle disait : «Vous vous couchez tout rond.» Elle nous sortait alors du lit et on s'agenouillait pour les faire.

Louise Bergeron-Kripalani, petite sœur d'Henri, née le 23 février 1938 :

— J'ai toujours aimé aller à la messe, aux vêpres, même très jeune à sept ou huit ans. Entendre les chants grégoriens, j'aimais ça. C'était moi. J'ai eu beaucoup d'influence des religieuses. Je suis restée huit ans chez les chanoinesses.

Gertrude Bergeron, petite sœur d'Henri, née le 29 octobre 1926 :

— Moi, je me sentais assez libre. Maman voulait qu'on aille à la messe. Alors je disais à ma sœur Liliane, on va aller voir qui dit la messe et après on s'en va! «Mais Gertrude on ne peut pas faire ça!» disait Liliane. «Si maman nous questionne, on va savoir quoi dire! Faut que tu prennes ta liberté, c'est tout!»

Suzanne Bergeron-Prince :

— Maman était différente de mes tantes, elle avait une soif de connaître et d'apprendre, plus que d'aller uniquement au jardin. Sa tête n'était jamais dans son ouvrage. Ma mère n'était pas là. Elle m'a déjà dit qu'elle n'avait pas voulu avoir d'enfants.

Louise Bergeron-Kripalani :

— Maman était toujours en présence de Dieu. C'était naturel. Elle priait tellement. Elle était sage-femme aussi. Elle avait des dons de guérisseuse. Elle arrêtait le sang.

Joseph Bergeron :

— Mon père avait appris les jurons comme *maudit torieu* dans les chemins de fer et aussi de l'oncle Pierre Bourrier, comme *bordel de merde*, mais maman n'aimait pas ça. Elle lui disait : «Napoléon, surtout pas en français!» Alors mon père continuait en anglais : «*Goddam son of a...* (sacré fils de...).» Le bon Dieu ne comprenait pas l'anglais!

Louise Bergeron-Kripalani :

— Maman m'a giflé, une fois, j'avais 16 ans, parce que j'avais dit *maudit*. Elle avait la main mouillée d'eau de vaisselle. J'ai appris, mais à cet âge-là, c'est difficile. C'est très humiliant.

Gertrude Bergeron :

— Papa était barbier, il coupait les cheveux de tous les cousins, Tiennot et Pierrot Soulodre... Il avait fait un terrain de jeux à Saint-Lupicin, des balançoires et tout. Il était bricoleur.

Joseph Bergeron :

— Mon père tuait les cochons, ça nous impressionnait beaucoup. Il faisait tous les métiers : cordonnier, barbier, maître de chant.

Antoinette Bergeron-Nielson :

— Napoléon était sévère. Quand il décidait quelque chose, fallait que ça soit fait. Papa avait beaucoup d'autorité naturelle, mais pas une grande éducation, une 8e année. Mais il avait un bon jugement. Maman avait une haute estime de lui. Maman était plus brodeuse, plus artiste. Mon père était plus ordonné. Suzanne est plus douce et plus tendre que moi, à l'image de maman.

Suzanne Bergeron-Prince :

— Antoinette, c'est Bergeron; Gertrude et Henri, c'est Bergeron, Laurette et Léandre aussi. Marie est comme moi,

Bourrier. J'ai pas mal été sous l'influence de maman. Durant le jour, tu pouvais te relaxer avec maman à la maison même si le ménage n'était pas fait, et que les tiroirs étaient en désordre. Puis finalement, papa disait : « J'va l'balayer, l'plancher ! »

Antoinette Bergeron-Nielson :

— Maman était amie avec tout le monde. Papa avait plus de réticence vis-à-vis des choses qui n'étaient pas tout à fait correctes. Henri tient de mon père pour sa droiture, son sens de la conscience et ses manières d'agir. Mais Henri était capable d'une grande endurance, contrairement à papa. Maman avait une patience qui était, je dirais, religieuse. Parfois papa se fâchait et faisait la loi, et maman lui disait : « Tu as raison, Napoléon, tu as raison. » Rosalie était plus conciliante. Papa c'était la vérité, la pure vérité. Maman jouait un peu avec la vérité quand ça faisait plaisir à quelqu'un. Papa n'aimait pas les flatteries. Et Henri était pareil, pas de compliments à donner à tort et à travers à moins que ce soit la vérité.

Joseph Bergeron :

— Tout jeune, Henri était bien intentionné mais il était déjà sérieux, contrairement à Marcien qui était toujours farceur. L'été, nous, les garçons, on couchait dans la *grainerie*.

Liliane Bergeron, petite sœur d'Henri, née le 11 mars 1928 :

— La vie que l'on recherche aujourd'hui est celle qu'on vivait à cette époque-là. Pas de pollution, du biologique tout autour de soi. Si ma mère avait su, on aurait pu manger le blé germé. On était en santé. Cette vie-là, faudrait la retrouver. C'était la simplicité. C'était le bonheur. Bon, pour les parents, c'était autre chose sûrement…

On était nombreux autour de la table. On mangeait à notre faim les produits de la terre. Il ne restait rien dans les assiettes. On entreposait les sacs de farine où l'on pouvait, à la tête des lits. On ne se souciait pas du design, du décor, c'était le gros bon sens qui dominait. J'ai compris la souffrance très jeune lorsque je voyais ma mère laver le plancher de bois, avec des échardes aux mains.

Gertrude Bergeron :

— La nuit, on ne faisait pas de feu, si bien que le matin, papa allumait le poêle. On descendait avec nos vêtements et notre père disait : «Pouvez-vous imaginer qu'il y a du monde qui s'habille dans leur chambre parce qu'ils ont chauffé toute la nuit, il se lève dans la grosse chaleur. Nous ici, c'est frais!»

Alors on s'habillait autour du poêle. Nous n'étions jamais séparés, les frères et les sœurs. On s'habillait tous en même temps! Après, on passait à table. Maman faisait les toasts et pendant que papa baptisait du gros lard avec le sucre, il disait : «Pensez-y, les enfants, y a en qui mette du beurre sur leurs rôties.

— Du beurre?

— Nous, nous avons du lard avec du sucre!»

Moi, je trouvais qu'on était comblés! Dire que les gens mangeaient autre chose! Du beurre! On était tellement nombreux qu'on ne mangeait du beurre qu'occasionnellement.

Joseph Bergeron :

— Ma mère était bonne cuisinière. Elle faisait du bon pain, du boudin. Elle préparait la *sanguite* : elle recueillait le sang d'une poule et le versait sur du pain, dans une poêle beurrée et elle mettait rapidement sur le feu. Les Français faisaient ce plat. C'était délicieux! Elle cuisinait aussi les pattes de poule. Elle faisait son vin de pissenlit et savait exactement quand le soutirer. C'était quasiment une religion! Mais c'était le meilleur vin!

Léandre Bergeron, petit frère d'Henri, né le 13 septembre 1933 :

— Comme paysanne, maman savait aller dans la cour saigner une poule et la plumer tout de suite pour souper. Je l'ai vue faire, même à Melville. Elle recueillait le sang et le faisait couler sur le pain. C'était des trucs que les paysans faisaient. J'aimais ça, j'étais pas difficile.

Laurette Bergeron-Trudeau :

— À la maison, on mangeait des plats plutôt français. Maman nous faisait manger des rognons, de la cervelle, des choses qu'on ne voulait pas vraiment manger. Elle cuisinait les pattes de poule, moi je ne voulais jamais manger ça, j'avais de la difficulté. Heureusement qu'on avait un chien, alors discrètement, je refilais des morceaux de cervelle de veau ou des rognons trop cuits au chien, sous la table.

Marie Bergeron-Ferland, petite sœur d'Henri, née le 22 novembre 1935 :

— Papa aimait les *pancakes*, les crêpes épaisses avec du sirop.

Antoinette Bergeron-Nielson :

— Mon père disait : « Rose, j'aimerais donc que tu me fasses des crêpes comme on en avait chez madame Eyruchi. » Rosalie répondait : « Je ne sais pas comment les faire. Pour moi, les crêpes canadiennes c'est quasiment des gâteaux. » Alors, elle faisait des crêpes Suzette !

Marie Bergeron-Ferland :

— Durant l'été, nos dimanches après-midi étaient consacrés à la cueillette des fruits. Nous avions des seaux attachés à la ceinture. Les *poirettes* tombaient en grappe. Nous étions pas mal habiles.

Suzanne Bergeron-Prince :

— Maman préparait bien les viandes. On faisait des conserves tout l'été, des *poirettes* avec de la rhubarbe, des framboises et des fraises, des coulis et de la gelée de pimbina.

Louise Bergeron-Kripalani :

— Maman était bonne cuisinière. Du cochon, du boudin et les légumes du potager, mais son pain et les petites brioches étaient vraiment réussis. Elle faisait deux fournées par semaine, 40 pains en tout. On terminait le repas avec ses *cinnamon rolls* (brioches à la cannelle). On revenait tous manger le midi et les repas du soir étaient copieux. On pouvait facilement passer à travers deux pains par repas. On a jamais mangé un sandwich à l'école. Papa disait : « Les sandwichs, c'est seulement pour les pique-niques, on mange pas ça à la maison. »

Avec son accent bien québécois, il disait aussi : « Donne-moi une tasse ! », en appuyant fortement sur le *ta* de tasse.

Je me rappelle, maman devait faire fondre la neige pour avoir de l'eau pour la lessive. La neige était propre dans ce temps-là ! Lorsqu'il pleuvait, maman nous disait d'aller nous laver les cheveux sous la pluie ou alors on ramassait l'eau de pluie, la belle eau douce comme elle disait. Quand on prenait un bain, y en avait pas seulement un qui en prenait ! Y en avait trois, quatre, parfois j'étais la dernière...

Gertrude Bergeron :

— L'eau était tellement rare. Quand la famille avait pris son bain, c'était au tour du chien !

Suzanne Bergeron-Prince :

— Henri avait son chien Papino et Rigodin son petit cheval albinos. On avait des chiens, des chats et des chevaux. Les chevaux de l'oncle Jules Bourrier s'appelaient Calife et Pilate. Nous, nos chevaux étaient anglophones, Laudy, la Queen, Genny... Le chien pouvait entrer dans la maison. À la ferme, on était un peu comme des Indiens, on entrait chez les voisins comme si c'était chez nous. C'était une belle vie.

Gertrude Bergeron :

— Au printemps, monsieur Sauteur arrivait avec son gros étalon. J'avais dit à ma sœur Liliane, on va aller chercher des fleurs. J'étais très hardie! Je savais qu'il allait se passer quelque chose avec nos juments. Liliane m'avait demandé pourquoi. Nous sommes grimpées sur un arbre et j'ai dit à Liliane : «Regarde Liliane, on voit tout!» On a tout vu! L'accouplement et tout!

Église Sainte-Madeleine, 10 h 14

Henri :

— Je ne sais pas quel âge tu avais, ma belle Gertrude, mais ton histoire d'étalon me rappelle une conversation que j'avais eue avec notre grand frère Marcien. Il devait avoir 10 ans et moi, 6.

Marcien Bergeron, grand frère d'Henri, né le 29 juillet 1921, décédé le 20 avril 1972 :

— Regarde le jeune taureau de race jersey qui essaie de monter sur le dos de la génisse Frisette. D'après toi, Henri, qu'est-ce qu'il fait?

Henri :

— Eh bien, il veut sans doute jouer.

Marcien :

— T'as rien compris. Il veut lui faire un veau.

Henri :

— Un veau?

Marcien :

— Je vais t'expliquer, mais tu me jures de ne le dire à personne, ni à maman et papa, et encore moins au père Picod. Au bout du grand crayon rouge qu'on voit pendre parfois sous le ventre du jersey, il y a de la semence que le taureau fait pénétrer dans le ventre de Frisette. Après quelques mois, elle donne naissance à un veau. On dit qu'elle a vêlé, et le petit veau sort par le trou qu'elle a sous la queue, le trou où elle pisse.

Henri :

— Tu me racontes des histoires! Comment est-ce que le petit veau peut sortir de là? C'est impossible!

Marcien :

— Ben alors, ils viennent d'où, d'après toi ?

Henri :

— Comme les enfants… dans un buisson…

Marcien :

— Et qui met le veau dans le buisson ?

Henri :

— Le bon Dieu !

Marcien :

— Le bon Dieu ! Tu sais bien qu'Il est trop occupé pour faire ça !

Henri :

— Tu apprendras que le bon Dieu peut faire n'importe quoi, même un petit veau !

Assis près du potager, mon chien Papino à mes côtés, j'avoue que dans ma petite tête d'enfant de six ans, j'étais assez ébranlé par les explications de mon grand frère Marcien. Était-ce pour cette raison que maman nous demandait d'entrer à la maison lorsque l'étalon de monsieur Sauteur arrivait chez nous ? Et si Marcien disait la vérité, cela s'appliquerait aussi pour les bébés ? Cela voudrait dire que ma petite sœur Gertrude ne serait pas arrivée chez nous dans le *satchel* (petite valise de cheminot) de papa !

ΔΔΔ

La petite école

> «Il y avait une ombre au tableau, au tableau noir
> de l'école. Notre langue n'y avait pas droit de cité.»
>
> Henri Bergeron

Suzanne Bergeron-Prince :

— Si on parle français, c'est grâce à maman. Elle nous faisait la classe. Elle n'avait qu'une huitième année, elle qui aurait aimé devenir maîtresse d'école, infirmière ou religieuse. Elle en avait les capacités. Mais elle a été obligée de laisser l'école pour soigner son vieux père malade. Nous étions des enfants aimés, entourés des quatre frères de maman installés dans des fermes. Il y en a un qui était au village comme menuisier, et ses quatre sœurs, entre autres Léonie, la religieuse, à Saint-Léon. On allait à la messe tous les dimanches et on savait qu'on allait voir les cousines, les oncles et les tantes Bourrier.

Église Sainte-Madeleine, 10 h 15

Henri :

— Ma mère était en quelque sorte la gardienne du bon parler français. Elle avait non seulement les oreilles, mais aussi les mains toujours aux aguets.

À l'automne 1931, en compagnie de maman, j'avais rencontré sœur Céline, le dimanche précédant mon entrée à l'école Faure. École fondée en 1898 et nommée ainsi en l'honneur du président de la France, Félix Faure. Mon professeur de première année m'avait rassuré en me disant qu'il y aurait également dans la classe mon cousin Michel Soulodre, les petits Dufault et Laurette Lemaux. Nous serions 28 au total. Le jour de la rentrée, je suis arrivé à l'école avec Antoinette, Suzanne et Marcien qui entraient dans la classe de sœur Philomène, celle des plus grands. Après avoir fait la prière en français, sœur Céline a dit : «Now, children, you must speak English. I will have to speak English during the class. Open your readers, please…» (Les enfants, vous devez maintenant parler anglais. Je devrai vous parler en anglais pendant la classe. S'il vous plaît, ouvrez votre grammaire…)

Je suis resté sans voix ! Je ne comprenais plus rien. J'étais carrément bouleversé. Pourquoi maman ne m'avait-elle pas prévenu ? Sœur Céline, qui venait du Québec, faisait des efforts évidents pour s'exprimer dans la langue de Shakespeare. Elle en perdait son beau sourire, elle n'était plus elle-même. L'après-midi, pendant la leçon de catéchisme en français, je comprenais qu'il fallait dorénavant étudier en anglais et que sœur Céline était décidément plus jolie quand elle priait.

C'était un restant du règlement Laurier-Greenway, adopté en 1896, permettant l'enseignement religieux en français après les heures de classe. Depuis 1916, une nouvelle loi avait été adoptée par le gouvernement du Manitoba. La loi Thornton supprimait les écoles bilingues en abolissant l'éducation en français. Les Franco-Manitobains devront attendre jusqu'en 1970 pour que le français redevienne une langue d'enseignement au même titre que l'anglais dans les écoles publiques du Manitoba. Le projet de loi 113 sera adopté par le gouvernement néo-démocrate du premier ministre Edward Schreyer, qui sera nommé gouverneur général du Canada en 1975.

Joseph Bergeron :

— J'avais des difficultés en calcul. L'addition ça allait, mais les soustractions, je ne pigeais pas. Henri essayait de me faire comprendre : «Écoute Jos, j'ai cinq doigts, je m'en coupe trois, combien il m'en reste ?», «Ah ! Ça fait mal ! Se faire couper des doigts !» Là j'étais plus dans les mathématiques. Je pensais juste à mon grand frère à qui il manquait des doigts… Mais Henri m'aidait souvent à l'école. Il était déjà généreux.

Louise Bergeron-Kripalani :

— Pour la générosité, Henri ressemblait beaucoup à papa, et à maman aussi. Il y avait toujours de la visite chez nous, même s'il n'y avait pas assez de place pour nous !

Suzanne Bergeron-Prince :

— Tous les cinq milles, il y avait une école, car les moyens de transport étaient inexistants. On avait la bicyclette et encore ! Tout le monde n'en possédait pas une !

Marie Bergeron-Ferland :

— Henri m'amenait à bicyclette. Je m'asseyais sur la barre. C'était le seul qui le faisait, qui pensait à moi. J'avais peur, mais j'avais confiance. Encore aujourd'hui, quand je vais à bicyclette à la campagne, je pense à Henri. Surtout lorsque je roule sur les roches, j'ai la même impression que lorsque j'allais à bicyclette avec Henri. La bécane devait sans doute avoir été *barguinée* par Marcien. J'avais alors quatre ans.

Léandre Bergeron :

— Je me souviens quand on était à Notre-Dame-de-Lourdes, dans la maison minable, on était pauvres comme la gale, c'est pas possible. Henri m'avait construit un petit tracteur. Un peu plus tard, toujours à Lourdes, on était allés en pèlerinage à Saint-Lupicin, moi sur la barre de la bicyclette avec le grand frère, je me souviens c'était mon grand voyage avec Henri, le premier et le dernier ! Je me souviens encore du bruit des pneus sur le sable. Quand je m'en vais à bicyclette dans mon rang, ça me revient, c'est une musique pour moi... J'avais eu mal au cul ! Il avait essayé de mettre un coussin, mais c'était quand même 10 milles, de Notre-Dame-de-Lourdes à Saint-Lupicin. On avait été voir la famille, tante Agnès, monsieur Soulodre, l'oncle Jules et la tante Kate. L'image qui me revient c'est qu'en arrivant sur le chemin d'Altamont, il y avait une tragédie, un des moutons de l'oncle Jules avait été attaqué par un chien et la pauvre brebis était au bord du chemin.

Liliane Bergeron :

— Je me souviens quand on allait tous ensemble à l'école dans le boghei, Henri, Suzanne et Marcien. Gertrude et moi, on voulait souvent courir derrière. Mais un jour, Marcien a lancé le cheval trop vite pour les enfants que nous étions, si bien que je suis tombée. Maman était inquiète. Je devais avoir le menton en galoche. J'en garde encore la cicatrice.

Antoinette Bergeron-Nielson :

— Henri était le seul que papa appelait *Piton*. Papa se reconnaissait en lui. Il était fier de l'éducation d'Henri qu'il n'avait pas pu avoir. Henri a eu connaissance de tout et je pense que cela a influé sur sa personnalité. Il était perspicace. Il était capable de comprendre et de faire la part des choses.

ΔΔΔ

La claustrophobie

Léandre Bergeron :

— J'avais trois ou quatre ans, et on avait rabattu le siège de la voiture qui était en même temps une porte. Là, je criais. Oui, quand t'es enfermé dans une valise de char... Liliane pouvait pas mettre un pull, elle étouffait. Non, moi la claustrophobie, ça m'a pas marqué.

Liliane Bergeron :

— La claustrophobie, on tient ça de notre père qui disait qu'il ne voulait pas se faire enterrer vivant. Un jour, Henri est entré dans un tunnel, Marcien le suivait. Et puis, tout à coup, le chien Papino est arrivé dans l'autre sens. Henri s'asseyait toujours près de l'allée dans un avion. Henri n'aimait pas les foules.

Suzanne Bergeron-Prince :

— Henri a failli perdre la vie quand il est tombé dans le ruisseau, c'était tragique. Mon père l'a repêché par les bretelles !

Église Sainte-Madeleine, 10 h 16

Henri :

— Ma mésaventure avait fait le tour de la paroisse. Napoléon et Rosalie avaient même payé une messe basse pour faveur obtenue. Mon père avait vaincu sa peur de l'eau en m'extirpant *in extremis* du ruisseau. Mais c'est surtout l'histoire du tunnel qui m'a le plus marqué. Je m'étais engouffré à l'intérieur d'un ponceau et mon grand frère, Marcien, m'y avait rejoint par l'autre bout. Le tunnel s'était assombri et déjà je ressentais un sentiment d'étouffement. Mais lorsque mon chien Papino s'est retrouvé derrière moi, j'ai carrément paniqué. Je me souviens avoir crié si fort que j'en ai presque frôlé l'évanouissement. Je croyais ma dernière heure arrivée. J'ai souffert de claustrophobie jusqu'au jour où mon ami Harvey Paradis m'a appris les rudiments de la plongée sous-marine. J'avais alors 45 ans. Les premiers moments sous l'eau ont été une véritable torture. Je devais, en plus de la claustrophobie, affronter également ma peur de l'eau. Au fur et à mesure des plongées, j'ai réussi à contrôler un peu mieux ma claustrophobie.

ΔΔΔ

Saint-Adélard

> « C'est du beau pays, mais faut
> de bons bras pour y vivre. »
> Napoléon Bergeron

Suzanne Bergeron-Prince :

— Il a fallu que j'arrête l'école parce qu'Antoinette nous quittait pour le couvent des chanoinesses et maman avait besoin d'aide. C'était au moment où nous sommes partis pour Saint-Adélard, à cinq milles du village de Notre-Dame-de-Lourdes.

Papa avait loué une terre de 160 acres appartenant à Joseph Schumacher, qu'on surnommait Jo Choumac. Il y avait une petite maison, deux *graineries* et une écurie situées juste de biais avec l'école Saint-Adélard. On avait entassé nos affaires dans le *rack* à foin en direction de chez Choumac. C'était le mois de septembre, il avait neigé un peu. On avait l'air de vrais gitans. Maman a dit : «On a oublié le chien.» Papa a répondu : «J'irai le chercher demain.» Eh bien, Popette, la mère de Papino, est arrivée dans la nuit.

Gertrude Bergeron :

— Un jour, à Saint-Adélard, à la ferme de Choumac, la récolte était magnifique. Un dimanche matin, papa a sorti le catalogue et il nous a dit : «Les enfants, faites votre liste pour Noël! On va avoir la meilleure récolte de blé! Ne vous gênez pas, mettez-en! On a de l'argent! Il est dans le champ!»

Je me disais : «On va être millionnaires!» Mais vers 11 h, on a eu une grosse grêle, de la grosseur des œufs. La récolte a été rasée complètement. C'est là que j'ai vu mon père pleurer pour la première fois. Et la réaction de ma mère a été de dire : «C'est la volonté de Dieu!» Papa a finalement dit : «Les enfants, je vais prendre vos commandes, mais ce ne sera pas pour cette année!»

Léandre Bergeron :

— J'étais pas mal petit. Je me souviens juste du propriétaire, monsieur Choumac, qui venait chercher son dû. C'était assez pénible. Il était radin.

Suzanne Bergeron-Prince :

— Nous avions loué la ferme de Choumac pour une période de cinq ans. C'était une assez bonne terre, mais on aurait dit qu'il y avait comme une malédiction. Presque tous les ans, on perdait la récolte à cause de la grêle, des sauterelles ou de la rouille. Je me rappelle que la grêle avait même tué quelques dindes.

La terre était devenue toute blanche. Nous nous étions agenouillés avec maman pour prier.

Une année, papa avait même été obligé de vendre ses deux plus beaux chevaux contre la semence pour le blé. En échange, on lui avait donné deux vieilles *picouilles*. Papa en avait honte. Mais cette fois-là, la récolte avait été bonne. Malgré les épreuves et la grande pauvreté, la vie était agréable. Papa disait que c'était une bénédiction, dans un sens, puisque trois beaux bébés en santé étaient nés, les trois dernières de la famille, Marie, Louise et Laurette. On s'arrangeait comme on pouvait. On était heureux parce qu'on était tellement aimés par tout le monde. Il y avait nos voisins les Pantel, aux alentours il y avait aussi les Magne, les Badiou et les Monchamp. Tantôt chez l'un, tantôt chez l'autre, on organisait des soirées dansantes, on chantait et on faisait des jeux. Le dimanche, on allait soit à l'église à Notre-Dame-de-Lourdes ou à Cardinal.

Église Sainte-Madeleine, 10 h 17

Henri :

— Quand j'étais petit, j'avais appris toutes les chansons que papa interprétait dans les soirées. Celle qu'il chantait le plus était une chanson qui parlait des chemins de fer : *Chauffe chauffe fort*. Pauvre papa! Il trimait dur! Il disait souvent qu'il lui manquait toujours 99 cents pour faire un dollar!

Je ne sais pas par quel miracle, mais il avait quand même réussi à acheter une voiture. La plupart des voisins possédaient des voitures qu'ils utilisaient l'été. L'hiver manitobain était trop rude et les chemins impraticables pour rouler en automobile. Comme nous étions à cinq milles du village de Lourdes, papa avait acheté une Essex, une voiture anglaise équipée d'un petit moteur qui tournait rapidement.

Le jour où notre grande sœur Antoinette a pris le voile chez les chanoinesses régulières des Cinq-Plaies, j'avais eu l'honneur et surtout la responsabilité de conduire maman, Suzanne, Joseph,

Gertrude, Liliane et le bébé Léandre à l'église du village pour la cérémonie. Tout ce beau monde est monté à bord de l'Essex pour un périple inoubliable. C'était la première fois que je conduisais une voiture ! Papa étant à Melville, Marcien occupé aux battages et le boghei en réparation, maman m'avait nommé chauffeur d'un jour malgré mes 12 ans, et ce, sans permis et sans assurances ! Ma grande sœur Suzanne était montée devant et le reste de l'équipage se tenait sur la banquette arrière. Maman avait récité les trois *Je vous salue Marie* d'usage et des invocations à saint Christophe.

Si j'avais été passablement tendu à l'aller, le retour vers Saint-Adélard fut un jeu d'enfant, c'est le cas de le dire ! Pour marquer le coup, j'avais fumé une cigarette que Marcien m'avait donnée. Si ma grande sœur Antoinette avait revêtu l'habit de postulante et s'appelait dorénavant sœur Marie-Joseph de l'Eucharistie, je délaissais désormais mon costume de petit garçon et, pour la première fois de ma vie, je devenais un jeune homme responsable, prêt à affronter bien d'autres aventures.

Et la prochaine escapade en fut une de taille. Ma grande sœur Suzanne, membre de la J.A.C. (Jeunesse Agricole Catholique), se rendait au Québec en 1940, pour un congrès eucharistique à Sherbrooke. Elle avait déjà fait le voyage avec papa en 1938, et voilà qu'elle me demandait de l'accompagner. J'allais rencontrer la parenté québécoise du côté paternel, les Bergeron, et ceux du côté de ma grand-mère, les Boisvert.

Après avoir passé quelque temps à Montréal chez notre grand-oncle Siméon et notre cousin Herman Bergeron, nous avons pris le train en direction de Saint-Félix-de-Valois. Nous sommes demeurés chez Albert Poirier, sa femme Hélène Marion et leurs filles, Éliette et Paule.

Albert Poirier était le fils de Ludger Poirier et de Philomène Boisvert, la sœur de ma grand-mère Perpétue. Ma petite cousine Éliette avait quatre ans de plus que moi. À 19 ans, elle conduisait la voiture paternelle après avoir appris sur le tracteur de la ferme. Elle nous a emmenés au village pour l'enregistrement national. En cette époque de Deuxième Guerre mondiale, il fallait que tous les citoyens vivants soient enregistrés en cas d'appel militaire. Chemin faisant, notre trio a rencontré Rolande Coutu, fille de l'hôtelier de Saint-Félix, J.A. Coutu. Celle-ci nous a invités à venir veiller chez elle. Elle possédait un gramophone sur lequel elle a fait jouer les derniers airs à la mode comme *Beer Barel Polka*.

Suzanne Bergeron-Prince :

— Ça a été toute une aventure! J'avais 20 ans, Henri, 15. Avec notre passe du CN, je crois que j'avais cinq piastres et Henri aussi pour un séjour d'un mois au Québec. J'avais emmené Henri parce qu'il était fin. T'avais jamais de misère avec lui. Henri était au collège, c'était un petit monsieur, mieux habillé. Il avait appris les bonnes manières et il avait l'habitude de la ville. Moi, je n'étais pas habituée à prendre les petits chars. Tu pars de Lourdes pour Montréal, c'est quelque chose! Henri était content.

À bord du train, je ne retrouvais plus notre passe. On l'avait perdue! Je me sentais tellement mal. On était tous les deux à quatre pattes dans le wagon, à 4 h du matin, mais finalement on l'avait retrouvée, coincée dans la banquette. À Sherbrooke, j'ai connu Gérard Pelletier, Alexandrine Leduc et Michel Chartrand, des militants des Jeunesses catholiques. C'était au mois d'août 1940.

Quand j'ai vu d'où venaient mes grands-parents, de Saint-Gabriel-de-Brandon, et puis de Saint-Charles-de-Mandeville, je me suis dit qu'ils étaient fous. Qu'est-ce qu'ils avaient fait? C'était pas drôle, à l'époque, d'arriver dans l'Ouest si froid et tellement pauvre.

Liliane Bergeron :

— Je me rappelle quand on a déménagé chez Choumac et qu'Henri allait servir la messe à Cardinal. Je trouvais qu'il commençait sa vie professionnelle. Sortir de la famille, aller ailleurs, pour moi c'était la vraie vie. La messe à Cardinal et le collège ont mis Henri sur un piédestal. Et puis, nous, on restait derrière. Gertrude et moi, on pleurait quand il partait. On rêvait, nous aussi…

ΔΔΔ

Melville, Saskatchewan

« L'argent ne fait peut-être pas le bonheur, mais ça aide drôlement à faire les commissions. »

Napoléon Bergeron

« Nous avions toujours le sentiment que rien ne pouvait nous manquer, que rien ne pouvait nous arriver. »

Henri Bergeron

Louise Bergeron-Kripalani :

— Je ne me souviens pas du départ pour Melville. J'avais alors trois ans. Mais j'ai plusieurs bons souvenirs de cet endroit. C'est là que j'ai appris l'anglais très rapidement. J'étais une petite fille hardie, je n'avais pas peur, je jouais avec tout le monde. Le paysage était différent. Nous n'étions plus dans une ferme. Nous avions des voisins et j'aimais ça parce que j'avais beaucoup d'amis.

Suzanne Bergeron-Prince :

— Comme papa avait beaucoup plus de travail comme chef de train, il avait décidé de partir pour la Saskatchewan. Papa avait dit que la maison à Melville était assez belle. C'était vrai. On quittait une paroisse contrôlée par les chanoines pour aller vivre dans un coin plus moderne, plus émancipé. On pouvait porter des pantalons pour patiner. Chez nous, il fallait porter la jupe. C'était une époque qui devait disparaître un jour, mais nous autres on l'a subie. Louise et Laurette n'ont pas connu ce temps-là. Nous étions entourés d'Allemands, d'Ukrainiens et de Polonais, et de trois ou quatre familles francophones. Là tu pouvais danser, patiner en pantalon et sortir avec les garçons.

Gertrude Bergeron :

— À Melville, il y avait surtout des immigrants allemands et ukrainiens. Notre coin était plutôt allemand et tout le monde parlait anglais. Nous y sommes restés deux ans.

Joseph Bergeron :

— À Melville, il y avait le *call boy*, le *honey man* et le cow-boy. L'homme surnommé le *call boy* frappait à la porte pour dire à Napoléon à quelle heure il devait se rendre au chemin de fer. «*Paul, you're called to go to work at 2 h 15.*» Il n'y avait pas de téléphone. D'ailleurs, depuis que mon père travaillait pour le CN, il n'était plus question pour lui de s'appeler Napoléon, à cause des Anglais. Tante Anna, la femme de l'oncle Élie qui était ingénieur au CN, avait décrété que mon père devrait s'appeler Paul. Pauvre papa, dire qu'à sa naissance, il avait été baptisé Pierre-Siméon, mais comme son père Napoléon était décédé deux mois après sa naissance, sa mère Perpétue et des voisines l'ont rebaptisé Napoléon, à la mémoire de ce dernier.

Le cow-boy s'occupait de ramasser notre vache pour l'emmener au pâturage et il la ramenait le soir. À côté de l'étable, il y avait les chiottes, alors le *honey man*, ainsi nommé pour faire contraste avec les odeurs, ramassait les seaux.

Suzanne Bergeron-Prince :

— Nous sommes restés deux ans à peine à Melville. Papa, alors chef de train, a eu un accident pour lequel il a été blâmé. Il y avait eu une erreur dans la coordination des trains. Il n'y a pas eu de victimes, mais pour le punir, la compagnie l'a envoyé à Grande Prairie en Alberta. Comme maman ne voulait pas rester seule à Melville avec les gamins, nous sommes revenus à Saint-Boniface, rue Berry, près de la parenté, les Soulodre et les Bourrier, qui avaient quitté également la campagne. C'était en 1943.

ΔΔΔ

Rue Berry, Saint-Boniface

Laurette Bergeron-Trudeau :

— Après avoir travaillé pendant une année à Rivière-la-Paix, au nord de l'Alberta, papa a repris son travail à Melville. Comme la famille vivait maintenant à Saint-Boniface, Napoléon a demandé un transfert au complexe ferroviaire de Transcona, à l'est de Winnipeg. Il l'a obtenu un an plus tard, en 1944. Le *guard office* (le bureau chef) pouvait alors l'appeler de jour comme de nuit pour faire un voyage à Reddett à l'est, ou vers l'ouest, à Rivers. Ces voyages ne duraient pas plus de deux jours et, parfois, papa revenait à la maison la journée même.

Papa avait une belle joie de vivre. Il aimait les anniversaires. Il avait nettoyé tout le sous-sol (sur Berry) pour faire des parties de cartes et s'amuser. On a eu des soirées extraordinaires. Papa aimait surtout chanter et nous faire danser. Il nous expliquait les pas de danse. Il y tenait.

Louise Bergeron-Kripalani :

— À la maison, c'était très matriarcal. Les enfants étaient la responsabilité de la mère. Je ne voyais pas beaucoup papa. Quand il était à la maison, il fallait qu'il dorme, alors on devait se tenir tranquille. Maman prenait toutes les responsabilités de la maison. Mais on avait aussi les grandes sœurs qui s'occupaient beaucoup de nous.

Marie Bergeron-Ferland :

— On a connu un père qui travaillait aux chemins de fer régulièrement. On n'a pas connu le papa fermier. Peut-être Jos, un peu, mais pas les trois dernières filles.

Louise Bergeron-Kripalani :

— Je ne me rappelle pas m'être assise sur les genoux de mon père. Rue Berry, il avait deux emplois, il était toujours fatigué, nous étions dans son chemin. Je n'ai pas connu le père qu'Henri a connu. Papa buvait un peu. Maman et papa se chicanaient. J'en avais un peu peur. Il était devenu plus sévère.

Laurette Bergeron-Trudeau :

— Je n'ai pas connu papa jeune, comme les plus vieux. Je l'ai connu beaucoup plus âgé. J'ai des bons souvenirs et des moins bons. Parfois, papa s'arrêtait à la taverne et Louise et moi on restait dans l'auto. On y restait longtemps. Nous avions sept et huit ans. On trouvait ça long. Il disait : « Je vais arrêter juste une minute. » Papa était dans la cinquantaine. Il travaillait très fort. Quand papa était *callé* comme on disait, on savait que c'était l'alerte générale, il fallait trouver mon père dans les 15 minutes parce qu'il devait rappeler tout de suite au travail. On ouvrait les lumières, c'était le barda !

Louise Bergeron-Kripalani :

— Henri était mon parrain. Je me souviens, un jour rue Berry à Saint-Boniface, c'était mon cinquième anniversaire. Ce jour-là, il y avait des pompiers qui vérifiaient quelques chose dans la rue et Henri m'a dit : « Je veux faire quelque chose de spécial pour ta fête. Viens, je prends ta photo sur le camion des pompiers ! »

La petite fille que j'étais était pas mal impressionnée, grimpée sur le gros camion rouge. C'est mon premier souvenir avec Henri.

Un jour, j'étais dans la chambre avec maman et Henri est entré en pleurant. Je ne me rappelle pas la raison de son chagrin, mais maman l'avait consolé en lui disant que ce n'était pas grave. Il prenait tout à cœur. Henri souffrait souvent de congestion. Maman mettait un morceau de papier enflammé dans un verre et retournait le verre sur son dos. Il y avait parfois cinq ou six verres à la fois. Cela faisait un vacuum, ensuite le verre tombait. Nous les petites, on regardait Henri en se disant qu'il avait le dos en feu !

Laurette Bergeron-Trudeau :

— Le plus beau souvenir que j'ai d'Henri lorsque nous étions toutes petites, Marie, Louise et moi, est qu'il nous racontait des histoires d'horreur. « *Watch the box !* » disait-il sur un ton macabre en parlant du cercueil. Je crois qu'Henri inventait ces histoires. Il faisait les bruits de porte, de pas sur le plancher. Dieu qu'on avait peur ! Mais on aimait ça ! Ce sont de magnifiques souvenirs.

Liliane Bergeron :

— J'avais, tout comme Henri, le goût du théâtre. Je me sentais donc plus proche de lui à cause de ça. On a joué ensemble au Playhouse Theatre. Henri a joué en anglais à CBC Radio avec la comédienne et animatrice Beth Lockerby. On parlait souvent ensemble de nos ambitions. On voulait aller loin…

Église Sainte-Madeleine, 10 h 19

Henri :

— Ah le théâtre ! Oui, j'aurais aimé devenir comédien et même acteur de cinéma. À sept ans, j'avais assisté à une représentation du Cercle Molière, à Saint-Léon et, depuis ce jour-là, je rêvais de monter sur les planches. Il faut dire que depuis mon entrée au collège, j'avais toujours souffert d'une grande timidité et, par le fait même, d'un manque de confiance en moi. Je n'arrivais pas à m'imposer comme d'autres camarades de classe. Je me concentrais avec acharnement sur ma façon de bien parler malgré les sarcasmes de certains collégiens. Il aura fallu que j'attende jusqu'en rhétorique pour voir mon vœu se réaliser.

On m'avait distribué dans le rôle comique du conscrit dans la pièce de Théodore Botrel *À qui le neveu ?* Je faisais irruption sur scène en costume militaire en disant : « *Me v'là-z-équipé !* » Cette seule réplique, à la liaison douteuse, déchaîna non seulement un fou rire général dans l'assistance, mais effaça mon affreuse timidité et ma peur du ridicule. On ne riait pas de moi, mais bien de la situation que j'avais provoquée dès mon entrée sur scène. J'avais simplement vaincu le ridicule par le ridicule. Ce moment de bonheur et de joie intense d'avoir franchi un énorme obstacle et de m'être débarrassé d'un gros boulet de timidité fut un déclencheur salutaire. Désormais, je m'exprimais avec aisance devant la classe, et ce premier succès confirmait mon désir de devenir comédien.

Après avoir joué le rôle du père Brébeuf dans *L'Âme huronne*, de Jean Laramée, avec la troupe des Anciens du Collège, Pauline Boutal, alors directrice du Cercle Molière, la plus vieille troupe de théâtre amateur au Canada, m'offrit de jouer un rôle dans la comédie, *600 000 francs par mois*, de Moriezy-Eon et Albert Jean. Grâce à une bourse de l'Université du Manitoba, appuyé d'une recommandation du Cercle Molière, j'ai pu suivre un cours de théâtre d'un mois à la Banff School of Fine Arts, une classe de l'été 1944. C'est sans doute à ce moment-là que j'aurais pu réaliser mon rêve de jeunesse. L'un des professeurs américains m'offrait de le suivre à Seattle pour joindre sa troupe de théâtre et parfaire mes connaissances pour entrer éventuellement à la célèbre école d'art dramatique de Pasadena. Tout comme pour les études, je ne me voyais pas jouer seulement en anglais. Et parlant d'études, il me restait encore une année pour décrocher mon baccalauréat de l'Université du Manitoba. J'y tenais plus que jamais, surtout que l'été précédent, j'avais fait l'expérience du travail à la dure en compagnie de mon camarade Fortunat Champagne. Nous avions été engagés à 80 sous de l'heure dans un chantier maritime du Canadien National à Prince-Rupert, au nord de la Colombie-Britannique.

Cette dernière année au collège se terminait par la fameuse retraite des finissants, où nous devions décider de notre avenir, à savoir le sacerdoce ou la vie dans le monde, la soutane ou la cravate, quoi! Profondément tiraillé encore une fois, par ma hantise de ne décevoir personne, surtout ma mère qui, je le sentais bien, espérait me voir monter à l'autel, je demandai l'aide de mon confident, le père Hardy. Il répondit à mes nombreuses interrogations par une phrase simple et directe : «C'est toi qui décides!» La réponse me sembla alors d'une évidente clarté.

Encore fallait-il affronter maman, une scène que j'aurais préféré jouer au théâtre. En disant ma première réplique, maman s'est assise, elle qui en ressentait rarement le besoin. Je lui faisais énormément de peine. Ma sainte mère encaissait le coup au cœur, silencieuse, lointaine. Des larmes, tel un chapelet, perlaient sur son visage. J'aurais voulu la prendre dans mes bras et l'embrasser tout en m'excusant d'être un fils aussi ingrat, aussi égoïste. Mais c'était plus fort que moi, je multipliais les explications en termes assez durs pour essayer de lui faire comprendre que je tenais à vivre ma propre vie et que j'avais pris la bonne décision.

Joseph Bergeron :

— Après Marcien et Henri, maman voyait bien que Léandre et moi, on ne se dirigeait pas vers la prêtrise. Alors elle avait dit : «Je vois bien que je n'aurai pas de prêtre, je n'en suis pas assez digne! Mais c'est correct. Le bon Dieu ne peut pas me donner ça.»

Trois gars au collège sur quatre, c'était au-dessus de la moyenne, mais pas un avec la vocation. Ma pauvre mère était déçue. Elle aurait tellement aimé avoir un garçon prêtre.

Léandre Bergeron :

— On m'a pas poussé, on m'a simplement mis au juniorat. Moi, je l'ai senti comme un exil, c'était une rupture. J'étais à un mille de chez nous, j'avais le droit à deux heures chez nous le dimanche. On misait sur moi. Avec les pères oblats de Marie-Immaculée qui me serraient fort dans leurs bras, j'étais un beau petit gars, l'odeur de soutane, je l'avais dans le nez...

J'étais content de partir à la campagne, l'été, chez les Charrière, à Notre-Dame-de-Lourdes. Comme j'avais de bons résultats scolaires, j'étais toujours premier, je n'avais pas à passer les examens, alors je partais dès le début du mois de juin, et maman m'envoyait à la ferme de Pierre Charrière, un Suisse-roman catholique. On disait la prière le soir, c'était l'austérité, on n'ouvrait pas la radio pour écouter de la musique, non. On se levait le matin très tôt et là c'était le travail, bien planifié, très discipliné. Les repas étaient frugaux. Moi, je trouvais ça formidable. D'abord, on ne m'étouffait pas, on ne m'obligeait pas à un travail. Monsieur Charrière me demandait si je voulais bien faire un travail et j'acceptais avec joie.

Église Sainte-Madeleine, 10 h 19

Henri :

— Eh bien mon Léandre ! J'ignorais que tu avais eu de mauvaises expériences avec les pères, toi aussi. Pour ma part, je n'ai connu qu'un épisode traumatisant avec un frère infirmier. Comme je souffrais de douleurs à la poitrine, il m'avait prescrit des ventouses. Maman utilisait souvent ces petits verres où elle glissait une ouate imbibée d'alcool. Sauf que les manœuvres du frère infirmier ressemblaient plutôt à des attouchements qui n'avaient rien à voir avec un traitement pour les poumons. Je crois que j'étais en syntaxe ou en méthode, bref, j'avais été bien sûr bouleversé par cet incident et je me sentais presque aussi fautif que le frère en question. J'avais eu le courage de le dénoncer et quelque temps plus tard, il repartait pour Montréal. Je peux comprendre ceux qui ont vécu des histoires abominables. Bien que la mienne fut passagère, il n'en demeure pas moins qu'un seul incident est une horreur de trop.

Tous les finissants qui n'avaient pas choisi la prêtrise devaient prendre le chemin de la base militaire de Shilo, au Manitoba, en ce printemps 1945. Je n'ai jamais eu le temps d'y mettre l'orteil, sauvé, pour ainsi dire, par la chute de Berlin et la reddition du

8 mai, et, quelques semaines plus tard, par les bombardements des villes d'Hiroshima et de Nagasaki qui mirent fin à la Deuxième Guerre mondiale. Après m'être inscrit à la Faculté de droit, à l'Université du Manitoba, je fus engagé comme clerc-avocat au bureau de maître Alexandre Bernier. Je suivais donc mes cours en matinée, je passais mes après-midi dans les dossiers de maître Bernier, pour terminer mes soirées en répétition au Cercle Molière. La vie était belle jusqu'au jour où, à la suite d'une courte participation à une émission de radio, *Winnipeg Showcase*, sur les ondes de CKY, ma carrière allait prendre une direction nouvelle et inattendue.

ΔΔΔ

Je vous présente mes parents :
Rosalie Bourrier et Napoléon Bergeron, devant la maison
de tante Agnès, à Saint-Lupicin, au Manitoba en 1916.

Un coin de mon village, avec l'église de Saint-Lupicin.

Ma famille, vers 1935. Je me tiens debout à droite sur la photo.

Départ pour Melville, Saskatchewan, en 1941.
De gauche à droite, rangée du fond : Marcien, Rosalie,
et moi-même ; au centre : Gertrude, Suzanne, Liliane et Jos ;
devant : Léandre, Marie, Louise et Laurette.

Mes années de collège,
à Saint-Boniface.

Ma sœur Suzanne et moi,
à la gare de Winnipeg en 1940,
en route vers la province
de Québec.

Ma famille en 1945. Rangée du fond :
moi-même, Liliane, Marcien, Suzanne, Jos, Gertrude. À l'avant :
Léandre, Louise, Napoléon, Antoinette, Rosalie, Laurette et Marie.

La famille de ma future épouse, en 1945 :
sa mère Françoise, sa sœur Marie-Louise (Mimi),
Isidore son papa et Yvonne.

Ce qu'elle est belle, ma fiancée, lors de sa remise des diplômes
comme infirmière diplômée de l'Hôpital de Saint-Boniface.

Le jour de notre mariage,
le 17 août 1946.
Cinquante ans plus tard,
nous célébrons l'événement avec
le même sourire, le même amour
et vous remarquerez qu'Yvonne
porte son diadème d'origine.

Notre jeune famille s'est installée à Hull, au Québec, en 1949. Denys sur mes genoux, Lorraine sur son tricycle et Yvonne.

Hull, 1949. J'ai toujours aimé jouer avec mes enfants, et Denys semble apprécier le manège.

Nous sommes maintenant à Ville Saint-Laurent, été 1954. Une mise en scène bien arrosée et ô combien rafraîchissante, puisque c'était la canicule! Denys, Lorraine, Yvonne et le troisième de la famille, Alain, pointent le boyau d'arrosage dans ma direction.

Toujours à Ville Saint-Laurent. J'avais fabriqué un petit théâtre, au sous-sol, où les enfants chantaient et jouaient les histoires que je leur lisais.

*La maison, rue
Filion en 1957.
Ma Chrysler
de l'année tire
le Haldys I
en route pour
une balade sur
la rivière des
Prairies. Plus
tard en 1962,
le Haldys II
sillonne le
Richelieu et
je prends un
peu de soleil
sur le pont,
en compagnie
de mon beau-
père Isidore
Mercier. Je me
demande bien
qui est aux
commandes du
bateau !*

La voici! Notre belle d'Outremont, rue Wiseman.

*Yvonne et moi devant notre dernière « campignole ». C'était une façon
extraordinaire de voyager, puisque notre couchette nous suivait,
faisant de nous des voyageurs indépendants et libres d'aller là
où le vent nous poussait.*

Ma sœur Laurette avait organisé une grande fête pour souligner
ma retraite de Radio-Canada. Canotier sur la tête,
je souffle les bougies du gâteau.

Nos cinq enfants avaient organisé une merveilleuse réception
pour souligner notre 50e anniversaire de mariage. La sœur d'Yvonne,
Mimi, était bien sûr de la fête.

Je suis souvent allé chez mon frère Léandre, à McWatters, en Abitibi. Son coin de pays me rappelait Saint-Lupicin, et j'en profitais pour jouer à la guitare des chansons de l'Ouest canadien comme « Home on the Range ».

Grâce aux biennales de la langue française, Colette et Roland Eluerd sont devenus de fidèles amis avec qui nous avons beaucoup voyagé.

Depuis que je suis tout petit, j'ai toujours aimé les chevaux. Après en avoir possédé un véritable, mon beau Rigodin, à Saint-Lupicin, je me suis amusé à en faire la collection. Ce magnifique cheval de bois, dans une vitrine new-yorkaise, aurait été une autre belle acquisition, mais il n'aurait pas tenu dans les bagages.

Toute la famille avait souligné comme il se doit le 50ᵉ anniversaire de mariage de nos parents, Rosalie et Napoléon.

Laurette, Louise, Marie, Jos, Liliane, Gertrude, moi-même, Suzanne et Antoinette, dans une pose bien familière.

Mon frère Léandre et ses trois belles filles : à sa gauche, Cassandre, à sa droite Déirdre et Phèdre, Yvonne, l'auteure Ismène Toussaint, ma sœur Liliane et moi-même.

Voici notre dernière photo de famille, en 1999, lors du mariage du bébé de la famille, Éric, avec Geneviève Côté.

Je réalise enfin mon rêve de jeunesse! Je célèbre le passage à l'an 2000 en compagnie de mes fils, Sylvain, Denys, Alain et Éric.

CHAPITRE 3

La route du destin

« Le succès de CKSB fut pour Henri Bergeron
comme pour bien d'autres un grand réconfort,
et ce résultat heureux fut en quelque sorte le tremplin
qui le lança vers de nouveaux sommets. »

Roland Couture
Premier vice-président de CKSB (R.-C.),
directeur de 1949 à 1973

J'ai quitté mon île
Quand on m'a envoyé
L'ai quitté tranquille
Sans chanter ou pleurer
Un beau matin, vous verrez les voiles de mon voilier
Prendre le large vers les îles

« J'ai quitté mon île »
Daniel Lavoie et Claude Roux

Liliane Bergeron :

— Moi, je suivais des cours de piano, mais je n'avais pas de rythme. Henri en avait. Je n'ai pas le sens de l'orientation, Henri l'avait. Henri a fait quelques tableaux pour prouver qu'il aurait

pu être artiste-peintre. Il avait tout! Alors je me dis : «Pourquoi
lui?» Au fond, Henri a pu poursuivre son rêve. Moi non. Son
destin était tracé d'avance et il a toujours réussi. Ça c'est fort.
Vraiment, il a réussi.

Antoinette Bergeron-Nielson :

— Je n'ai pas été surprise lorsque Henri a laissé ses études
de droit pour la radio. J'étais contente parce que je savais qu'il
souffrait trop dans cette profession. Il aurait fallu qu'il soit juste
tout le temps, mais pas nécessairement bon tout le temps. Il
avait rencontré une femme à la firme où il travaillait, et cette
femme pleurait, elle n'avait rien à manger, et le mari n'aidait pas
à subvenir à leurs besoins à elle et à ses trois enfants. Alors Henri
a eu le reflexe d'aller fouiller dans sa poche de pantalon pour lui
donner de l'argent. Il savait discerner les vrais gens pauvres des
autres mendiants. «Tu sais Antoinette, ils ne sont pas toujours
pauvres.» On aurait dit qu'il les reconnaissait.

Église Sainte-Madeleine, 10 h 20

Henri :

— J'étais navré pour cette pauvre femme. Je détestais me
retrouver dans des circonstances où je ne pouvais pas exercer
le pouvoir de mon cœur, surtout avec seulement quelques
pièces de monnaie en poche. Malgré cette malheureuse histoire, j'aurais sans doute poursuivi mes études en droit, surtout
que les Canadiens français qui se dirigeaient vers la profession
étaient rarissimes. Au printemps 1946, seul Alfred Monnin, qui
sera d'ailleurs nommé juge en chef du Manitoba, recevait son
diplôme. Cette année-là, j'étais le seul francophone inscrit en
droit à la faculté. Mais l'ouverture prochaine du premier poste
de radio de langue française de l'Ouest canadien m'attirait fortement. Après une rencontre très prometteuse avec le docteur
Henri Guyot, président de Radio Saint-Boniface, je rencontrais
le doyen de la Faculté de droit, Dean Tallin.

«Je désire interrompre mes études de droit et joindre la première équipe d'annonceurs de CKSB», ai-je dit.

— Si je comprends bien, vous tenez à vous joindre à cette bande d'aventuriers? Vous êtes vraiment sérieux?

— Oui monsieur!

— Soit!

La remarque blessante du doyen au sujet de la bande d'aventuriers piqua bien sûr mon orgueil. Aussi, en sortant de son bureau, je me sentais encore plus d'attaque, déterminé plus que jamais à réussir ma vie dans le domaine des communications. Trente-sept ans plus tard, cette même faculté décernait au petit aventurier manitobain un doctorat honorifique pour sa carrière à la radio et à la télévision. De toutes les décorations et de tous les honneurs que j'ai pu recevoir au fil des ans, celui-là m'a profondément touché. Il soulignait non seulement le fait que je m'étais démarqué dans ma profession de communicateur, mais ce diplôme confirmait également que je ne m'étais pas trompé quant à mon choix de carrière.

Je me souviens d'être entré à la maison d'un pas décidé en disant tout de go : «CKSB Saint-Boniface!» Comme ma démarche auprès du docteur Guyot avait été faite à l'insu de mes parents, maman m'a demandé :

— Qu'est-ce que ça veut dire?

— Je suis engagé à la radio!

— Comment? Tu quittes le droit?

— Ah! Je n'aime pas les chicanes, je veux être moi-même!

Laurette Bergeron-Trudeau :

— Juste avant qu'Henri commence à CKSB, il s'entraînait au sous-sol avec les cuves dont maman se servait pour le lavage. Il les accrochait et il mettait carrément sa tête à l'intérieur et il disait : «Ici CKSB Saint-Boniface, ici Henri Bergeron.» Alors, quand Henri était parti, Louise et moi on essayait à notre tour en grimpant sur un banc, et là on se moquait de lui. Nous étions pas mal gamines.

Louise Bergeron-Kripalani :

— Mon second souvenir concernant Henri touche à la langue française. Je ne me rappelle plus s'il avait commencé à CKSB, mais ce dont je me souviens très bien est que j'étais à la maison et que j'avais dit, le *fridge*. Henri m'a fait asseoir devant lui et il a dit :

— Tu vas l'apprendre correctement, ce n'est pas un *fridge*, mais un réfrigérateur, tu as compris ? Réfrigérateur !

— Mais Henri, c'est bien plus facile de dire le *fridge* ! C'est moins long !

Il m'a fait répéter le mot plusieurs fois en prononçant très bien, en articulant et en me disant que c'était comme ça qu'on parlait français. J'ai dit ok, ok ! Et je ne l'ai jamais oublié !

Marie Bergeron-Ferland :

— Je n'avais pas conjugué correctement, alors sœur Gilles m'avait grondée en disant : « Tu n'as pas le droit de te tromper, surtout si tu es la sœur d'Henri Bergeron. »

Suzanne Bergeron-Prince :

— Moi, j'étais bien avec la radio anglaise. Je voulais parler anglais. Ça passait mieux, par ici. Il y avait beaucoup de préjugés envers les francophones : « *Oh ! you're french, really !* » Qui aime les Français ? « *You're out !* » Tu n'es pas dans le coup. Je n'étais pas à l'aise. J'associais le français avec la religion. Alors j'avais décidé à 27 ans de partir pour Calgary. Je ne pouvais pas prendre une chambre seule à Saint-Boniface, ça ne se faisait pas, surtout dans la même ville que ses parents ! Même si elle ne voulait pas que je parte, maman avait insisté pour que j'aille vers l'est. Si tu penses que je voulais aller au Québec, avec la religion, jamais !

J'étais attirée vers l'ouest, les Rocheuses, Banff et surtout les Anglais, qui n'étaient pas catholiques. Maman me disait :

— Pense à ta vocation. Qu'est-ce que tu veux faire ?

— J'veux rien faire !

J'avais 27 ans, il n'était pas question de mariage, je ne voulais surtout pas être religieuse, laissez-moi tranquille ! Je ne voulais même pas leur dire que je m'en allais ! Je me pensais moderne, j'allais à bicyclette, je savais nager, j'avais pris des cours d'anglais pour avoir une meilleure prononciation. Il fallait que je pense à moi. J'étais un petit peu écœurée de tout ça. Et puis quand tu es minoritaire… J'en avais assez.

ΔΔΔ

Le rang de carottes

Suzanne Bergeron-Prince :

— Revenue de mon périple dans l'Ouest, nous avions été, Henri et moi, à une soirée de danse au Winnipeg Auditorium. C'était après la guerre. Henri venait de finir son collège. Nous sommes revenus dans l'autobus de Saint-Boniface. En voyant Yvonne, Henri m'a laissée pour s'asseoir avec elle. Le lendemain, Henri m'a dit que c'était la cousine de Louis Masson. Elle était belle, blonde aux yeux bleus, une garde-malade. Là, ça a été le coup de foudre ! J'ai plus revu Henri ! C'était l'amour !

Yvonne Mercier-Bergeron :

— Le grand responsable de notre rencontre a été Louis Masson, confrère d'Henri au collège et comédien au Cercle Molière. Il me racontait qu'une nouvelle famille était arrivée à Saint-Boniface, des gens très animés et que nous allions passer une belle soirée. Je m'y suis rendue et Louis m'a présentée à toute la famille et… je revois encore Henri au piano. Je suis restée quelques heures, car il fallait que j'entre pour 22 h 30 à la résidence de l'hôpital de Saint-Boniface, où je terminais mon cours d'infirmière. Le lendemain, ce ne fut pas Henri qui est venu me voir, mais bien son frère Marcien, qui semblait s'intéresser à moi. Je lui ai répondu que je sortais à ce moment-là avec Maurice Hébert. Mais peu de temps après, les fréquentations avec Maurice Hébert ont cessé. Vers la fin d'avril, début de mai, après une soirée au cinéma, je me suis retrouvée à bord de l'autobus, en direction de la résidence de l'hôpital. J'étais assise à l'arrière et Henri est venu me parler. Il est descendu avec moi, il a laissé sa sœur Suzanne et il m'a reconduite jusqu'à la résidence en me disant qu'il m'appellerait le lendemain. Et le lendemain, en effet, il me rappelait. Et c'est comme ça que notre histoire a commencé, et plutôt rapidement ! C'était le coup de foudre ! J'ai reçu mon diplôme au mois de mai, nous nous sommes fiancés le même mois, et le mariage a eu lieu le 17 août suivant.

Marie-Louise (Mimi) Mercier, née le 1er mai 1933, sœur d'Yvonne Mercier-Bergeron et belle-sœur d'Henri Bergeron :

— La première fois que j'ai rencontré Henri, c'était à une fête chez les Masson, qui habitaient rue Des Meurons, au coin de Marion. Monsieur Masson était cordonnier. Son fils Louis était un camarade de collège d'Henri. Bref, ce soir-là, ce qui m'avait impressionnée, c'était qu'Henri avait une guitare et qu'il chantait : « *It's in the air* » une chanson de George Formby. Je ne connaissais personne qui jouait de la guitare. Je l'avais trouvé beau garçon. Lors de leur rencontre dans l'autobus, Henri a demandé à Yvonne de l'accompagner au pique-nique du Cercle Molière. Comme Yvonne était encore à la résidence, je ne les ai pas beaucoup vus ensemble. Je me rappelle qu'Henri a demandé la main de ma sœur à mon père dans le rang de carottes !

Église Sainte-Madeleine, 10 h 21

Henri :

— Mon futur beau-père, Isidore Mercier, prenait un soin jaloux de son jardin et de son potager. Celui-ci s'étendait parfois même devant la maison, et l'habituel tapis vert était remplacé par un champ de patates. C'était une curiosité, rue Cherrier, à Saint-Boniface. Devant les maisons, il y avait de belles pelouses, des bosquets fleuris et, tout à coup, hop! un champ de pommes de terre! Pendant la belle saison, monsieur Mercier travaillait plusieurs heures dans ses diverses plantations. Il se levait aux aurores pour biner ou sarcler puis, partait à bicyclette à son travail. Il travaillait pour la compagnie concurrente de celle de mon père, le Canadien Pacifique, ou CP. Il avait été engagé comme aide-chaudronnier, un travail qui consistait à nettoyer les chaudières des locomotives à une température souvent très élevée.

Lorsqu'il revenait du travail, il retournait à son potager jusqu'à la brunante, si bien que je n'avais pas eu d'autre choix que de le suivre entre les rames de petits pois, les rangées de radis et d'oignons pour finalement m'arrêter dans un des rangs de carottes pour lui demander la main de sa fille aînée, Yvonne.

Yvonne Mercier-Bergeron :

— Mon père, Isidore Mercier, est né à Plouzévédé, dans le Finistère (France), le 5 février 1890. Il était le benjamin d'une famille de neuf enfants. À cinq ans, il devenait orphelin de mère, si bien que sa sœur aînée Alexandrine prenait charge du foyer. En 1896, Isidore, son frère Jean, sa sœur Pauline et leur père Yves immigraient au Canada en compagnie de cinq autres familles bretonnes. Le 4 août 1914, Isidore se portait volontaire dans l'armée française et partait au front avec son frère Jean pour ne revenir au Manitoba que cinq ans plus tard, mais cette fois, seul. Son frère Jean avait été tué au front au tout début des hostilités. Quant à mon père Isidore, blessé de guerre qui avait sauvé un bataillon dans les tranchées, il recevra malheureusement la Légion d'honneur un peu trop tard, c'est-à-dire le jour de son enterrement, à l'âge de 92 ans.

Après la guerre, Isidore épousa une Bretonne native de Plouézec, Françoise Le Cain. Comme les maisons sont rares et très chères, Isidore acheta un terrain, rue Cherrier, sur les bords de la rivière La Seine, à Saint-Boniface. Il y construisit une maison où je verrai le jour et où naîtra, 10 ans plus tard, ma sœur Marie-Louise que l'on appellera affectueusement Mimi.

Marie-Louise Mercier :

— On ne peut pas dire qu'Yvonne et moi avons été élevées ensemble à cause de notre différence d'âge. Yvonne avait 10 ans lorsque je suis née. Quand j'étais jeune, elle me gardait parfois, mais nous avions chacune nos amies. Je considère que ma petite jeunesse a été très heureuse. C'était une vie simple.

J'étais encore à la petite école lorsque Yvonne est partie à la résidence de l'hôpital de Saint-Boniface pendant trois ans pour suivre son cours d'infirmière. Elle venait à la maison une fois par semaine. Nous n'étions donc pas très proche l'une de l'autre.

Papa s'occupait de son potager durant l'été, tôt le matin et en début de soirée. L'hiver, il se levait aussi très tôt pour alimenter la fournaise au charbon et il prenait l'autobus pour aller travailler. Il n'a jamais eu de voiture de sa vie. De toute façon, il n'y avait pas beaucoup de voitures à cette époque-là. Le seul qui en avait une était mon oncle François Simon. Les Masson et les amis de mes parents n'en avaient pas.

∆∆∆

L'oncle Henri

> «On dira ce que l'on voudra, mais c'est
> dans les petits postes de radio que l'on
> apprend son métier.»
>
> Henri Bergeron

Église Sainte-Madeleine, 10 h 22

Henri :

— Après avoir fait un stage de formation au Québec, où je rencontrai ceux qui deviendraient plus tard des collègues de travail, entre autres Miville Couture et Jean-Paul Nolet, je fis mes débuts comme annonceur sur les ondes du premier poste de radio de langue française de l'Ouest canadien, le 27 mai 1946.

La réussite et même l'exploit d'une telle entreprise ont été rendus possible grâce à une collecte de fonds sans précédent. Chaque paroisse y allait d'une campagne spéciale, même les étudiants participaient à l'effort financier qui dépassa les frontières jusqu'au Québec. Une somme d'environ 80 000 $ avait été amassée grâce aux efforts combinés du clergé et des hautes instances politiques québécoises, dont une contribution personnelle du premier ministre Maurice Duplessis de 20 000 $. Le cousin germain de Duplessis, le juge Lacerte, de Saint-Boniface, avait réussi à obtenir ce don substantiel en échange d'une promotion vantant les charmes de la belle province. La somme provenant du Québec devait cependant être divisée à parts égales entre le nouveau poste CKSB et les trois autres à venir dans l'Ouest.

Dix jours après mon vingt et unième anniversaire, j'allais vivre un moment unique, car j'avais été désigné pour proclamer l'ouverture officielle de CKSB. Ce jour-là, j'étais passablement nerveux. J'avais relu pour la centième fois, je crois, le texte de présentation de l'émission inaugurale. Ces premières paroles prononcées en français étaient attendues depuis fort longtemps ; je ne voulais à aucun prix faire la moindre erreur. L'inauguration se déroulait sur la scène de la grande salle du collège, un lieu qui m'était plutôt familier. À 18 h précises, je donnais le signal de départ d'une voix chevrotante à cause de la nervosité. La chorale de la cathédrale et la fanfare La Vérendrye enchaînaient avec l'interprétation de l'hymne national.

Au cours de la première année, trois annonceurs-réalisateurs se sont partagé 12 heures de diffusion par jour : Léo Rémillard, Émile Savoie et moi-même. Des demi-heures d'émissions sur disques acétates en provenance de Radio-Canada Montréal nourrissaient la nouvelle grille horaire. L'année suivante, grâce à un tout nouveau magnétophone, les émissions *Le Ciel par-dessus les toits*, réalisée par Guy Mauffette, *Sérénades pour cordes* avec le chef d'orchestre Jean Deslauriers et quelques séries provenant de CKAC, *Le Ralliement du rire* avec Ovila Légaré et *Un homme et son péché* de Claude-Henri Grignon devinrent des locomotives importantes pour aller chercher la publicité nécessaire à la survie de l'entreprise.

J'animais l'émission matinale de 7 h à 9 h, puis une heure de musique de 11 h à midi. Je terminais mon animation quotidienne par une émission diffusée de 17 h à 18 h, *Le Forum écolier*, où le comédien en moi prenait du service dans le rôle de l'oncle Henri.

Plus tard, dans les années soixante, j'aurai le même plaisir à interpréter, cette fois sur les ondes de la radio de Radio-Canada, le rôle titre dans l'émission *Le Marchand de sable,* de l'auteure Françoise de Repentigny, et réalisée par Marie-Claude Finozzi, la sœur de Judith Jasmin. Le marchand de sable saluait ses jeunes auditeurs en les appelant les loupiots et les loupiottes. Je racontais des contes et des légendes en changeant ma voix selon les personnages du récit.

J'ai fait bien d'autres émissions beaucoup plus prestigieuses que cette émission de radio pour enfants, au cours de ma carrière, mais elles ne m'ont jamais apporté autant de joie et de satisfaction que celle-là. Peut-être parce qu'elle faisait appel à mes talents de comédien et que j'avais un plaisir fou à prendre une toute petite voix pour faire parler une aiguille ou une voix d'outre-tombe pour interpréter celle d'un ogre ou d'un fantôme. Notre travail a sans doute dû plaire à un jury formé de journalistes, puisque *Le Marchand de sable* a remporté un trophée Méritas en 1966.

Léo Rémillard, annonceur à CKSB Saint-Boniface et ami d'Henri Bergeron :

— J'ai rencontré Henri Bergeron pour la première fois vers les années quarante, alors qu'il était encore étudiant au Collège de Saint-Boniface. En 1940-1941, nous avions monté une pièce avec le père Caron, *L'Âme huronne*, écrite par le père Jean Laramée, l'histoire des anciens martyrs canadiens. Henri jouait le rôle de Brébeuf et moi celui du sorcier. Nous sommes devenus collègues en 1946, lors de l'ouverture du premier poste de langue française de l'Ouest canadien, CKSB Saint-Boniface, au Manitoba.

Ça a été toute une histoire. Les Canadiens français se sont mis ensemble pour amasser l'argent nécessaire pour construire ce poste de radio qui est devenu un poste de base du réseau de Radio-Canada, et j'en suis très heureux parce que cela a permis d'assurer la survie de CKSB.

Plusieurs souvenirs reviennent à ma mémoire, à commencer par nos répétitions, avant l'ouverture officielle. On se faisait concurrence, on faisait des présentations de la chansonnette française. Henri, qui était un travailleur acharné, mettait tout ce qu'il pouvait dans sa présentation, ce qui nous incitait à travailler encore plus fort parce qu'on le voyait aller à cent milles à l'heure !

Il y avait un professeur de français, à l'Université du Manitoba, un anglophone du nom de Jones qui nous appelait parfois pour souligner nos erreurs de français en ondes, c'était moins bien reçu, mais il avait parfois raison !

Henri était un homme très généreux. Lorsqu'il faisait l'oncle Henri, il avait organisé une collecte de fonds pour aider les enfants handicapés.

C'était un homme de grand talent qui pouvait s'adapter à tout. À CKSB, il animait autant les émissions pour enfants que celles de musique du bon vieux temps, de chansonnette, ou les nouvelles. C'était presque la perfection avant même d'aller à Radio-Canada.

Je suis peiné de voir que le monde francophone a perdu un homme exceptionnel et je remercie la Providence d'avoir pu côtoyé mon collègue et ami Henri Bergeron.

Marie Bergeron-Ferland :

— Lorsque Henri était à CKSB, j'écoutais son émission *L'oncle Henri*. Il était drôle. Toutes les filles couraient après mon frère. Elles le surnommaient *Ty*, parce qu'il ressemblait à l'acteur américain Tyrone Power.

Gertrude Bergeron :

— Mes amies couraient toutes après Henri et Marcien. Mes frères étaient très beaux, et ils étaient tellement fins. Ils jouaient de la guitare. Elles disaient : « *You've got older brothers !* » (Tu as des grands frères !) Margaret Popp était folle d'Henri. Henri trouvait qu'elles étaient intéressantes, mais le problème est qu'Henri nous surveillait. Avec Marcien, on pouvait en faire un peu plus. Mais Henri rapportait à maman ce qu'on faisait avec les garçons. Henri était très sérieux et rigide. Henri marchait droit. J'ai été aussi fille d'honneur au mariage d'Henri et Yvonne.

Louise Bergeron-Kripalani :

— J'aurais aimé être la bouquetière. Mais Yvonne avait choisi ma sœur Laurette parce qu'elle était plus petite. J'avais eu beaucoup de peine ! Yvonne, c'est comme une grande sœur, pour nous. Je me rappelle, elle était très belle. Elle aimait les belles choses.

Yvonne Mercier-Bergeron :

— Un patient que j'avais soigné à l'hôpital de Saint-Boniface et qui était propriétaire de l'hôtel Kenricia, à Canora, une petite ville frontalière en Ontario, nous a offert une chambre comme cadeau de noces. Nous nous sommes rendus en train jusqu'à Canora et deux-trois jours plus tard, nous étions de retour. Notre aînée Lorraine a quasiment été conçue à ce moment-là ! À notre retour de voyage de noces, nous devions prendre une chambre à l'étage, chez mes parents, rue Cherrier. Ma mère nous a informés qu'il y avait un appartement qui venait tout juste d'être terminé à l'étage de la maison voisine.

Marie-Louise Mercier :

— Yvonne et Henri habitaient juste à côté, chez les Polonais, les Kusmider, rue Cherrier.

Émile Savoie animait une émission à CKSB où les auditeurs pouvaient demander leurs chansons favorites, j'avais alors 13 ans. Et pour le vingt-troisième anniversaire de ma sœur, j'avais appelé pour faire jouer *Le plus beau tango du monde*. Ils ont d'ailleurs chanté cette chanson à leur mariage. Aussitôt que je l'ai dit à Henri, il a enfourché sa bicyclette et il est parti au poste pour dire de ne pas mentionner l'âge d'Yvonne, parce que les gens apprendraient qu'elle était plus âgée que lui ! Henri s'était fâché contre moi.

Yvonne Mercier-Bergeron :

— Peu de temps avant la naissance de Lorraine, mon père s'était porté acquéreur d'une maison neuve, rue des Meurons. Henri et moi partagions alors le rez-de-chaussée avec eux, tandis que le haut était occupé par le frère d'Henri, Marcien, et sa jeune épouse Louise. Marcien Bergeron avait acheté une maison avant la guerre, située rue Aulneau, mais comme elle était louée, il lui était impossible de déloger les occupants.

Tout juste après la guerre, une loi avait été votée pour protéger les locataires. Alors Marcien, qui avait acheté cette maison rue Aulneau dans le but d'en prendre possession à son mariage, ne pouvait y entrer. Mais quelque temps plus tard, les choses se sont arrangées. Marcien et Louise se sont finalement installés dans leur maison, et Henri et moi avons occupé le haut. Je crois que la sœur d'Henri, Suzanne, a aussi habité rue des Meurons, à un moment donné...

Marie-Louise Mercier :

— Quand Lorraine est née, j'avais 14 ans. Henri et Yvonne habitaient chez nous, et Marcien et Louise aussi, à l'étage, alors je dormais dans le salon. Souvent, Yvonne me demandait d'aller chercher la petite pour qu'elle puisse l'allaiter. Lorraine était tellement petite que j'avais peur de la prendre! Par la suite, Yvonne est retournée travailler à l'hôpital, alors quand je revenais de l'école, je mettais Lorraine dans le landau blanc et j'allais la montrer aux religieuses, à l'école. Quinze mois plus tard est arrivé Denys. C'était un bon bébé, même malade, il était tranquille, mais pas Lorraine, elle disait souvent : « J'veux pas être malade! »

Yvonne Mercier-Bergeron (voir arbre généalogique II) :

— Notre aînée a vu le jour un mois avant terme. Lorraine était tellement petite que sa tête minuscule tenait aisément dans la main d'Henri, tandis que ses orteils touchaient à peine le pli de son coude. L'accouchement s'était bien déroulé, avec l'assistance du docteur Guyot et de sœur Daigle, en ce 9 mai 1947. Quatorze mois plus tard arrivait le deuxième, Denys.

Je me suis rendue à pied à l'hôpital de Saint-Boniface aussitôt que les premières douleurs sont apparues. On n'avait pas de voiture à cette époque-là. D'ailleurs, mes parents n'ont jamais possédé une voiture de leur vie! À 88 ans, mon père enfourchait encore sa bicyclette. Mais la rue des Meurons n'était pas très loin de l'hôpital. Il suffisait de descendre la côte.

Arbre généalogique II

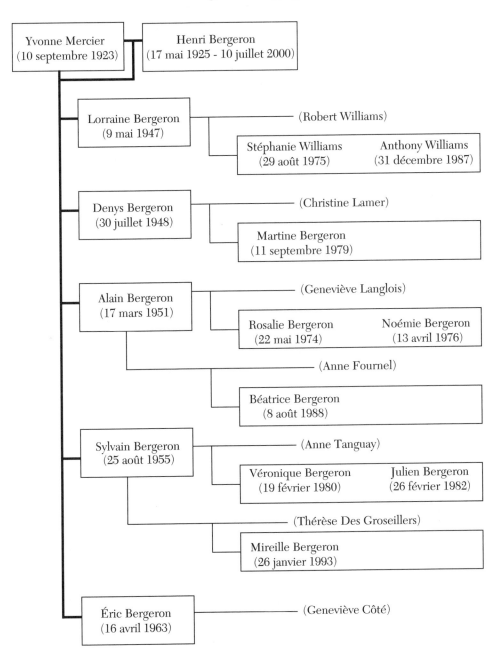

Yvonne Mercier
(10 septembre 1923)

Henri Bergeron
(17 mai 1925 - 10 juillet 2000)

Lorraine Bergeron
(9 mai 1947)

(Robert Williams)

Stéphanie Williams
(29 août 1975)

Anthony Williams
(31 décembre 1987)

Denys Bergeron
(30 juillet 1948)

(Christine Lamer)

Martine Bergeron
(11 septembre 1979)

Alain Bergeron
(17 mars 1951)

(Geneviève Langlois)

Rosalie Bergeron
(22 mai 1974)

Noémie Bergeron
(13 avril 1976)

(Anne Fournel)

Béatrice Bergeron
(8 août 1988)

Sylvain Bergeron
(25 août 1955)

(Anne Tanguay)

Véronique Bergeron
(19 février 1980)

Julien Bergeron
(26 février 1982)

(Thérèse Des Groseillers)

Mireille Bergeron
(26 janvier 1993)

Éric Bergeron
(16 avril 1963)

(Geneviève Côté)

Après les examens d'usage, on a décidé que c'était de fausses douleurs. Je retournais sur mes pas, mais je refis le même chemin quelques heures plus tard pour finalement accoucher de notre premier garçon le 30 juillet 1948. On a toujours dit que Denys était né le 31 juillet. Il est bien né le 30, mais il a été baptisé le lendemain. Henri avait insisté pour faire baptiser le nouveau-né le plus vite possible. Sœur Daigle avait trouvé ça bien drôle.

En pensant à elle, je me rappelle une anecdote plutôt cocasse. Sœur Daigle était arrivée depuis peu au Manitoba. Sa communauté, les Sœurs grises de Montréal, l'avait envoyée à l'hôpital de Saint-Boniface, elle qui ne parlait pas un mot d'anglais. Un jour, elle avait été chargée d'avertir le docteur Guyot d'un accouchement imminent, en prenant soin de mentionner le code PDQ. Sœur Daigle n'avait aucune idée de la signification précise du code, sauf qu'elle savait que cela voulait dire urgent. Le docteur Guyot avait été très étonné d'entendre sœur Daigle dire les trois lettres d'urgence qui voulaient dire : *pretty dam quick* (vachement rapide). Heureusement, sœur Daigle avait un bon sens de l'humour. Il y a quelques années, sœur Daigle est revenue à la maison-mère, à Montréal, et nous nous revoyons à l'occasion en repensant à tous ces beaux souvenirs que nous avons partagés à l'hôpital.

Église Sainte-Madeleine, 10 h 23

Henri :

— Entre les deux naissances, Yvonne était retournée au travail, mais après la venue aussi rapprochée du deuxième, elle a préféré rester à la maison pour s'occuper de nos deux bébés.

J'étais toujours à la barre de l'émission matinale à l'antenne de CKSB, en plus d'animer et de réaliser un concours d'amateurs diffusé chaque semaine en provenance du Cinéma de Paris, situé boulevard Provencher, une émission qui ressemblait un peu à la version québécoise de *En chantant dans le vivoir*, animée par le Franco-Manitobain Bernard Goulet, en direct du théâtre Crémazie à Montréal, sur les ondes de CKAC.

Après trois ans comme animateur-réalisateur sur les ondes de CKSB, je sentais le besoin de bouger, de changer d'air. Mon avenir n'était sûrement pas ici, à Saint-Boniface. Je réalisais que j'avais déjà fait le tour du jardin. De plus, nous étions plutôt à l'étroit chez mes beaux-parents, surtout avec l'arrivée des enfants. Notre intimité était pour ainsi dire inexistante. J'attendais un signe du destin.

Un soir, en revenant du mariage d'un camarade de collège, Maurice Arpin, qui avait payé ses études de droit en tapant les bulletins de nouvelles, à CKSB, mes beaux-parents nous attendaient sur le pas de la porte.

— Henri, tu as reçu un télégramme… de Hull…

Le directeur des émissions à CKCH à Hull, Georges Francon, m'offrait un poste comme annonceur et le télégramme se terminait ainsi : Si intéressé, prière de communiquer immédiatement.

Formidable ! Au fond, je n'avais aucune idée de l'endroit où pouvait bien se trouver Hull. Le seul indice était les lettres PQ qui suivaient le nom de la ville.

Yvonne Mercier-Bergeron :

— Mes parents nous ont encouragés dans cette nouvelle aventure. Ma mère voyait bien que cela représentait l'avenir, pour Henri. Mes parents avaient un esprit plutôt libéral et ils étaient ouverts aux changements. Par contre, la mère d'Henri ne voyait pas les choses de la même façon. Rosalie ne voulait absolument pas que l'on parte.

Église Sainte-Madeleine, 10 h 23

Henri :

— C'était surtout maman qui était réticente à notre départ. Je sentais que papa était plutôt fier de moi, même s'il préférait se taire. En fait, dans ces moments-là, il résumait sa pensée en laissant tomber le même début de phrase : « J'aime mieux pas parler... » ou encore « Laissons faire... »

À l'aube de mes 24 ans, j'allais quitter ma terre natale comme bien des Franco-Manitobains, je pense entre autres à Gabrielle Roy. Celle qui voulait également devenir comédienne, qui avait joué comme moi au Cercle Molière, s'était envolée vers l'Europe en 1937. Cet éloignement volontaire allait transformer l'institutrice de l'école Provencher en une merveilleuse écrivaine. Si je ne l'ai jamais rencontrée au Manitoba, à part le fait d'avoir annoncé à la radio son mariage avec le docteur Marcel Carbotte en 1947, j'aurai la chance non seulement de faire sa connaissance dans la ville de Québec, au début des années soixante, mais d'entretenir avec elle des liens d'amitié jusqu'à son décès, en 1983.

Un jour, en visite chez elle, au Château Saint-Louis à Québec, après avoir parlé de nos patelins respectifs, du Cercle Molière et de notre préoccupation commune concernant l'avenir du français au Manitoba, je me vis contraint de passer du salon à la cuisine. Elle m'avoua candidement qu'elle ne savait pas cuisiner. Je n'osais pas lui répondre que j'étais, tout comme elle, un pauvre marmiton. Poêlon en main, j'avais cuisiné, pour l'auteure des romans à succès *La petite poule d'eau*, *Bonheur d'occasion*, *Ces enfants d'ailleurs* et *La détresse et l'enchantement,* pour ne nommer que ceux-là, des œufs au jambon, seules denrées disponibles dans le frigo de ma compatriote.

Mes pensées, toutefois, étaient tout autres dans le taxi qui m'emmenait à Hull, au mois de mars 1949. En traversant le pont Interprovincial, je n'avais qu'une seule pensée : c'est l'inconnu qui m'attend ; il me tarde de le rencontrer.

Mes premiers contacts avec le directeur des programmes Georges Francon avaient été positifs et j'apprenais que je commencerais le samedi suivant à l'animation d'une émission pour enfants *Le Club juvénile CKCH.*

Deux autres émissions me seraient également attribuées dans les semaines suivantes. J'avais le vent dans les voiles, sauf en ce qui concernait le logement. L'après-guerre avait eu des répercussions dans l'immobilier et, malgré la construction de plusieurs milliers de maisons partout au Canada pour les militaires licenciés, la crise du logement sévissait toujours. Ainsi, presque chaque propriétaire aménageait un coin de la maison en chambre à louer ou en petit appartement de fortune. Grâce aux appels répétés en ondes et à une assemblée des actionnaires du quotidien *Le Droit* dans le studio «C» de la station CKCH, je trouvai enfin un petit logement aménagé à l'étage avec entrée privée chez le docteur Riopelle, rue Sherbrooke à Wrightsville, en banlieue de Hull.

Yvonne Mercier-Bergeron :

— Nous sommes demeurés chez le docteur Riopelle près d'un an. Par la suite, nous avons emménagé dans un grand logement de six pièces au-dessus du magasin de meubles Paquin, rue Hôtel-de-Ville, à Hull. C'était le plus grand appartement depuis notre mariage. Heureusement d'ailleurs, puisque le troisième enfant de la famille, Alain, naîtra le 17 mars 1951.

Marie-Louise Mercier :

— J'ai eu de la peine lorsqu'ils sont partis, surtout à cause des enfants parce que je n'avais pas eu de petit frère ou de petite sœur. Mais je suis allée à Hull l'été suivant et j'ai ramené Lorraine en train au Manitoba. J'avais juste 16 ans. Quand nous sommes arrivées à la gare, en voyant ma mère, Lorraine a sauté dans ses bras en se disant peut-être : «Enfin une adulte!» Mais elle devait sans doute reconnaître sa grand-mère, car Françoise avait été à Hull pour aider Yvonne à s'installer.

Église Sainte-Madeleine, 10 h 24

Henri :

— Quelle belle musique ! Elle a tellement fait partie de ma vie professionnelle. Je me suis toujours senti à l'aise dans le milieu musical. Je ne compte plus les émissions et les concerts que j'ai animés pendant tant d'années… Je reconnais cet air joué par mon fils Alain, à la flûte traversière, *Dans le grand pré de notre enfance*, un texte que j'avais composé, il y a quelques années. Alain en avait fait la mélodie…

Ah ! Quelle étonnante surprise ! Voilà ma fille Lorraine qui s'avance au microphone à la place de Denys ! Ce que tu es belle avec tes cheveux blonds et tes yeux bleus. Je te revois encore à ta naissance, si fragile, si petite que tu tenais aisément sur mon avant-bras. Tu étais notre premier enfant et j'avais été tellement inquiet à cause de ta naissance prématurée, que je m'étais rendu à la cathédrale de Saint-Boniface pour faire brûler des lampions. T'ai-je déjà dit que tu étais jolie ?

ΔΔΔ

CHAPITRE 4

Ici, Radio-Canada

« Ici, Radio-Canada.
Quand on dit ces mots, on espère les dire aussi bien
que le fait Henri Bergeron.
Mais ce diable d'homme a fixé la barre bien haut… »

Louis Le Grand,
neveu d'Henri Bergeron

« Avec une demi-douzaine de collègues-réalisateurs,
j'ai vu naître la télévision en 1952,
et Henri Bergeron en animer l'inauguration.
Je peux dire qu'ensemble,
administrateurs, réalisateurs, techniciens,
décorateurs, peintres, menuisiers,
nous avons créé la télévision au Canada.
C'est ce que j'appelle "le milieu".
Tous nos efforts réunis, concertés
pour atteindre un même but. »

Pierre Petel, auteur et réalisateur

« Quand j'entre dans le salon des gens,
je veux y entrer avec le sourire. »

Henri Bergeron

Église Sainte-Madeleine, 10 h 24

Lorraine Bergeron, née le 9 mai 1947 à Saint-Boniface, Manitoba (voir arbre généalogique II) :

— Chère maman, chers frères, belles-sœurs, petits-enfants d'Henri, tantes, oncles, cousins, cousines, neveux, nièces, amis, collègues de papa, monsieur le curé, vous tous qui êtes ici et cher papa.

C'est à titre d'aînée de la famille que j'ai été élue à l'unanimité pour partager quelques réflexions et pensées sur mon père. C'est donc en tant que fille que je vous parle, celle qui pourtant a toujours craint de prendre la parole en public, mais qui, pour cette occasion toute spéciale, a décidé de passer par-dessus sa timidité. Papa, tu dois bien sourire là où tu es, de me voir ainsi au micro alors que tu sais bien que d'habitude je préfère laisser cela à Denys.

Quand je pense à toi papa, je vois différents hommes. Tout d'abord, l'homme de famille. Nous avons tous connu un homme bon, généreux, au cœur sensible qui a saisi chaque occasion de nous aider, de nous soutenir, de nous démontrer sa bonté par des gestes, des conseils, une convivialité, un accueil. Avec maman, il a offert à ses enfants une enfance heureuse qui a fait de nous des adultes confiants dans la vie.

Je pense aussi à l'homme d'action. Pour le bien des siens, par souci pour les autres, par conscience professionnelle, face à son devoir de mari et de père, papa a toujours su prendre les décisions qu'il fallait, agir tout de suite, sans remettre à demain ce qu'il pouvait faire immédiatement, en bon Taureau qu'il était. Maman, la douce Vierge, aura appris à vivre avec ce trait de caractère et elle a dû parfois en prendre son parti mais, au moins, avec Henri, elle savait à quoi s'en tenir. Ainsi, quand tout à coup il décidait qu'on partait en balade, on s'entassait dans la voiture et l'aventure commençait. La première grande aventure nous a menés de Saint-Boniface à Montréal, en passant par Hull…

Denys Bergeron, né le 30 juillet 1948 à Saint-Boniface, Manitoba (voir arbre généalogique II) :

— À Hull, je ne me souviens pas vraiment de l'appartement. Je me rappelle la petite wagonnette que j'avais et l'endroit où j'allais me promener. J'avais peut-être deux ans-trois ans. J'allais stationner ma wagonnette chez le marchand de meubles, en bas de chez nous. Nous habitions la rue Hôtel-de-Ville.

Lorraine Bergeron :

— Mon plus lointain souvenir remonte à Hull et il concerne papa. Les images sont vagues, mais je me souviens que l'on montait une côte avec maman, peut-être que Denys était là aussi. Une personne nous a abordés et le sujet est venu sur papa. On allait le rejoindre, sans doute pour une émission de radio. Et c'est à ce moment-là que j'ai réalisé que mon père avait une certaine importance, pas uniquement pour moi, mais pour les autres. Dans les propos que j'avais entendus, j'ai réalisé que c'était quelqu'un de spécial. Il n'était pas un père ordinaire, mais j'en ignorais encore le sens. J'avais alors trois ans.

Je n'ai pas beaucoup de souvenirs de cet appartement à Hull. Je nous vois quelque part dans une pièce au-dessus du magasin. Je revois, du haut d'une fenêtre donnant sur la rue, le livreur de blocs de glace avec son cheval. Mais de cette époque-là, je me rappelle aussi la seule fessée de ma vie. J'avais eu peur ! Un monsieur nous donnait parfois des sous, et Denys et moi allions chercher des bonbons. Un jour, à la table, papa nous avait avertis : « La prochaine fois, maman va vous mettre en pyjama et quand je vais arriver à la maison vous allez avoir une fessée. »

Denys a dû m'entraîner, parce qu'il était plus aventurier. Lorsque nous sommes revenus avec nos bonbons, effectivement, maman nous a mis en pyjama et là on attendait la fessée. L'attente a été pire que la correction. Tout l'après-midi, on attendait dans notre chambre. Et Denys, voulant faire le brave, en remettait en me disant : « Tu vas l'avoir, ta fessée, ce soir ! » Il savait que ça m'inquiétait. Lorsque papa est arrivé, il est entré dans notre chambre et il a dit : « Retourne-toi. » Comme j'étais têtue, j'ai répondu : « Non ! »

Mais il était plus fort que moi ! Alors j'ai eu la fessée. Je pleurais en me disant qu'au fond, ça ne faisait pas si mal que ça ! Il ne l'a sûrement pas fait de gaieté de cœur, mais c'était une leçon et, dans ce temps-là, la correction était chose courante. Papa disait qu'une petite fessée, ça retourne les sangs. De toute cette histoire, qui ne m'a pas traumatisée, je retiens que c'est surtout l'attente qui a été la plus difficile.

Denys Bergeron :

— Je ne me rappelle pas de la fessée de Lorraine et de la mienne non plus. J'avais peut-être tendance à entraîner Lorraine dans ces aventures. Ce monsieur, qui était chauffeur de taxi, nous donnait des sous à l'occasion et j'allais acheter des bonbons. Ma mère ne voulait pas que j'en achète, mais finalement je me demandais pourquoi elle ne disait pas au chauffeur de taxi d'arrêter de nous donner de l'argent.

Mon père faisait une émission à la radio, *L'oncle Henri*, le samedi matin. On allait avec lui dans une salle, un amphithéâtre, où il nous servait de l'*Orange Crush*. Quand il était à la radio, les gens ne devaient pas le reconnaître facilement. C'est lorsque la télévision a commencé, qu'on l'a reconnu.

ΔΔΔ

L'avenir est à la télévision

Église Sainte-Madeleine, 10 h 25

Henri :

— La première fois que je suis entré dans un studio de télévision, c'était à Syracuse, dans l'État de New York, en 1951. En compagnie du directeur de CKCH, Jean-Paul Lemire, je voyais pour la première fois de ma vie, un studio, des caméras et des décors; un technicien nous avait expliqué dans les moindres détails le fonctionnement de ce nouveau médium qui entrait dans les foyers américains depuis un peu plus de 10 ans.

Si la télévision n'est apparue au Canada qu'en 1952, il est important de souligner qu'elle existait bien avant. Il y a eu tout d'abord une télévision mécanique, perfectionnée par plusieurs visionnaires, en particulier l'Écossais John Logie Baird, qui réussit une transmission brouillée d'une durée de 11 secondes en 1925. La British Broadcasting Corporation, la BBC, offrit le premier service régulier de télévision le 2 novembre 1936. Le 12 mai de l'année suivante, la BBC réalisa un tour de force en diffusant le couronnement du roi George VI. L'émission ne sera vue que par seulement 10 000 personnes. La presse qualifia alors le premier reportage télévisuel de petit miracle, « *Small miracle* ». Suivra en juin la première retransmission d'un match de tennis de Wimbledon.

La télévision électronique sera également développée aux États-Unis, entre autres par deux immigrants russes, Wladimir Zwodrykin, qui inventa l'iconoscope, un tube électronique analyseur d'images, et David Sanloff, qui finança les recherches pour le compte de la Radio Corporation of America, RCA.

Cette compagnie est reconnaissable par son logo, devenu depuis célèbre : l'adorable petit beagle du nom de Nipper qui pointe son museau dans le cornet du gramophone, « La Voix de son maître ».

NBC, filiale de la maison mère RCA, sera le premier réseau de télévision américain à diffuser une programmation régulière dès 1939. On diffusa d'ailleurs la cérémonie d'ouverture de l'Exposition universelle de New York, où les visiteurs eurent le loisir de voir un appareil de démonstration, un Phantom TRK-12, fabriqué dans un matériau transparent pour prouver qu'il n'y a pas de trucage. Les profits générés par le réseau radiophonique furent investis dans la recherche et le développement de la télé-vision. On assistait déjà, à cette époque, au phénomène de la convergence : RCA fabriquait les appareils de radio et de télé, c'est-à-dire le contenant, et NBC, radio et télévision, s'occupait du contenu.

Du côté canadien, on s'activa également dès 1932. Un jeune ingénieur mit au point un téléviseur basé sur l'approche mécanique de l'Écossais Baird. L'appareil fut baptisé le Ouimet 691044 et son concepteur s'appelait Alphonse Ouimet, il travaillait pour la société Canadian Television LTD.

La station de radio CKAC de Montréal diffusait des émissions expérimentales pour une poignée de propriétaires de téléviseurs. En octobre 1932, la Canadian Television organisa une démonstration, au magasin Ogilvy de Montréal, qui attira bien des curieux. À cause de problèmes financiers, la société cessa ses activités et CKAC mit fin aux essais en 1933.

Alphonse Ouimet entra à l'emploi de la Commission canadienne de radiodiffusion qui deviendra la Société Radio-Canada. L'ingénieur fut alors responsable de la mise sur pied et de l'exploitation du service radiophonique national dès 1936. L'évolution rapide de la télévision américaine poussa Alphonse Ouimet à convaincre ses patrons de l'urgence de démarrer la télévision en terre canadienne.

En 1947, celui-ci se retrouva devant un projet titanesque : mettre sur pied deux services parallèles de télévision, un en français et l'autre en anglais, tout en se battant contre ceux qui croyaient toujours que l'entreprise était un projet coûteux. Entouré des meilleurs techniciens, Alphonse Ouimet conçut un système de télévision sophistiqué et original qui répondait aux exigences que représentaient la complexité et l'étendue d'un tel projet.

La réussite incontestable des débuts de la Société Radio-Canada est due à l'acharnement et la détermination de pionniers talentueux, dirigés par un visionnaire exceptionnel, Alphonse Ouimet, que l'on surnomma à juste titre le père de la télévision canadienne.

Pendant que les ajustements techniques et l'installation des studios allaient bon train à Montréal, les annonceurs et les animateurs radiophoniques qui voulaient faire le saut du côté du nouveau médium, pouvaient tenter leur chance en passant des auditions.

Omer Renaud (M. Renaud était le père de Pierre Renaud, l'un des fondateurs des librairies Renaud-Bray), qui tenait une agence de publicité à Montréal et qui voyageait dans toute la province, en s'arrêtant dans les stations de radio, m'avait déjà entendu dans un message publicitaire. Il conseilla à l'administrateur Jean-Paul Massé, de Radio-Canada à Montréal, d'entrer en contact avec moi.

Je m'étais rendu aux studios de CBO, situés au septième étage du Château Laurier, pour y passer une audition. J'étais persuadé que c'était la chance de ma vie.

Avant d'obtenir ma permanence, je dus me rendre à Montréal chaque fin de semaine, du 15 juillet jusqu'à la fin d'août, pour enregistrer, des annonces hors-champ dans la cabine de télévision de CBFT, pour la période d'essai. Durant la semaine, c'était Pierre Gauvreau, un annonceur de CKVL, qui faisait ce travail. En 1953, il deviendra réalisateur, entre autres pour l'émission *Pépino et Capucine,* et plus tard l'auteur de la trilogie télévisuelle *Le Temps d'une paix*, *Cormoran* et *Le Volcan tranquille.*

À partir du 2 juin 1952 jusqu'au 6 septembre de la même année, Radio-Canada procéda donc à plusieurs transmissions expérimentales en commençant par la mire de réglage, la fameuse tête d'Indien. Vinrent ensuite des documentaires. Pendant cette période, les marchands d'appareils installaient les nouveaux téléviseurs dans leurs vitrines de magasins pour attirer la clientèle. Les devantures de magasins deviendront des endroits très fréquentés par ceux qui n'avaient pas encore la nouvelle boîte à images. Il fallait quand même débourser une somme assez considérable pour l'époque. Un appareil RCA modèle 621TS se détaillait en moyenne 200 $.

Le 18 juillet, on diffusa pour la première fois une partie de baseball des Royaux en direct du Stade de Lorimier.

Pierre Maisonneuve, journaliste à Radio-Canada :

— Mon premier souvenir de la télévision est encore bien frais dans ma mémoire. J'étais servant de messe à l'église d'un village où un monsieur possédait déjà un téléviseur. Je me rappelle que nous allions chez lui et j'avais vu un match des Royaux durant l'été 1952. L'appareil était un meuble de bois arrondi avec un écran d'environ 15 à 17 pouces. J'avais même été puni, un jour, parce que j'étais resté devant l'écran trop longtemps et que j'avais tardé à revenir à la maison !

Église Sainte-Madeleine, 10 h 26

Henri :

— Ah ! Cher Pierre Maisonneuve ! Je me souviens très bien de ma dernière entrevue à la télévision. Vous étiez venu chez moi pour m'interviewer, c'était au mois de décembre 1999. Cela avait été un beau moment. Je ne l'oublierai jamais, car vous m'aviez fait revivre des passages de ma vie professionnelle dont je suis très fier. Vous ne m'aviez pas oublié !

Qu'est-ce que je disais donc ? Ah oui, j'en arrive à parler de l'offre salariale ! L'excitation des premiers essais à Montréal fut de courte durée. J'étais bien heureux d'apprendre que je ferais partie de la première équipe de la télévision parmi tous ceux qui avaient posé leur candidature comme annonceur, entre autres Pierre Gauvreau, mais à un salaire bien inférieur à ce que je touchais à Hull. Monsieur Massé m'offrait 300 $ par mois, six jours par semaine et un congé payé d'un mois par année. « C'est à prendre ou à laisser. Vous avez trois jours pour y penser ! »

Yvonne Mercier-Bergeron :

— L'offre de Radio-Canada représentait près de la moitié du salaire d'Henri à CKCH. Je savais que c'était une chance unique, mais je tenais à ce que nous achetions notre maison. Il faut croire que nous avons eu de bons anges sur notre route. Le directeur du service du film, à Radio-Canada, Jean-Paul Lepailleur, a conseillé à Henri de regarder du côté de Ville Saint-Laurent où les maisons, disait-il, se vendaient à des prix raisonnables. Grâce à la vente de la Torpedo Chevrolet à mon beau-père Napoléon Bergeron, à un prêt de mon père Isidore Mercier et aussi à l'Union Nationale de Maurice Duplessis, qui venait d'instaurer le prêt agricole à 3 %, nous nous sommes portés acquéreurs d'un cottage pour la somme de 12 500 $ avec un comptant de 3 250 $. Comme le disait Henri, l'avenir était à la télévision !

Église Sainte-Madeleine, 10 h 26

Henri :

— L'avenir est à la télévision ! Je répétais constamment cette phrase pour convaincre Yvonne et me rassurer tout à la fois. L'aventure était sans doute fort grisante, mais aussi très affolante. J'allais m'embarquer pour une destination inconnue sans savoir si le navire était assez résistant pour effectuer la traversée. Nous étions pour la plupart de jeunes moussaillons à la découverte d'un monde nouveau, ignorant encore si nous avions le pied marin.

En 1952, le personnel de la télévision comptait 103 employés, dont 49 au service technique. La programmation comportait 36 heures et demie d'émissions par semaine, dont la moitié en direct. La première équipe de direction était composée du président du bureau des gouverneurs de Radio-Canada, Davidson Dunton, du président de Radio-Canada, Alphonse Ouimet, et du directeur de la télévision française, Aurèle Séguin. Florent Forget assurait la direction des émissions tandis que Charles Frenette, surnommé Charlie, en était le directeur technique.

Raymond Laplante, assisté de Pierre Petel, réalisa l'émission d'ouverture, le 6 septembre 1952, date à laquelle j'apparus donc pour la première fois au petit écran. Un peu avant 18 h,

l'archevêque de Montréal, monseigneur Paul-Émile Léger, a béni
l'ancien hôtel Ford, rue Dorchester (boulevard René-Lévesque),
transformé en studios de radio et de télévision, notre *nouveau
lieu de travail.* Après une présentation bilingue d'environ deux
minutes de la mezzanine du hall d'entrée et les discours d'Aurèle
Séguin et d'Alphonse Ouimet, je fis ma première entrevue avec
le maire de Montréal, Camillien Houde, suivi du président de
l'Union des Artistes, Gérard Delage. Comme j'arrivais à peine
à Montréal, Florent Forget m'avait préparé quelques notes sur
les invités que je devais interviewer.

Françoise Parent-Forget, épouse de Florent Forget,
directeur des programmes puis réalisateur (Florent Forget est
décédé en 1985) :

— C'est le père Legault qui a suggéré à Florent d'auditionner
comme annonceur pour la radio de Radio-Canada. Étant donné
qu'il avait une belle voix bien placée, il a réussi l'audition et
il est entré au service de la Société pour Radio-Collège. En
1950, Florent est passé du côté de la télévision. Je me souviens
qu'il était au septième ciel. Il prenait plaisir à mettre sur pied
l'équipe de production. Florent a engagé entre autres Jean-Paul
Ladouceur, qui travaillait à cette époque-là à l'ONF, André
Audet, le fils de madame Audet, professeure d'art dramatique,
et Henri Bergeron.

Église Sainte-Madeleine, 10 h 26

Henri :

— Au studio 40, *Club d'un soir*, une émission de variétés
bilingue réalisée par Jean-Yves Bigras, mettait en vedette Aïda,
Guylaine Guy, Charles Aznavour, Jean Rafa et le comédien
Gaston Daurias. Au studio 41, le comédien Georges Groulx
réalisait le télé-théâtre qui suivait l'ouverture, *Œdipe Roi*, de
Sophocle, avec Jean-Louis Roux et Jean Gascon. Une caméra
connut un moment de défaillance en direct, mais l'as technicien

Roger Morin vint à la rescousse en s'improvisant réalisateur le temps de la réparation. Six minutes en direct peuvent paraître une éternité, mais rien ne se voyait en ondes, et Georges Groulx reprit les commandes après avoir sûrement eu la peur de sa vie.

Pour ma part, après avoir été témoin de l'incident au studio 41, je me mis à douter de ma première performance devant la caméra ; alimenté par un stress énorme et l'excitation des derniers jours, je fus pris d'une crise nerveuse et je m'écroulai en larmes. En reprenant mes esprits, je me souvins d'avoir vécu un moment similaire, celui de ma première nuit au dortoir du Collège de Saint-Boniface.

Mes camarades de travail, Roger Germain au téléciné, Arthur Kemp à la régie, Gaston Ballester à la sonorisation et Oscar Marcoux au kinescope me rassurèrent rapidement, car nous avions vraiment donné le maximum et tout s'était bien déroulé, du moins pour l'ouverture officielle.

Depuis ma visite à Syracuse, le métier d'annonceur à la télévision existait déjà dans ma tête. Je plaçais mentalement mes caméras lorsque j'étais à la radio de CKCH à Hull et je m'exerçais en m'adressant directement à ma caméra fictive tout en lisant les bulletins de nouvelles. J'ajouterais que le fait d'avoir fait du théâtre m'apportait également une aisance naturelle devant l'objectif.

Malgré cela, je n'avais eu qu'une idée en tête ce soir-là : fuir Montréal et retrouver Yvonne et nos trois enfants, qui étaient toujours à Hull !

Yvonne Mercier-Bergeron :

— Lorsque nous sommes arrivés à Montréal, au début d'octobre, la maison à Ville Saint-Laurent n'était pas encore terminée ! J'étais bien malheureuse. On a rangé les meubles au sous-sol. Je craignais toujours les voleurs, puisque les fenêtres n'étaient pas installées. Finalement, le cousin Émile Bergeron et sa femme Pauline, qui revenaient de leur voyage de noces, nous ont hébergés. Ils nous ont même offert leur chambre à coucher! Nous y sommes bien restés trois semaines. J'avais tellement hâte d'entrer dans ma maison. Je me rappelle, les rues et les trottoirs n'étaient pas pavés, c'était un tout nouveau quartier qui attirait des gens de l'extérieur, de Winnipeg, de Toronto, même de New York. Curieusement, à la droite de notre maison vivaient les anglophones et sur la gauche vivaient des Québécois francophones : les Brault, les Savoie, les Leduc, les Richard.

Lorraine Bergeron :

— Je ne me rappelle pas des débuts de la télévision. En 1952, j'avais cinq ans et nous n'avions pas encore de téléviseur. Maman allait chez la voisine pour voir papa à l'écran. Je n'avais aucune idée de ce qu'était la télé et, un soir, j'avais envoyé Denys la chercher.

Denys Bergeron :

— Je crois qu'Alain pleurait, alors Lorraine m'avait habillé pour que j'aille chercher ma mère qui était chez la voisine au coin de Poirier et Filion. Ce n'était pas très loin de la maison, c'était à côté. On n'avait pas encore de téléviseur, mais cette voisine en possédait un. Les rues n'étaient pas encore faites. Il y avait beaucoup de boue. Il y avait des trottoirs de bois temporaires parce que le quartier était en construction. Je pense qu'on venait d'emménager. D'ailleurs, je ne me suis jamais rendu. J'ai vu une dame, c'était ma mère qui s'en venait. Il était environ 20 h 30-21 h. J'avais alors quatre ans.

Lorraine Bergeron :

— Lorsqu'on a finalement eu un appareil, on se demandait si papa nous voyait. Il nous avait répondu : «Oui, oui, je vous vois!» Mais il ne pouvait pas dire à quel endroit on était assis dans le salon! Alors, c'est à ce moment-là que j'ai compris qu'il ne nous voyait pas vraiment!

Denys Bergeron :

— Je n'ai pas vraiment de souvenirs de mon père quand il était à la télé, au tout début. Il faut dire que les émissions étaient tard en soirée, 20 h-20 h 30, alors on était déjà couchés. Parfois, Lorraine et moi, on s'installait dans l'escalier pour regarder la télévision, mais on se faisait rappeler à l'ordre assez vite par ma mère, qui nous disait d'aller nous coucher.

Lorraine Bergeron :

— Nous n'avions pas le droit de regarder la télévision durant la semaine, à cause de Denys qui en abusait. Je ne sais pas s'il est d'accord avec cette affirmation ! Je me souviens que j'avais le droit de regarder *Fille d'Ève*, où papa annonçait pour Coke. Les fins de semaine, par contre, on regardait la télévision, entre autres le dimanche soir, l'émission d'Ed Sullivan. J'aimais bien aller en studio avec papa et je me rappelle de *Monsieur Surprise* et du *Pirate Maboule*. Mais je n'ai jamais beaucoup aimé regarder la télé.

Denys Bergeron :

— On avait un petit téléviseur, c'est-à-dire une assez grosse boîte noire, mais un tout petit écran. Il n'y avait pas grand-chose à regarder, au début. Je ne me rappelle pas qu'on ait cadenassé le téléviseur à cause de moi. Par contre, ma mère poussait beaucoup plus la lecture que le visionnement de la télé. Alors tous les dimanches après-midi, surtout quand il ne faisait pas beau, on allait à la bibliothèque de Ville Saint-Laurent, Lorraine et moi. Alain aussi, je pense.

Alain Bergeron, né à Hull le 17 mars 1951 (voir arbre généalogique II) :

— Il y avait une serrure sur le téléviseur. On dirait qu'au départ, la télé a eu une mauvaise réputation dans le sens qu'on perdait notre temps. C'était une idée de papa. Ça n'avait presque pas de bon sens. J'y travaille, mais vous ne la regardez pas.

Mais c'était aussi une idée de ma mère. Maman voulait qu'on lise. Pourtant, au début, il n'y avait presque rien à la télé, que quelques heures de diffusion. Plus tard, je me souviens que je courais de l'école à la maison pour regarder un dessin animé muet en noir et blanc, *Monsieur Pipe*, qui était toujours en conflit avec les animaux. Après c'était *Bobino* et *La Boîte à surprises*. On regardait *La Poule aux œufs d'or*, *Fille d'Ève* le jeudi soir et le *Cinéma international* le vendredi soir : De Rome, de Paris, de Londres, de New York, *Cinéma international*…

Yvonne Mercier-Bergeron :

— À cette époque-là, Henri était jeune et rempli d'énergie, et surtout très motivé par son nouveau travail. Il était vraiment dans son élément. Ça a été de belles années pour lui. Comme il travaillait en soirée, il n'arrivait jamais avant minuit. Le tramway le déposait au coin des rues Décarie et Côte-Vertu et il faisait le reste du chemin à pied.

Je suis retournée travailler comme infirmière de 8 h à 16 h à l'hôpital de Saint-Laurent, sur Côte-Vertu. Mais encore fallait-il que je m'organise, car Henri partait de son côté vers 15 h 30 et je n'arrivais jamais avant 16 h 30-17 h. Donc, il y avait un flottement et je devais trouver une gardienne. La voisine d'en face s'est gentiment occupée des enfants le temps que je revienne du travail, mais ça n'a pas duré bien longtemps! Deux mois! Henri finissait tard et il avait besoin de son sommeil, mais les trois enfants de cinq, quatre et deux ans se levaient tôt et il n'était pas question de garderie, à l'époque! Un jour, le frère d'Henri, Marcien, en visite chez nous avec sa femme Louise, se rend compte que nous n'avons pas de voiture.

« Ça n'a pas de bon sens! » dit-il. Et voilà que mon Marcien achète une petite voiture d'occasion pour 400 $.

— Je vais te remettre ça, Marcien! avait répondu Henri, emballé.

Eh bien, la petite voiture nous a permis de découvrir le Québec, entre autres la Gaspésie. Nous étions partis avec presque rien, et les trois enfants. Nous nous sommes arrêtés à Québec pour saluer Louis Masson, muté à la Citadelle en sa qualité de soldat. Je tenais à visiter les Plaines d'Abraham, en particulier, qui me rappelaient mes cours d'histoire du Canada. Louis Masson nous a gentiment hébergés. Ses parents étaient aussi de passage. Le lendemain, nous reprenions la route vers le bas du fleuve, non sans difficultés. Nous avons réussi à faire le tour de la Gaspésie malgré les nombreuses crevaisons. Je ne me rappelle plus combien de fois il a fallu réparer les pneus ! Finalement, au retour, nous voulions resaluer Louis Masson, mais les voisins nous ont expliqué qu'il était parti pique-niquer à l'île d'Orléans avec ses parents. Nous voilà en route vers l'île en question. Pas moyen de les retrouver bien sûr ! Alors nous sommes rentrés sur Montréal. Lorsque les voisins nous ont aperçus, ils ont cru qu'un membre de la famille était malade à cause de notre voyage écourté. La raison était bien simple : il ne nous restait que 25 sous en poche !

Lorraine Bergeron :

— Un peu plus tard, à Ville Saint-Laurent, alors que j'étais en première année, j'avais été heureuse de constater que les grandes de septième année s'intéressaient à moi, enfin, à mon père. Elles m'avaient demandé des autographes de mon père. Sur le coup, je ne comprenais pas ce que c'était, mais j'ai réalisé encore là que mon père était quelqu'un de différent.

Éric Bergeron, né à Outremont le 16 avril 1961 (voir arbre généalogique II) :

— J'ai réalisé assez tard que papa était une vedette du petit écran. J'étais à la bibliothèque, au Collège Notre-Dame. Un frère m'a dit :

— Bonjour monsieur Bergeron.

— Comment le savez-vous ?

— Le fils d'Henri Bergeron ne passe pas inaperçu.

Y a un gars, à Notre-Dame qui s'appelait Luc Bergeron ; il était en secondaire I. Assis à notre table, à la cafétéria, un de mes amis lui demande s'il est le fils d'Henri Bergeron et le gars répond oui. Moi, je m'étouffe un peu et je ris en lui disant que c'était plutôt moi le fils d'Henri.

Quand quelqu'un réalisait que j'étais le fils d'Henri Bergeron, je devenais alors différent de la masse, j'avais droit à plus de confiance. J'avais un père connu et ça me donnait un avantage. Ça ne m'a jamais dérangé. Toutefois, je tire beaucoup de satisfaction lorsque les gens m'apprécient pour ce que je suis et non parce que je suis le fils d'Henri Bergeron.

Parce que j'étais le fils de quelqu'un de connu, je bénéficiais de passe-droit. Ça ne me gênait pas, au contraire, je trouvais ça plutôt agréable.

Sylvain Bergeron, né à Ville Saint-Laurent le 25 août 1955 (voir arbre généalogique II) :

— Un jour, je suis allé chercher mon permis de conduire avec papa. Il y avait pas mal de monde. On a pris un numéro pour attendre comme tout le monde, sauf qu'un préposé a reconnu papa.

— Monsieur Bergeron, venez ici !

Papa s'est levé, je l'ai suivi jusqu'au guichet du préposé. Le monsieur s'est occupé des papiers et on est sortis. Une fois dans la voiture, j'ai dit à mon père : « C'est la dernière fois que tu viens avec moi. » J'étais gêné d'avoir bénéficié d'un passe-droit. Papa, non. Les gens nous avaient regardés avec des poignards dans les yeux. Ils nous auraient tués. Je n'aimais pas ces situations-là.

Alain Bergeron :

— Aussitôt que je disais mon nom, on me demandait si j'étais le fils d'Henri Bergeron. Je me disais, est-ce qu'on est les seuls Bergeron au monde ?

Denys Bergeron :

— J'ai bénéficié de passe-droit parce que j'étais le fils d'Henri Bergeron. Quand j'ai eu mon premier travail d'été, en 1967, chez Onyx Films, et à CKAC durant l'été 1969, c'était grâce à Henri et ça ne m'a jamais gêné. En fait, personne dans la famille ne savait que j'avais passé une audition à CKAC, mais je m'étais arrangé pour que Gaston Blais, qui était président de l'Union des Artistes et qui travaillait à CKAC, sache que j'étais le fils d'Henri Bergeron. Et il m'avait engagé. Mes parents étaient à ce moment-là en Caroline du Sud. J'aurais sans doute eu le travail, parce que j'avais passé une bonne audition, mais le fait d'être le fils d'Henri m'a sûrement aidé, ça a accéléré le processus.

Église Sainte-Madeleine, 10 h 27

Lorraine Bergeron termine son allocution :

— Papa, c'était aussi l'homme du devoir. Lorsqu'au hasard de la vie, j'ai reçu des témoignages de gens qui ont eu à travailler avec lui, on faisait toujours référence à son grand professionnalisme, à son souci du travail bien fait, à sa droiture, à sa loyauté, à sa grande gentillesse et à la confiance qu'il suscitait. Travailleur acharné, bon pourvoyeur et protecteur de sa famille, il n'a jamais négligé son devoir que ce soit dans son travail ou envers sa famille, proche et élargie. Papa a toujours rempli ses tâches du mieux qu'il le pouvait et souvent bien au-delà, toujours appuyé et secondé par maman, il ne faut pas l'oublier.

Henri :

— Non ! Je ne l'oublie pas, Lorraine. C'est grâce à Yvonne si j'ai bien réussi ma vie professionnelle et familiale. Elle a, comme bien des femmes de sa génération, abandonné sa profession pour élever la famille. Je n'ai jamais eu à me préoccuper des enfants, j'ai rarement fait les courses, je ne touchais jamais à un poêlon. Yvonne a vu à tous les moindres détails de la vie quotidienne en m'épaulant durant nos premières années à Montréal.

J'ai alors pu me concentrer entièrement sur mes nouvelles fonctions d'annonceur à Radio-Canada. Je ne sais pas ce que je donnerais pour revivre ces moments uniques et exaltants…

∆∆∆

CHAPITRE 5

Une émission couleur...
Les Beaux Dimanches

« L'image qui apparaissait en premier,
c'était la tête de l'Indien, et ensuite c'était Henri. »

Janine Paquet,
animatrice

« Dans le passé, Radio-Canada qui, par sa nature,
a été un modèle, recrutait des personnes qui considéraient
leur engagement dans le service public comme une vocation,
comme un moyen de changer la société. »

Denise Bombardier,
journaliste, auteure et animatrice

Église Sainte-Madeleine, 10 h 27

Henri :

— Les premiers pas de notre télévision canadienne ont
été littéralement ceux d'un géant. Elle s'est développée à un
rythme infernal tout en respectant ses paramètres premiers :
une télévision familiale et culturelle qui ouvre une fenêtre sur
le monde. Je réalisais l'impact énorme du nouveau médium

dans les foyers canadiens, aussi je me faisais un point d'honneur de toujours parler correctement et de ne jamais faire de concessions à la facilité. Je recevais un courrier abondant où les nouveaux téléspectateurs croyaient véritablement que nous les voyions à notre tour dans leur salon. Je leur répondais en disant que nous n'étions pas *regardants*! Par contre, nous avions parfois des commentaires négatifs, à propos des ballerines en tutu, par exemple. C'était tout un bouleversement sociologique dans les habitudes de vie et les mentalités de l'époque.

Rapidement, des émissions pour enfants ont vu le jour, les émissions sportives furent mises à l'antenne, comme *La Soirée du hockey*. La musique fut présente dès le début avec *L'Heure du concert*, tout comme les télé-théâtres, les téléromans, *La Famille Plouffe, Le Survenant,* et les jeux télévisés comme *La Poule aux œufs d'or*, qui eurent la faveur du public. J'eus à lire les bulletins de nouvelles, à animer plusieurs émissions et à faire des messages publicitaires en direct mais, heureusement, grâce à l'embauche de nouveaux annonceurs, ma tâche s'allégea un peu par la suite.

Jacques Fauteux, annonceur et animateur à Radio-Canada, 1956-1986 :

— Henri a été un guide, un exemple de vrai gentleman. J'en garde un souvenir extraordinaire. Quand Henri était là, tout allait bien. À cette époque-là, il n'y avait que très peu d'annonceurs bilingues. En fait, il y avait Jean-Paul Nolet, Henri Bergeron et moi-même. Si bien qu'un jour, j'ai remplacé Henri dans l'émission *Sérénéade pour cordes*, qui se faisait dans les deux langues sur les deux réseaux de Radio-Canada. Au début, je regardais les autres travailler. J'acceptais les conseils des autres, car mon français était plus faible. J'avais fait des études en sciences politiques à Georgetown, à Washington, et à mon retour, je m'étais inscrit en droit à l'Université McGill.

René Caron, annonceur surnuméraire à Radio-Canada en 1954 et comédien :

— Henri a été un modèle pour beaucoup de monde. On n'avait qu'à l'écouter pour apprendre. Il avait une belle personnalité, une voix et une diction impeccables, de plus, il était bilingue. C'était le gars le plus complet de cette époque. Il était généreux et sensible sur le plan humain. Je suis toujours heureux lorsque j'entends de nouveau sa belle voix.

Lionel Duval, annonceur à CKCH-Hull, journaliste sportif à Radio-Canada, 1956-1993 :

— Lorsque Henri est arrivé à CKCH, ça a été toute une amélioration. Il est devenu annonceur en chef et il nous aidait gentiment. J'étais un *kid* parmi les annonceurs aguerris comme Henri, Pierre Dufresne, Claude Brousseau et Yvon Dufour. Il m'impressionnait par sa diction. Il a rehaussé le standard de la station. J'ai travaillé avec lui dans l'émission *Le Forum sportif*. Il était toujours délicat. Je me rappelle qu'il m'avait envoyé un mot de félicitations lorsque je suis entré à Radio-Canada. Il a marqué ma carrière tout comme René Lecavalier. Henri Bergeron fait partie des géants de l'industrie.

Gabi Drouin, journaliste et animateur à Radio-Canada, 1964-1992 :

— Henri Bergeron était au départ, un homme distingué, toujours bien habillé, cravaté ou nœud papillon et costume, un homme de classe, qui mettait la priorité sur le bon parler français. Henri était marginal, solitaire, un *lone ranger*. Il ne se tenait pas avec certains groupes... Il avait la gentillesse de te saluer immédiatement et de te serrer la main spontanément. Certains annonceurs ont snobé Henri Bergeron à cause de sa culture générale.

Henri a toujours gardé le même langage au travail et dans le privé. Nous sentions que nous étions sous haute surveillance entourés de tous ces gens-là, Miville Couture, Henri Bergeron,

Raymond Laplante et Jean-Marie Laurence. Quand tu entrais à Radio-Canada, il fallait avoir une bonne culture générale. La tenue était aussi importante que le niveau de langage. On ne portait pas de cuir à l'écran et on devait dire Sherbrooke à la française et non à l'anglaise. Henri cultivait cela et s'est évertué à défendre la langue bien parlée. Henri était impressionnant. Il a été une lumière pour tous.

Marcel Laplante, réalisateur à Radio-Canada, 1956-1986, et ami d'Henri Bergeron :

— Henri était près des gens, toujours affable. Il ne se prenait pas pour un autre. Sans être solitaire, il se mêlait rarement aux cliques de la maison. Il était très discret et ne parlait jamais derrière le dos de quelqu'un. Il était professionnel. Il exerçait une ascendance naturelle dans son milieu de travail, sans s'imposer. Tout le monde le respectait. Il a été un modèle du bon parler français. Il s'exprimait dans un français impeccable sans déplacement d'accent.

Lorsque je réalisais les émissions *Concert,* Henri assurait les liens entre les œuvres musicales. On enregistrait l'émission, mais sans pouvoir faire de montage, si bien que le minutage était flottant. Henri me donnait parfaitement le minutage demandé pour les enchaînements soit en improvisant soit en coupant dans le texte qu'il avait lui-même écrit. Le plus extraordinaire est qu'Henri était tellement bien préparé qu'il ne bafouillait jamais. Il aimait rencontrer le chef d'orchestre, les musiciens et les solistes avant l'enregistrement, pour créer des liens de confiance. Henri aimait beaucoup la musique.

Gaëtan Montreuil, annonceur à Radio-Canada, 1955-1987 :

— Henri m'a ouvert les portes de Radio-Canada par une rencontre fortuite. Je marchais rue Dorchester lorsque j'ai croisé Henri en compagnie de Pierre Stein, tous deux annonceurs à Radio-Canada. À cette époque, je travaillais à CJMS. Grâce à Henri, je suis entré comme relève pendant l'été ; j'ouvrais le poste à 6 h jusqu'à 12 h, et je le fermais en soirée. C'était en 1954. À l'automne, j'ai refusé de signer un contrat d'annonceur maison afin de poursuivre mes études en économie à l'Université de Montréal. J'avais 22 ans. Mais le 3 janvier 1955, je me mariais et après le diplôme, je suis entré définitivement à Radio-Canada au printemps 1955. Je remplaçais parfois Henri dans des émissions comme *Bon souvenir* ou *Point d'interrogation,* qu'il animait avec Nicole Germain.

Pierre Nadeau, annonceur et journaliste à Radio-Canada, animateur et producteur télé :

— Henri a joué un rôle important pour les gens de ma génération. Il a été le premier à décoder la technique pour les rôles de présentateur et d'annonceur. Il était un modèle auquel on s'identifiait. Lorsque je suis revenu de Paris, je suis entré de nouveau à l'emploi de Radio-Canada quelques jours avant la grève des réalisateurs. Cela a été l'occasion pour les annonceurs de nous rapprocher et de faire plus ample connaissance. On se croisait plusieurs fois par jour dans le *lounge* (salon) des annonceurs. Henri était toujours très chaleureux.

Jacques Fauteux :

— Nous avions un point de rencontre pour les annonceurs, que nous avions baptisé le *lounge*. On s'y reposait entre deux cabines. On desservait le AM, le FM et la télé de Radio-Canada. Il n'y avait aucune rivalité entre nous. Chacun avait son style. On faisait tout. Il y avait toujours une certaine tension avant d'entrer en ondes, mais on n'avait pas le temps d'avoir le trac. Celui qui préparait nos horaires était Jean-Pierre Ferland. On le surnommait le «feseux de schedules».

Jean Mathieu, annonceur à Radio-Canada, 1955-1989 :

— Je n'ai jamais travaillé avec Henri. On se croisait dans la salle des annonceurs. Un gars sympatique et très honnête, et surtout très indulgent envers ses compagnons de travail. Jamais, il ne nous faisait le moindre reproche quant à notre façon de nous exprimer. On avait qu'à bien se tenir et à faire attention à notre langage. Il nous a donné le goût de bien parler. Il était toujours souriant, avec une belle façon, c'était pour nous aussi un bon père de famille.

François Bertrand, annonceur à Radio-Canada :

— Au début de la télévision, la radio faisait bande à part. La Société Radio-Canada faisait une distinction entre les annonceurs de la télé et ceux de la radio. Nous formions un groupe du côté radio avec les Jean-Maurice Bailly, René Lecavalier et Miville Couture, et nous n'avions aucun contact avec ceux qui travaillaient à la télé. Il aurait été impensable qu'un annonceur radio se retrouve à la télé. Sauf dans un cas très précis : René Lecavalier a fait le saut à l'écran grâce à Imperial Oil, qui commanditait *La Soirée du hockey*. Concernant Henri, il faisait son travail à la perfection. Je le trouvais très gentil, intelligent et je l'admirais beaucoup.

Janine Paquet, animatrice à Radio-Canada, 1956-1996 :

— Lorsque je suis entrée à Radio-Canada, en 1956, au moment où l'on fusionnait les services des annonceurs de la télé et de la radio, les gars étaient 32. On recrutait alors des femmes, et j'ai passé mon audition pour la télé devant Henri Bergeron. Il m'a demandé de l'interviewer et je l'ai interrogé sur le Manitoba. Henri a été tellement chouette quand est venu le moment de faire une annonce publicitaire. Il tenait la pancarte pendant que j'essayais de lire le texte, mais comme je suis myope, je ne voyais rien ! Je m'en suis quand même sortie et Henri m'a dit : « Puisque vous êtes capable de vous en sortir quand ça va mal, c'est une chance pour vous. » Par la suite, j'ai passé l'audition pour la radio. C'est ainsi que Yolande Champoux et moi sommes devenues les collègues de ces 32 gars. Quand on lisait les bulletins de nouvelles, les gens appelaient pour demander s'il manquait d'hommes, à Radio-Canada, pour lire les informations.

Henri était tellement omniprésent à l'écran qu'un jour, une dame lui a écrit pour s'excuser de ne pas avoir fait son ménage dans son salon et de ne pas avoir eu le temps de se changer.

— Est-ce que vous nous voyez vraiment ? lui a-t-elle demandé en terminant sa lettre. Henri a répondu :

— Nous faisons de la télévision pour vous et nous pensons à vous.

À cette époque-là, tous les salons étaient transformés en véritables sanctuaires avec le gros appareil et ses oreilles de lapin autour duquel la famille et les voisins qui n'avaient pas encore d'appareil se regroupaient. Ils mangeaient tous des *TV-Dinner*.

J'ai beaucoup travaillé avec Henri. Que ce soit dans des émissions sur la linguistique ou pour des ouvertures de stations de base comme Windsor, en Ontario, les visites royales et j'en passe.

Je me rappelle le moment où il s'est étouffé avec une gorgée de coca-cola. Il en était bien malheureux. Alors pour les publicités suivantes, on a demandé à un mannequin de boire à la place d'Henri. Elle était tellement stressée, la pauvre, en pensant qu'elle pourrait également s'étouffer à son tour, qu'elle a renversé son verre sur elle et a poussé un cri comme un bébé !

Marcel Laplante :

— Je travaillais comme assistant à la production dans l'émission *Le Survenant*, au studio 43, en direct, tout comme l'étaient les messages publicitaires. Henri faisait la publicité de Coke et il s'était étouffé en prenant une gorgée. Mais, comme on dit, *the show must go on !* Henri devait quand même faire une minute en direct. Je lui ai fait signe d'enchaîner. Il était misérable, après l'émission, et il croyait qu'il allait perdre le contrat de Coke...

Yvonne Mercier-Bergeron :

— Le plus ironique, dans cette histoire, est que lorsque Henri s'est étouffé avec une gorgée de Coke, je gagnais une caisse d'une autre boisson à la mode, du *Seven Up* dans une soirée de cartes.

Janine Paquet :

— Henri faisait pratiquement tout, dans la boîte, y compris les messages publicitaires. Or, un jour, Henri n'étant pas encore arrivé, je l'ai remplacé en disant la phrase suivante : «Cette émission vous est présentée par Molson.» J'ai reçu 100 $. Mon Dieu! C'était une bonne affaire!

Henri était notre meilleur allié. Il aimait les femmes et nous encourageait dans notre métier. Il n'avait absolument rien contre nous. Alors que d'autres se sentaient menacés en croyant qu'on allait leur enlever leurs contrats publicitaires. Je leur disais : «On n'est pas là pour prendre VOTRE place, mais bien pour prendre NOTRE place!» Finalement, les hommes finissent toujours par s'habituer!

L'image qui apparaissait en premier, c'était la mire de réglage, «la tête de l'Indien» et ensuite, c'était Henri. On avait l'impression qu'il les présentait toutes! Avec le temps, il est devenu Monsieur Radio-Canada à la télé, tout comme Roger Baulu était le prince des annonceurs du côté de la radio. Alors Henri était de presque toutes les émissions, les grands reportages, les voyages dans l'espace, les visites royales...

Pierre Nadeau :

— Lors de la visite royale à Winnipeg, toute l'équipe était logée dans une espèce de dortoir, comme au collège. Il y avait Jacques Fauteux, Guy Fournier, Judith Jasmin, Henri et moi. Je me rappelle qu'Henri se levait aux aurores, vers 5 h et partait, je ne sais trop où, pour venir rejoindre le groupe vers 9 h, à l'heure où nous commencions notre journée de travail. Je n'ai jamais posé la question à Henri pour savoir quelle était sa destination. Cela reste pour moi la plus grande des énigmes!

Au cours de cette même visite, la reine s'est arrêtée au Stampede de Calgary. Henri et moi avons commis deux impairs le même jour. En voulant décrire les chevaux qui s'exerçaient d'un bout à l'autre du stade, Henri a dit : «On voit que les chevaux ont l'habitude de faire des huit.»

Après la cavalcade, c'était aux cow-boys de tenter de rester le plus longtemps possible sur les bœufs sauvages. En voyant un des cow-boys s'asseoir près de l'estrade où se tenait la reine, j'ai dis : «Et voilà qu'un cow-boy s'assoit sur l'arène!», au lieu de dire l'estrade!

À propos d'arène, c'est Paul Dupuis qui dépasse, et de loin, nos petits impairs. Lors de la visite du roi George VI et de la reine au stade de Lorimier à Montréal, Paul Dupuis s'est exclamé : «Et voici que le roi pénètre l'arène (la reine)...!»

Église Sainte-Madeleine, 10 h 28

Henri :

— Dans l'exercice de nos fonctions, il nous arrivait bien sûr de commettre quelques impairs qui étaient parfois un peu grossiers, mais souvent très drôles!

Sur le plateau de *La Poule aux œufs d'or,* par exemple, je me rappelle deux anecdotes précises. Cette émission a été un endroit propice pour entendre certaines réponses amusantes de la part des participants.

Roger Baulu : «Bravo madame, vous avez bien répondu, cette somme est à vous. C'est acquis».

La participante : «C'est à moi!»

Roger Baulu : «Quel était le prénom de la femme de Roosevelt : Eleonore (elle est au nord), elle est au sud, elle est à l'est ou elle est à l'ouest?

Le participant : «Elle est à l'est?»

Mais pour répondre à ta question, cher Pierre, concernant mes escapades matinales, j'allais sans doute chez un membre de ma famille, étant donné que nous étions à Winnipeg. Sinon, il m'est arrivé à quelques reprises d'aller me recueillir à la cathédrale de Saint-Boniface avant d'entreprendre une longue journée de tournage.

Notre camarade réalisateur Pierre Petel a écrit un passage très poétique concernant la télévision, dans l'*Arbre de l'oisiveté*, un petit livre qui faisait partie de mes lectures de chevet :

> Un plateau de télévision, ce n'est pas simplement un grand hall abritant des caméras, des chariots, des éclairages, c'est un état d'âme. Le lieu qui lui ressemble le plus, c'est une cathédrale, c'est-à-dire un autre état d'âme. Dans cette dernière, des êtres s'y meuvent suivant des rites millénaires. Sur un plateau de télévision, ils se déplacent selon un rite nouveau, assujettis à des lois aussi précises, obéissant eux aussi à des voix intérieures qui leur parviennent cette fois au moyen de casques d'écoute. Les surplombant, dans la lumière tamisée d'une salle de régie, des ombres glissent, soyeuses, vénérant des visions fugitives sur des écrans. Des grands prêtres, des religieuses y sacrifient des images à quelque déité insolite...

Jacques Fauteux :

— J'ai travaillé avec Henri à *La Poule aux œufs d'or*. J'étais l'annonceur publicitaire : *La Poule aux œufs d'or* vous est présentée par...

Suzanne Lapointe, animatrice et cordon bleu :

— J'ai connu Henri sur le plateau de *La Poule aux œufs d'or*. C'était un véritable gentleman, cultivé, mais sans en faire étalage. J'admirais bien sûr sa grande distinction et son niveau de langage. Il était toujours de bonne humeur et prêt à rendre service. Il était disponible pour les autres, il avait toujours le bon mot pour nous rassurer. Roger Baulu et moi, on le taquinait souvent sur la langue française en disant des énormités du genre *Merci d'avoir venu*. La première fois, il avait sursauté, mais il a très vite compris notre manège. Il avait le sens de l'humour. À ce propos, un membre de l'équipe, je ne me rappelle plus qui, avait composé une petite chanson qui allait comme ceci :

Le lundi soir à la télé
Les femmes sont envoûtées
Par un annonceur de renom
Qui s'appelle Bergeron
Il fait soupirer bien des cœurs
À la demie de huit heures
Elvis Presley peut se cacher
Henri l'a dépassé

La bonne humeur régnait sur le plateau. Pendant les répétitions, nous, les hôtesses, prenions la place des concurrents et aussi de l'invité de marque qui cachait le gros lot. On m'appelait alors Miss Nichon ou Miss Machin, on riait beaucoup ! J'avais 24 ans, à l'époque.

L'émission se faisait en direct de l'auditorium de Ville Saint-Laurent. En 1959, il y avait très peu de restaurants dans le quartier, il fallait alors aller sur Décarie. Un jour, j'ai décidé d'apporter le pique-nique tous les lundis soir. Je cuisinais des galantines de porc, de veau ou de poulet, et Roger Baulu venait me chercher chez mes parents, car il n'habitait pas tellement loin de chez nous. Nous étions très raisonnables en ce qui concerne l'alcool : six bières et deux bouteilles de vin pour la douzaine de personnes de l'équipe. Je gagnais 34 $ de l'émission et je ne pensais pas au budget. J'étais heureuse d'apporter le repas.

Avec la bénédiction et les encouragements de tous, j'ai quitté l'émission pendant un an et demi, car j'avais eu une bourse du Conseil des Arts du Canada pour étudier à New York. J'ai été remplacée à ce moment-là par Liette Bourassa. Je suis revenue à *La Poule aux œufs d'or* ensuite et nous avons fait des tournées dans certaines villes du Québec. Nous sommes même allés jusqu'à Winnipeg. Cette émission a marqué mes débuts dans le métier. Ça a été la chance de ma vie !

Liette Bourassa, animatrice et traductrice :

— Je suis une vieille poule ! J'ai été hôtesse de l'émission *La Poule aux œufs d'or* en compagnie de Suzanne Lapointe. C'était en 1959, j'avais 18 ans. J'ai donc connu Henri et Roger Baulu à cette époque. Henri était un grand conseiller pour le métier, mais aussi pour nos peines d'amour. Il nous rassurait avec son sens de l'humour, il était généreux, un homme très simple, très juste, et bien sûr un amoureux de la langue française.

À l'époque du RIN, j'ai essayé de convaincre le fédéraliste en lui, mais peine perdue ! Imaginez un peu la tête de ma mère, Nicole Germain, et celle d'Henri lorsqu'ils ont eu à commenter la déclaration surprise du général de Gaulle au balcon de la mairie de Montréal ! Après un silence d'étonnement, ils ont improvisé tout en ne se compromettant pas. Ma mère et Henri étaient de grands amis. Henri a d'ailleurs assisté à mon mariage. Je l'ai côtoyé longtemps, puisque nous avons siégé au conseil d'administration du Conservatoire Lassalle. J'y suis encore aujourd'hui.

Danièle Bourassa, rédactrice en chef au Réseau de l'information (RDI) :

— Dans le cadre de mon travail à RDI, un jour, j'ai visionné l'émission concernant la visite du général de Gaulle où ma mère, Nicole Germain, et Henri agissaient à titre d'animateurs. Ils étaient confinés au rôle très ingrat des descriptions mondaines et protocolaires. Aussi, lorsque le général a lâché son *Vive le Québec libre*, le couple est resté sans voix, le moment était hallucinant, car ils ne pouvaient faire aucun commentaire, ça n'avait pas de bon sens. Ma mère a enchaîné en parlant du repas qui allait suivre et des cérémonies prévues pour le général de Gaulle. Pour moi, c'est un souvenir frappant, puisque je leur en ai parlé après une réunion du conseil d'administration du Conservatoire Lassalle. Ils avaient vécu un stress intense comme annonceurs muselés ainsi par leurs fonctions. Ils ne pouvaient en aucun temps relever les propos entendus et encore moins faire de commentaires à saveur éditoriale.

C'était non seulement la consigne de Radio-Canada, mais aussi le savoir-vivre de l'époque. Il ne fallait pas relever une bourde, un moment embarrassant. Quel contraste avec le monde journalistique dans lequel j'évolue aujourd'hui !

Janine Paquet :

— Nicole Germain et Henri Bergeron commentaient hors champ pour la télé. À ce moment-là, je couvrais l'événement du côté radio. Nous avions décris le départ de Québec du général et de sa suite, en route vers Montréal par le Chemin du Roy. Fallait voir le cortège ! Il y avait un Arc de Triomphe en sapin, entouré d'une croix d'un côté et de l'autre, Marie et saint Joseph, adorateurs en plâtre, et puis les voitures dans lesquelles prenaient place les dignitaires.

J'ai pris le train pour Montréal afin d'être sur place pour l'arrivée à l'hôtel de ville.

L'équipe radio était installée devant le balcon au Château Ramezay. Mon camarade Gérald Lachance se tenait sur la terrasse, derrière la mairie, où se tenaient les invités d'honneur et où le général devait faire un discours. Alors on m'a dit : « Janine, c'est très facile, le général va arriver, il va saluer du balcon et va disparaître pour rejoindre la terrasse. » C'est ce que je croyais et c'est ce que tout le monde pensait... sauf quelques-uns, car il y avait un microphone installé au balcon ! Les gens criaient on veut de Gaulle, et le général, après avoir salué la foule en levant ses bras démesurés, a commencé à parler :

« C'est une immense émotion qui remplit mon cœur en voyant devant moi la ville de Montréal française ! Au nom du vieux pays, au nom de la France, je vous salue. Je vous salue de tout mon cœur. Je vais vous confier un secret que vous ne répéterez pas. Ce soir, ici, et tout au long de ma route, je me trouvais dans une atmosphère du même genre que celle de la Libération... »

Le général ne devait pas parler au balcon. Le chef du protocole, André Patry, et le maire Jean Drapeau étaient très étonnés. Dans la foule, il y avait des pancartes où on pouvait lire : Vive le Québec! Alors le général de Gaulle, inspiré, a terminé en disant : «La France entière sait, voit, entend ce qui se passe ici et je puis vous dire qu'elle en vaudra mieux. Vive Montréal! Vive le Québec!»

Après ces paroles, il y a eu un grand silence et il a poursuivi en disant : «Vive le Québec libre! Vive le Québec français et vive la France!»

Je dois vous dire que le cœur m'a manqué! Et c'est peut-être ce qu'ont ressenti Nicole et Henri. Je me disais : «C'est moi qui dois parler, Gérald est de l'autre côté!» Je ne savais pas quoi dire et j'ai été sauvée par un… Anglais! Un confrère anglophone m'a demandé en me faisant des signes, ce que le général voulait dire et j'ai enchaîné en disant en ondes : «Qu'est-ce qu'il veut dire? Voilà une question qu'on va se poser pendant très, très longtemps…», et pendant que je continuais la description, on a tiré le général loin du balcon, en bousculant sa femme, la tante Yvonne, comme on la surnommait, et madame Drapeau. C'était un peu la panique alors que la foule scandait : Vive le Québec!

Après cette déclaration aussi inattendue qu'explosive, le général n'était plus le bienvenu à Ottawa. Il faut dire que le général n'a jamais aimé les Anglais! Le télégramme de Mitchener était direct : «*Because of the circumstances you're no longer welcome in Ottawa.*» (Compte tenu des circonstances vous n'êtes plus le bienvenu à Ottawa.)

ΔΔΔ

Québec 68

Gabi Drouin :

— La veille du défilé de la Saint-Jean, en 1968, le directeur des services français de Radio-Canada nous convoque à son bureau, Henri et moi. Je me rappelle très bien ce qu'il nous a dit : «S'il se passe quelque chose, ne vous en faites pas, on s'en occupe», en voulant dire que le service des nouvelles embarquerait. À cause de notre servilité, sans doute, on ne pouvait décrire le chahut qui se déroulait, par décret de la direction. Lorsque la casse a commencé, j'ai dit en ondes : «Il se passe ici des événements, il faudrait que quelqu'un fasse quelque chose...»

Ils nous ont carrément laissés en carafe! Il faut dire qu'à cette époque, le défilé était politisé. C'est la plus grande humiliation de notre vie!

Janine Paquet :

— Je me rappelle très bien. Henri et Gabi Drouin étaient à la télé, tandis que j'étais à la radio en compagnie de Gérald Lachance. Nous avions bien sûr des réalisateurs différents et celui de la télé était, disons, plus rigide, il avait dit aux animateurs : «Vous décrivez le défilé. S'il y a des événements, vous ne dites rien.»

Chez nous, à la radio, la directive était plus souple, car nous avions une minute de délai. C'était la veille de l'élection de Trudeau. Les manifestants ont lancé des bouteilles remplies de toutes sortes de choses; des automobiles étaient renversées; les protestataires jetaient du pétrole et tout flambait, il y avait divers projectiles. Le journaliste Claude-Jean Devirieux, qui couvrait les élections le lendemain, a commencé à décrire la manifestation : «Un policier m'a bousculé, on essaie de vous tromper...», etc. C'est comme ça qu'on l'a mis au rancart pendant des mois. Ça a été un moment difficile pour tout le monde.

Claude-Jean Devirieux, journaliste à Radio-Canada, 1956-1986 :

— Je revenais de l'Ouest canadien où j'avais couvert la campagne électorale de 1968. Je souligne au passage que j'y étais sans réalisateur et encore moins de caméraman. J'envoyais mes topos par fret sur Air Canada, et comme il y avait un décalage, au service des nouvelles, on m'en faisait le reproche en me disant que mes topos n'étaient pas frais! C'était carrément de l'artisanat!

Bon, je suis donc de retour deux jours avant le 24 juin. Dans le courrier, j'ai une invitation pour assister au défilé avec ma famille. La veille, le service des nouvelles me demande si je peux faire un reportage du défilé pour le téléjournal de 23 h. Je réponds que j'y serai de toute façon avec ma famille, à la tribune érigée devant l'hôpital Notre-Dame. Donc, je ne suis pas au courant de ce qui se dit en ondes, tant du côté de la télé que de celui de la radio.

Aussitôt que j'ai senti qu'il y aurait de la casse, j'ai laissé ma femme et mes enfants, et je me suis dirigé vers l'estrade d'honneur où se tenaient Pierre Elliott Trudeau, le maire Jean Drapeau et les autres dignitaires. Je suis monté à l'une des tours de bois édifiées par Radio-Canada pour les caméras, tours qui étaient placées devant la tribune d'honneur, de l'autre côté de la rue, donc devant la bibliothèque, rue Sherbrooke. Je m'y retrouvais entouré des gens de la GRC qui surveillaient le futur premier ministre. Posté à cet endroit, j'ai tout vu. Les policiers traînaient les filles en jupe courte dans les tessons de bouteilles. D'autres fonçaient sur la foule avec des chevaux superbes qui n'avaient aucun entraînement pour le contrôle des foules. Les chevaux rentraient dans la foule comme dans l'eau! C'était une scène ubuesque! J'en savais quelque chose, puisque mon père a été cavalier. Dans ces moments de panique, il faut faire tourner le cheval de manière qu'il présente sa croupe en premier, pour qu'il puisse reculer sur les manifestants sans trop de danger. Les sabots risquent d'écraser les pieds des gens, qui reculent automatiquement. Si le cheval présente sa face en premier, il peut prendre peur et c'est ce qui est arrivé ce soir-là. Des policiers sont tombés de leur cheval, car ceux-ci glissaient littéralement sur le sol jonché de tessons de bouteilles. D'ailleurs, à cette époque, il n'y avait que quelques pays, entre autres le Brésil, qui utilisaient une escouade à cheval bien formée aux manifestations de foule.

Gabi Drouin :

— Des policiers armés étaient postés sur les toits, d'autres, en civil, se mêlaient à la foule qui manifestait paisiblement. Ce sont eux qui ont déclenché les hostilités. Ils frappaient tout ce qui bougeait. Bourgault a été soulevé à bout de bras par les policiers. C'était de la provocation.

Église Sainte-Madeleine, 10 h 29

Henri :

— Quel mauvais souvenir ! Je ne me suis jamais senti aussi malheureux qu'à ce moment-là. Ironiquement, inspiré par Expo 67, j'avais proposé le titre Québec 68 pour les fêtes de la Saint-Jean. Gabi Drouin et moi étions installés dans une espèce de tente et nous ne pouvions voir ce qui se déroulait à l'arrière-scène. De toute façon, les caméras étaient braquées uniquement sur l'estrade d'honneur où se tenaient les dignitaires, entre autres le maire de Montréal, Jean Drapeau, et le futur premier ministre du Canada, Pierre Elliott Trudeau qui, en dépit des projectiles lancés dans sa direction, tenait à demeurer sur place. Je me rappelle encore les commentaires que nous passions en ondes, Gabi et moi, concernant la situation de ce soir-là.

Henri : « Le défilé a lieu sous les étoiles et sous une grande surveillance policière. Le défilé est arrêté momentanément. Il est presque impossible de maîtriser cette foule qui manifeste bruyamment et qui envahit la chaussée, la rue... »

Gabi : « C'est dommage, Henri, que ces choses se soient produites... »

Henri : « Nous entendons les clameurs venant de la rue Amherst... »

Gabi : « Il y a des décisions qui vont se prendre, Henri,... parce que les choses ne peuvent pas continuer comme ça... »

Henri « Depuis 8 h ce soir, environ, des groupes séparatistes se sont présentés, brandissant des fleurdelisés, et ont crié des slogans à tue-tête… Les agents de la police de Montréal ont dû intervenir avec les policiers à cheval… Nous entendons les cris de tout bord tout côté… Le défilé se déroule dans des conditions pénibles… »

Mais ce qui a été encore plus pénible est que non seulement le journaliste Claude-Jean Devirieux a été blâmé pour son reportage réaliste au téléjournal de fin de soirée, mais à partir de ce malheureux incident, le service des annonceurs de Radio-Canada a été démantelé. La « vitrine » de Radio-Canada, comme on qualifiait le service, a disparu. Nous devions alors choisir entre le travail de journaliste ou celui de présentateur ou d'animateur. Les journalistes sportifs, quant à eux, n'ont pas été touchés par cette restructuration. Le métier d'annonceur disparaissait et, avec lui, une page d'histoire qui représentait près de 50 ans de vie, depuis les premières émissions radiophoniques.

Claude-Jean Devirieux :

— Le lendemain de l'incident, je fus convoqué au bureau de mon patron du service des nouvelles. Il m'a savonné en me disant que j'avais exagéré et que je n'avais aucune crédibilité, etc. Il faut dire que mon topo de 23 h contrastait avec le reportage d'Henri et de Gabi. J'ai été suspendu avec salaire. Or, ce même jour, les élections fédérales allaient porter Pierre Elliott Trudeau au pouvoir. Mes confrères journalistes, Pierre Nadeau, Gaëtan Montreuil, Guy Lamarche, enfin tous ceux qui étaient affectés à la soirée des élections, ont fait front commun pour que je puisse participer à l'émission pour commenter la partie concernant l'Ouest canadien. J'avais même proposé de me tenir caché derrière le pupitre de Montreuil, comme Cyrano soufflant ses répliques à Christian ! Bref, chacun restant sur ses positions, il a été décidé qu'il n'y aurait pas de soirée électorale, une première dans l'histoire radio-canadienne. Et mes confrères ont été suspendus sans salaire pendant 7 à 10 jours !

Pour ma part, j'ai vécu un véritable harcèlement adminis-tratif, sans affectations, sans travail, pendant trois mois moins un jour. Après ma suspension avec solde, Radio-Canada a fait une enquête interne qui m'a exonéré de tout blâme.

ΔΔΔ

Le camarade de travail

Janine Paquet :

— Henri était un compagnon de travail agréable. Il avait juste un petit défaut, Henri était très paternel. Il avait tellement peur qu'on ne sache pas quoi dire qu'il meublait les courts moments de silence. On essayait alors de parler mais il enchaînait et il ne lâchait pas ! C'était sûrement la nervosité qui provoquait chez lui ce flot de paroles, mais il était tellement bien préparé et archi sûr de lui qu'un jour, j'ai été obligée de lui donner, discrètement, un coup dans le dos pour que je puisse à mon tour avoir la parole. Après, je me suis expliquée en lui disant que j'étais maintenant une grande fille et que cela faisait 25 ans que je travaillais dans le métier. Que je ne ferais pas de gaffe et que si j'en faisais une, il pourrait me reprendre.

Gaëtan Montreuil :

— Henri était le même à la ville et à l'écran. Généreux de son temps. Un fervent défenseur de la langue française. Il s'occupait du service de linguistique avec Raymond Laplante. Il a été chef des annonceurs, et puis Henri a assisté au démantèlement du service.

Gabi Drouin :

— Il nous laissait parler et il acquiesçait discrètement. Il a été annonceur-conseil pendant quelque temps auprès des jeunes, en région.

Janine Paquet :

— Henri est devenu annonceur-conseil et je crois qu'il aimait beaucoup cette responsabilité auprès des plus jeunes. Mais ce qu'il a détesté et qui n'a pas fonctionné longtemps, c'est quand on l'a nommé patron pour pallier la diminution du nombre d'émissions qu'il animait. Il en était très malheureux.

Marcel Laplante :

— Henri Bergeron avait une technique bien à lui pour présenter *Les Beaux Dimanches,* par exemple. Il écrivait ses notes de présentation sur un petit carton qui lui servait d'aide-mémoire, présentation qu'il écrivait toujours lui-même. À la caméra, on n'avait jamais l'impression qu'il lisait son texte. Il était tout à fait à l'aise.

Jacques Fauteux :

— Dans ce temps-là, il n'y avait pas de télésouffleur. Henri m'avait donné un truc simple, mais plein de bon sens. Il accrochait un carton troué sur l'objectif de la caméra, carton sur lequel il avait écrit le texte de présentation.

Jean-Guy Landry, réalisateur à Radio-Canada, 1959-1992 :

— Henri était un perfectionniste. Il était très structuré et bien préparé. Il écrivait ses propres textes. Il possédait le français comme pas un, passait de l'anglais au français avec aisance. Comme nous faisions beaucoup d'émissions en direct, avec la série *Apollo* entre autres, Henri gardait toujours son calme. S'il arrivait un pépin, nous pouvions compter sur lui, il s'ajustait. C'était facile pour lui. Contrairement à certains annonceurs du côté radio, qui étaient plutôt *camera shy* (timide devant la caméra), Henri avait le sens de la télévision. Il était volubile et évoluait avec aisance sur les plateaux. Il a été un des piliers de la télévision francophone.

Marcel Girard, caméraman à Radio-Canada, 1958-1987 :

— C'était un chic type, très simple, impeccable et surtout à l'écoute des gens. Il mettait ses invités à l'aise. C'était un grand monsieur. Ça ne s'oublie pas.

Jean-Guy Landry, réalisateur :

— C'était toujours agréable de voyager avec Henri. Nous avions fait une tournée aux États-Unis pour le programme spatial. Nous avions interviewé des astronautes et aussi l'ingénieur Wernher von Braun, le concepteur des fusées Jupiter et Saturne 5 pour le programme Apollo. Nous avions aussi été à Ottawa pour les funérailles du lieutenant-gouverneur Georges Vanier et, après avoir terminé vers deux heures du matin, pour la préparation de la couverture des funérailles, Henri nous avait offert un verre en guise de remerciement. Ça a été une belle aventure que de le côtoyer.

Claude-Jean Devirieux :

— Henri m'aimait beaucoup. On nous reprochait d'ailleurs, tout comme à Judith Jasmin, notre accent français. J'ai travaillé avec Henri sur quelques émissions Apollo. Nous étions dans un petit studio, Henri à l'animation, Marcel Sicotte, un professeur de sciences au secondaire, faisait les commentaires et moi, comme journaliste. Nous avions nos télex dans les oreilles où l'on entendait le son provenant de CBS, des astronautes et de notre réalisateur tout à la fois ! Il fallait traduire simultanément le jargon professionnel tout en retenant les directives du réalisateur. Nous sortions de là mouillés comme des éponges !

Église Sainte-Madeleine, 10 h 30

Henri :

— Oui, notre accent français ! Cela me faisait plutôt sourire… J'étais très fier de parler notre langue correctement, et j'ai particulièrement redoublé d'efforts lorsque nous avons travaillé aux émissions scientifiques.

Au moment des premiers essais dans l'espace, avec la mission Mercury, nous faisions une traduction simultanée des commentaires Américains à la radio. Les missions Apollo ont été pour moi une expérience enrichissante. Le vocabulaire m'intéressait, mais je me suis aussi laissé prendre par tout cet exploit scientifique, ce grand déploiement de la science moderne. Je voulais permettre aux téléspectateurs de pouvoir parler de l'espace en français. En France, on utilisait des termes anglais, comme *firing pad* (rampe de lancement) ou *rocket* (fusée) peut-être pour épater la galerie. Nous, ici, nous tenions à avoir le terme juste en français. Le public a toujours apprécié ces choses-là. À ce propos, lorsque j'ai interviewé Wernher von Braun, je lui ai remis un petit lexique, une traduction en français du jargon scientifique employé en recherche spatiale. Il avait été très touché de l'intérêt que nous portions à la conquête de l'espace.

C'est à partir de Gemini V que nous avons formé ce tandem, avec le professeur Marcel Sicotte, à la télévision. Ces missions spatiales, en particulier les premiers pas de l'homme sur la Lune, font partie de mes plus beaux moments à la télévision.

Romain DesBois, organisateur aux affaires publiques à Radio-Canada, 1956-1989, et ami d'Henri Bergeron :

— Henri était un travailleur acharné. Il participait à la production, donnait son avis, rédigeait ses textes. Henri tenait à utiliser à fond ses connaissances, sa culture générale. J'ai travaillé avec Henri une dizaine de fois environ. Il était plus qu'un annonceur. Il collaborait grandement à l'élaboration de la production, faisait des suggestions pertinentes. Il a démontré sa grande compétence et sa curiosité lors des émissions *Apollo*.

Autant Henri a été de toutes les émissions prestigieuses, autant il a été mis de côté graduellement. Il trouvait qu'on ne lui donnait plus suffisamment de travail. Il a été confiné à son rôle de présentateur des *Beaux Dimanches* et ça lui a joué un mauvais tour. Aux présentations de 2 à 4 minutes ont succédé des interventions de 1 minute à 30 secondes.

Tant que les membres de la direction étaient cultivés et informés, ça allait. Mais certains réalisateurs voulaient faire disparaître les présentateurs et les annonceurs. On se dirigeait vers une télévision plus rapide, plus rythmée, avec un contenu plus visuel, souvent au détriment de la compréhension.

On s'écartait lentement de l'image de Radio-Canada et de son mandat premier. Dans ces moments-là, Raymond Laplante se fâchait tandis qu'Henri était plus pondéré.

Jacques Fauteux :

— J'ai croisé Henri, un jour, dans le stationnement de Radio-Canada.

Moi : « Qu'est-ce qu'il y a, Henri ? »

Henri : « Jacques, comprends-tu ça, toi ? La direction n'a pas eu l'élégance de me rencontrer pour m'informer de la fin de ma participation pour la présentation des *Beaux Dimanches*. »

Il était triste et blessé.

Gaëtan Montreuil :

— La fin des *Beaux Dimanches* a été un dur coup pour Henri. Il a été mis au rancard comme tant d'autres, « tabletté » comme on dit...

Janine Paquet :

— Henri était un homme très sensible. Il venait de prendre sa retraite, et il trouvait ce moment très dur à accepter. Au fond, Radio-Canada, c'était sa vie. Pour lui, sa famille et Radio-Canada, c'était sa vie. Il a vécu uniquement pour eux. Mais il a vécu les plus belles années de Radio-Canada et moi aussi, par ricochet. Les années soixante et soixante-dix ont été merveilleuses pour tout le monde, la conquête de l'espace, l'Expo 67, les

Olympiques. On apprenait tout en informant les gens, on voulait toujours aller plus loin.

La dernière fois que j'ai vu Henri, c'était aux funérailles de René Lecavalier. Il marchait derrière, comme en retrait. Je lui ai demandé ce qui n'allait pas. Il m'a répondu : « Je suis malade, je suis très malade. J'ai essayé la médecine conventionnelle, et puis des trucs naturels, et j'ai confiance. »

Je ne pensais jamais qu'il mourrait si jeune. Trop, trop jeune…

C'est un merveilleux métier que le nôtre et le seul fait que les femmes aient pu en faire partie est une grande victoire. Je pense à Claire Martin. C'est elle qui a dit en ondes : « La guerre est finie. » Et puis Michelle Tisseyre, Judith Jasmin et Marcelle Barth, elles nous ont ouvert les portes, comme je l'ai fait ensuite pour Lisette Gervais et toutes les autres…

Jacques Fauteux :

— Quelque temps avant sa mort, Henri m'a appelé pour que je le remplace dans des animations de galas. Il a pensé à moi. C'était d'une telle délicatesse. Nous avons appartenu à une autre génération. C'était une autre époque ! La télévision est une invention merveilleuse et terrible à la fois. On sait tout, avec la télé, comme avec le réseau Internet. Aujourd'hui, c'est la guerre en direct avec pauses publicitaires : « *We'll be right back !* » (De retour après la pause !)

Gaëtan Montreuil :

— La dernière fois que j'ai vu Henri, c'était un an avant son décès. Nous étions en studio pour une publicité de céréales, Henri faisait la narration et je signais la ligne commerciale. Il m'avait fait part de ses problèmes de santé.

Église Sainte-Madeleine, 10 h 30

Henri :

— Je mentionnais tantôt la conquête lunaire comme étant un de mes meilleurs souvenirs en télévision, mais je dois me raviser. Je crois que chaque moment passé sur les plateaux aux côtés de chacun de vous a été unique et merveilleux, que ce soit en signant une publicité avec Gaëtan Montreuil, un reportage avec la charmante Janine Paquet ou bien Pierre Nadeau, une télé avec Jacques Fauteux ou encore, retrouver mon ami Gabi Drouin, même un soir d'émeute, et tous les autres camarades de la radio et de la télévision.

Comme vous avez raison, Janine, nous avons connu les plus belles années de découvertes, d'apprentissages et de grands bonheurs. Mes peines et mes regrets sont si infimes qu'ils disparaissent dans toute l'exaltation et la magie de notre travail au quotidien.

L'émission *Les Beaux Dimanches** m'offrait un lien privilégié avec le public, tout comme *Chronique du disque*, à la radio, émissions que j'ai animées pendant 17 ans. Le choc a été un peu difficile à encaisser, puisque j'ai perdu ces animations presque simultanément. Mais ce qui est encore plus difficile à accepter, c'est lorsque nous rencontrons ce public si fidèle qui nous demande ce que nous faisons, maintenant que nous avons disparu du petit écran. Après 33 ans de présence presque quotidienne à la radio et à la télévision, l'absence a été très lourde à accepter.

Mais parlons plutôt des moments joyeux. Par exemple, lorsque notre grand auteur-compositeur Jean-Pierre Ferland a travaillé à la Société Radio-Canada, de 1954 à 1958. Après avoir été responsable du courrier, il a été comptable, et ensuite il est

---

* L'émission *Les Beaux Dimanches* sera en ondes jusqu'en 2004, date à laquelle elle sera remplacée par *Tout le monde en parle*, animée par Guy A. Lepage.

devenu officier d'assignation en préparant les horaires pour notre groupe d'annonceurs. Jean-Pierre composait déjà de très belles chansons, entre autres, *Du côté de la lune*, qui a servi de thème musical à une émission animée par Lise Roy. Jean-Pierre avait aussi composé le thème musical de l'émission *Les couche-tard*, le premier talk-show de Radio-Canada, avec Jacques Normand et Roger Baulu. Pour encourager notre musicien en herbe, l'annonceur Jean-Paul Nolet lui avait payé sa première guitare. Quant à moi, j'avais défrayé les coûts liés à l'enregistrement d'un premier 33 tours sur étiquette Music-Hall. Rapidement, Jean-Pierre est devenu un véritable «grand roi» de la chanson et ses albums faisaient partie de ma discothèque, à Saint-Charles; les succès comme *Fleur de macadam*, *Je reviens chez nous*, *Ton visage*, *Feuille de gui*, *Sainte-Adèle PQ*, entre autres, flottaient dans l'air du temps de la campagne, du temps où la vie était si belle.

Claude-Jean Devirieux :

— J'ai toujours vu un Henri Bergeron charmant, rarement en colère, toujours souriant. Une blague circulait à propos de son sourire Pepsodent. On disait qu'il devait se coller son sourire Pepsodent en se brossant les dents le matin et le garder jusqu'au soir !

Denise Bombardier, journaliste, animatrice et auteure :

— Henri Bergeron a défendu la langue française de façon tellement démonstrative. Je considère qu'il a été un prince, par son attitude, lorsque son frère Léandre l'affrontait à propos de la langue. Si ce n'était pas de la provocation de la part de Léandre Bergeron, il n'y avait qu'un pas. La *joualerie* ne l'a jamais touché. Je dirais qu'il était perfectionniste jusqu'à la caricature. Il défendait en quelque sorte ses ancêtres et les gens le respectaient pour cela. Il a imposé une langue parfaite dans son domaine. Il avait un genre bien à lui, rigide, mais avec le sourire. C'était un personnage de la télévision en partie grâce à l'émission mythique des *Beaux Dimanches*.

Gaëtan Montreuil :

— Nous avions formé le Club des 12 : 6 annonceurs : Jean Mathieu, Jean-Paul Nolet, François Bertrand, Miville Couture, Henri et moi, et 6 autres personnes qui n'étaient pas du métier. On achetait 12 œuvres d'un peintre ou d'un sculpteur, René Richard, par exemple, ou Armand Vaillancourt, entre autres.

Nous avions donné une petite part chacun, rien pour nous mettre en faillite ! Et nous nous réunissions régulièrement, souvent chez Miville, réunions qui ressemblaient à des libations fort joyeuses ! Nous avions une structure organisationnelle bien établie et menée par Miville, qui parlait six langues et qui faisait preuve d'une érudition contagieuse. C'est ainsi que nous nous sommes intéressés à l'art. Le groupe a duré pendant près de cinq ans et nous nous sommes partagé les œuvres, si bien que nous avons gardé chacun environ 19 œuvres, des toiles et des sculptures. Je les ai toujours chez moi.

Armand Vaillancourt utilisait un procédé original. Il coulait le bronze dans du *styromousse*. Les résultats étaient assez étonnants. Si je me rappelle bien, nous avions payé chaque bronze 75 $. À cette époque, il était déjà très connu et assez prolifique. Il avait participé à une émission avec Jacques Languirand, qui lui avait donné beaucoup de visibilité.

Jacques Languirand, journaliste, auteur et animateur. À la barre de son émission radiophonique *Par 4 chemins* depuis plus de 35 ans, à Radio-Canada :

— Henri était un professionnel sérieux qui ne blaguait pas, contrairement à moi, plus fantaisiste. Henri était très Radio-Canada. C'était l'homme de service. Mais, sur le plan du travail, nous voyions notre métier de la même façon, la recherche du travail bien fait avec une préoccupation constante pour la langue française.

Raymond David, au service de Radio-Canada dès 1950, où il met sur pied Radio-Collège avec Marc Thibault (le père de Sophie Thibault, de TVA). Il deviendra vice-président et directeur général des services français de Radio-Canada de 1968 jusqu'à sa retraite, en 1982 :

— Henri Bergeron a fait preuve d'une grande présence d'honnête homme. Un touche-à-tout avec un solide bagage culturel qui communiquait très bien avec le public. Un homme de bonne volonté, disponible, qui avait du métier. Il était très bon improvisateur.

Gabi Drouin :

— Henri Bergeron a imprégné les Québécois d'une réalité, le bon parler français. Il s'est imposé, mais toujours discrètement, sans blesser qui que ce soit. Il a marqué le Québec par sa distinction, sa présence à l'écran. Cela existe-t-il encore aujourd'hui ? Il a marqué son temps.

Jacques Fauteux :

— Henri nous a montré ce que c'était qu'un vrai gentleman. Il a incité beaucoup de gens à s'exprimer correctement et élégamment, sans prétention. Il était un intellectuel sans le montrer. Il t'écoutait et ne te jugeait pas. C'était l'exemple parfait de l'élégance. Il avait l'art d'être vrai.

Pierre Nadeau :

— Henri a été un authentique technicien de la pose de voix, de la lecture de textes. Il a contribué de façon primordiale au développement de la communication et de l'expression verbale, tant à la radio qu'à la télévision.

Janine Paquet :

— Étant donné qu'il arrivait du Manitoba, il accordait une grande importance au français alors que pour nous, c'était comme une notion acquise. Mais Henri y a cru et il nous a entraînés à sa suite. Henri était un homme délicat, il n'avait pas beaucoup de défauts! On lui a reproché d'être un touche-à-tout mais, au fond, pourquoi pas? Quand on a du talent comme Henri Bergeron et qu'on est curieux, avide de faire de nouvelles choses, ce n'est vraiment pas un défaut. C'est plutôt une très grande qualité.

Église Sainte-Madeleine, 10 h 31

Jacques Houde, annonceur et animateur à Radio-Canada, 1964-1995, s'avance au micro :

— Je l'appelais affectueusement *Monsieur B.* Il trouvait le surnom sympathique. Comme on dit au Saguenay, il était tellement fin! C'était un homme cultivé et très ingénieux. Il avait inventé le Mirovox pour ajuster la tonalité de la voix. C'était mon maître de la parole. Le miroir de la voix, c'était lui qui l'avait. Il avait une belle qualité de voix, toujours le mot précis, la voix précise. Il était un annonceur dans l'âme. Henri n'arrivait pas à l'improviste. Il était préparé. Il disait qu'une bonne improvisation, ça se prépare!

Henri a réussi dans ce métier-là parce qu'il avait une préparation scolaire, une maîtrise de la langue, sans exagérations. Il avait toujours un conseil à nous donner, et il le faisait discrètement, il nous portait sur sa main.

Henri ne nous faisait jamais la leçon. Il prêchait par l'exemple. Il a été forgé dans un métal unique. Radio-Canada, c'était sa vie. Il était très rassurant, très entourant aussi, c'était un charmeur. Et c'est normal! Quand on fait le métier de communicateur, il faut savoir charmer pour amener les gens à soi et Henri avait compris ça. Il avait, toute sa vie durant, développé ce côté-là, mais c'était aussi dans sa nature et sa personnalité.

Au début de la télévision, Henri était l'homme à tout faire, la narration, la description d'événements importants. Il a été aussi le premier animateur couleur de Radio-Canada, il ne faut pas l'oublier!

En 33 ans de métier, il est resté le même homme, il n'a pas fléchi, sa voix n'a jamais changé. Il n'a pas vieilli. Il est resté le même arbre.

Il ouvre maintenant la plus grande voie, celle qui lui est offerte, la voie du ciel, une voie qu'il mérite bien.

Merci *Monsieur B*! Au revoir Henri Bergeron!

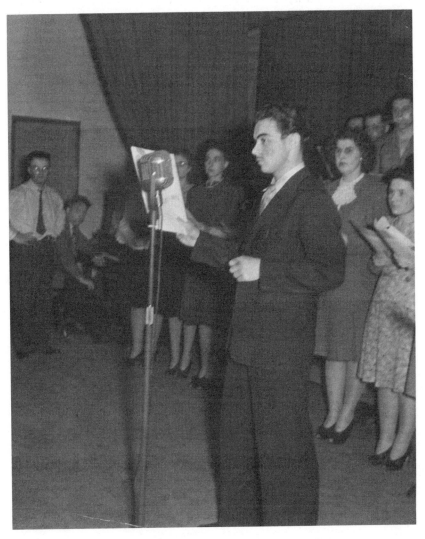

Un moment historique de l'histoire manitobaine :
l'ouverture officielle du premier poste de radio francophone de l'Ouest
canadien, CKSB Saint-Boniface, en 1946.

À CKCH-Hull, en 1951, j'animais plusieurs émissions
dont une à saveur country.

Un autre moment historique, cette fois dans l'histoire canadienne :
le 6 septembre 1952, j'animais la soirée d'inauguration de la première
chaîne de télévision de la Société Radio-Canada, CBFT.

Au cours de
l'émission
inaugurale,
j'avais
interviewé le
directeur des
programmes
Florent Forget.

Grâce au réalisateur
Armand Plante, j'ai
fait l'annonce de
plusieurs publicités,
dont celle des stylos
Waterman.

J'ai été porte-parole de Coke pendant plusieurs années,
malgré le fait que je me sois étouffé en direct.
L'histoire avait fait la une du Time.
Me voici entouré de quelques représentants de la compagnie
Coca-Cola, en 1957.

Voici la photo officielle de mes débuts à la télévision.

Combien de concerts ai-je animés au cours de ma carrière ?
Je ne saurais vous le dire. C'était chaque fois un grand bonheur,
lorsqu'on faisait appel à mes services, surtout lors des concerts.
La musique a toujours fait partie de ma vie.

*Yvonne et moi avons eu de nombreux amis, dont Annette Renaud,
à gauche d'Yvonne, et à ma droite, l'auteure Mia Riddez.*

*Je me suis beaucoup investi dans les Œuvres
du cardinal Paul-Émile Léger.*

En compagnie de la soprano Maureen Forester, une soirée après un concert.

Nous avions assisté, Yvonne et moi, au lancement du livre Salut Galarneau, en 1967, de l'auteur Jacques Godbout.

La célèbre chanteuse Céline Dion m'avait invité personnellement lors d'un concert au Centre Molson (devenu le Centre Bell). J'étais carrément subjugué par son talent ; cette femme a su maîtriser sa voix à un point tel qu'elle a atteint les plus hauts sommets. Et dire qu'en me voyant, Céline Dion m'avait dit : « Quelle voix vous avez, monsieur ! »

En 1973, en compagnie d'une équipe de Radio-Canada, je m'étais rendu en Californie pour interviewer le docteur von Braun. J'avais été fier de remettre au savant le vocabulaire spatial de l'astronautique préparé par le Comité de linguistique de Radio-Canada.

CHAPITRE 6

Le papa-vedette de la famille

« Une famille qui crie est une famille unie. »
Gérald Godin

« Pour papa, la famille c'était comme les cinq doigts de la main :
on a mal à l'auriculaire, tout le monde a mal.
Faut que ça fonctionne ! »
Lorraine Bergeron

« Papa a eu peur pour la langue française.
Il a veillé sur elle toute sa vie. »
Sylvain Bergeron

Église Sainte-Madeleine, 10 h 32, l'offertoire.

Henri :

— Pour moi, le studio de radio ou le plateau de télévision étaient des lieux tellement familiers que je m'y sentais à l'aise, comme un poisson dans l'eau. Tenez, un peu comme le curé Murray qui évolue en ce moment autour de l'autel... Cela me rappelle lorsque je servais la messe à Saint-Lupicin avec mon frère Marcien. J'avais même eu droit à un beau 25 sous tous les mois lorsque j'allais assister le chanoine Beauregard, à Cardinal. Je me souviens encore des répons :

— *Dominus vobiscum.*

— *Et cum spiritu tuo.*

— *Credo in unum Deum.*

La messe en latin revêtait un côté plus solennel et mystérieux, et puis j'aimais bien enfiler la soutane et le surplis empesé. À l'époque, chaque famille déléguait au moins un garçon comme servant de messe. Cela faisait partie de notre éducation. C'était un devoir incontournable comme l'a été ma vie.

Je suis d'une génération qui a pris ses responsabilités sérieusement. Il est vrai que j'ai été très influencé par les enseignements religieux non seulement de ma mère, mais aussi ceux du collège, enseignements qui nous inculquaient entre autres un sentiment de culpabilité bien ancré et ineffaçable. J'ai appris que je n'étais pas sur terre pour m'amuser, mais bien pour suivre la ligne droite, celle du devoir. Je n'ai jamais failli à la tâche, et je me suis investi d'une mission le jour où j'ai décidé de rester au collège. Je tenais à réussir ma vie professionnelle, mais par-dessus tout, ma vie familiale, parfois au détriment de ma vie sociale. J'ai développé un solide côté paternaliste qui, je le sais bien, s'est échoué ponctuellement sur le rivage des vies de mes frères et de mes sœurs, et ma personnalité envahissante a fatalement submergé, à l'occasion, celle de mes enfants.

Lorraine Bergeron :

— La religion était présente lorsque nous étions enfants, et puis ça s'est estompé tranquillement avec les années. Je me rappelle que nous faisions du ski, un dimanche, et ça n'a pas été une histoire que de manquer la messe. Je crois que papa avait tellement souffert d'une *overdose* de religion. Pour sa mère, c'était le drame de sa vie, le fait de ne pas avoir eu un prêtre dans la famille. Un peu plus tard, c'est revenu pour maman et papa, mais jamais de façon excessive.

Denys Bergeron :

— La vie rue Filion (Ville Saint-Laurent) était très agréable. Mon père participait beaucoup aux activités familiales. Il avait construit un foyer à l'arrière de la maison. On faisait griller des guimauves, le soir. Il était relativement habile de ses mains. Je dis relativement parce que ce n'était pas un homme de finition. Il n'aurait pas construit une maison, par exemple, mais il aimait bricoler. Je ne l'ai jamais vraiment vu travailler avec des outils spécialisés. C'était un bricoleur comme on l'est tous un peu, dans la famille.

Les enfants du quartier venaient souvent à la maison. C'était le lieu de rassemblement, peut-être parce que, nous, les enfants, on était bien chez nous. Il faut dire aussi que mon père participait plus aux activités des enfants que les autres voisins. Il organisait des jeux, emmenait tous les enfants du quartier au cirque chaque année.

Yvonne Mercier-Bergeron :

— Les enfants de Ville Saint-Laurent aimaient tellement Henri qu'un samedi matin, un petit anglophone a sonné à la maison en demandant candidement : «*Can mister Bergeron come out and play ?*» (Est-ce que monsieur Bergeron peut venir jouer dehors ?)

Sylvain Bergeron :

— À 11 ans, j'allais à la chasse avec papa. Enfin, faut le dire vite, on allait surtout tirer à la carabine. On allait à Boisbriand, anciennement sur le terrain de la GM. On tirait sur des bouteilles, des cannettes, c'était assez «renversant»! Parfois, j'emmenais des amis, entre autres Dominique Trahan. C'était bien *trippant* parce que mes amis me trouvaient chanceux d'avoir un père qui emmenait son fils tirer à la carabine. Jamais le juge Trahan n'aurait fait la même chose.

Denys Bergeron :

— On allait avec mon père chez les Schiskova, un couple d'immigrés à qui nous avions déjà loué une chambre, rue Filion (Ville Saint-Laurent). Elle était vétérinaire et, avec son mari, ils avaient acheté une maison du côté de Sainte-Dorothée. C'était vraiment la campagne à cette époque-là. On allait aussi au bout de la rue Côte-Vertu, où il y avait une cabane à sucre tradition-nelle assez rudimentaire. Mon père aimait beaucoup y aller. Encore là, c'était la campagne. Mon père emmenait souvent les enfants du quartier.

Alain Bergeron :

— Lorsque papa nous sortait, il emmenait souvent les amis du quartier, surtout les fins de semaine. Je me rappelle, on allait à Saint-Janvier. Il y avait un nouveau remonte-pente et on y accrochait notre traîne sauvage. Souvent, on partait le samedi matin, sans doute pour donner un répit à maman. Papa disait : «Allez, on saute dans la voiture!»

Moi, je trouvais qu'on embarquait, mais c'est vrai qu'une fois à l'arrière de la voiture, on sautait pas mal! Il n'y avait pas de ceintures de sécurité dans ce temps-là. Papa avait un peu raison de dire, on saute dans la voiture!

En voiture, on écoutait *Zézette* à la radio. On allait souvent à Laval. Papa achetait des trucs pour la voiture. On passait le pont de Cartierville. Je voyais le Parc Belmont et j'en rêvais! Très jeune, vers sept-huit ans, j'y allais tout seul à bicyclette. Avec deux dollars en poche, je m'amusais tout l'après-midi. Les manèges étaient 5 sous, 10 cents. J'achetais de la barbe à papa.

Lorraine Bergeron :

— Je dirais que j'ai connu un père que Sylvain et Éric n'ont pas connu. Quand papa était plus jeune, il lâchait encore son fou. Il rassemblait tous les enfants du voisinage à Ville Saint-Laurent et le 24 juin, il y avait un feu d'artifice dans la cour. Papa faisait flamber une petite école de bois pour marquer la fin des classes. On brûlait l'école ! C'était les vacances !

Papa pouvait se placer sous une table de pique-nique et demander aux enfants de monter dessus en essayant de soulever la charge avec son dos. À Saint-Laurent, papa se sentait investi d'une mission linguistique auprès des enfants ; il nous reprenait souvent, tellement que cela m'a empêché de parler. Comme je ne prenais pas beaucoup de place à cause de ma timidité, si en plus, je devais me faire reprendre, je trouvais ça humiliant. J'avais l'impression que tous les deux mots, j'allais me faire reprendre, alors je préférais me taire. Mais plus tard, je me suis rendu compte que cela m'a beaucoup aidée dans mon travail. Je l'apprécie, aujourd'hui.

Denys Bergeron :

— Mon père avait acheté un appareil à enregistrer de marque Wolensack dans les années cinquante. Tous les vendredis soir, en général durant l'hiver, il enregistrait les jeunes du quartier pour qu'ils s'entendent parler. On se réécoutait et on n'aimait pas tellement ce qu'on entendait. Ce n'était pas un jeu, c'était vraiment un cours. Quand mon père donnait un cours, c'était très sérieux. Cela durait en général une heure. C'était intéressant, mais pas nécessairement amusant. On aurait préféré aller jouer dehors. Ce que mon père nous reprochait, c'est qu'il disait ne pas nous comprendre. On parlait possiblement très mal. Je ne me rappelle pas, mais il me semble qu'on ne parlait pas très bien. Ça venait de l'école, c'était un langage laisser-aller, *moé*, *toé*. C'est plus tard qu'on réalise, je pense, l'importance de ces moments-là.

Lorraine Bergeron :

— Pour papa, la famille était très importante. Les gens croient que c'était un père absent. Il travaillait à des heures irrégulières, bien sûr, mais lorsqu'il avait des moments libres, il les consacrait à sa famille. Il revenait souvent manger à la maison pour le dîner. Ce n'était pas un père qui allait jouer au golf. Tous ses loisirs étaient choisis en fonction de la famille, le ski, le camping, le bateau, le chalet. Lorsqu'une activité ne nous intéressait plus, on passait à autre chose. Ce n'est que lorsque les enfants ont quitté la maison qu'il a eu des loisirs pour maman et lui, la roulotte, par exemple.

Tout se passait chez nous. Comme la porte familiale était ouverte à tout le monde, je préférais recevoir mes amies à la maison que le contraire. Il y avait beaucoup plus de restrictions chez elles que chez moi. À la maison, il y avait des règles, mais elles étaient justes, pas bêtes et méchantes. Il y avait des règles pour que tout fonctionne.

Denys Bergeron :

— Dans les années cinquante, mon père avait acheté un petit bateau, un Peterborrough avec un moteur Johnson 18 forces, le *Haldys I*. On allait faire du bateau à Cartierville sur la Rivière-des-Prairies. C'était peut-être un petit peu pour ça que les jeunes aimaient beaucoup se tenir dans les parages. On avait toujours des choses un peu exceptionnelles. Mon père avait acheté un bateau, il avait une voiture décapotable. Je pense que mon père aimait se démarquer, aimait avoir des choses à son goût. Les voitures étaient pour lui extrêmement importantes. Il avait toujours des voitures de l'année avec un paquet de gadgets.

Lorraine Bergeron :

— Contrairement à maman, papa aimait bien se tenir à l'affût des nouveautés, pas nécessairement à la mode, mais il ne voulait pas être dépassé par la nouvelle technologie. Il se lançait comme un défi à lui-même. Il s'est équipé d'un ordinateur, alors que maman a gardé son ancien robot culinaire. Papa a toujours aimé apprendre. C'est drôle, je ne me souviens pas de voir mon père assis en train de lire, je le vois plutôt bricoler à

Ville Saint-Laurent, à Outremont. Quand on lui demandait ce qu'il faisait, il répondait : « Je fais quelque chose pour faire parler les petits enfants. » Il était créatif. On a servi de cobaye pour le Mirovox (invention d'Henri Bergeron : le miroir de la voix). Je crois qu'il aurait aimé inventer bien des choses.

Éric Bergeron :

— Le magasin préféré de papa était Radio Shack. Il achetait toutes sortes de gadgets qu'il installait dans le motorisé. Denys tient de papa pour les gadgets.

Alain Bergeron :

— Papa était un père qui aimait faire des activités avec nous. Il était assez sévère, il faisait des colères pour pas grand-chose. On avait brisé ou perdu quelque chose par mégarde ou égratigné son bateau. Une fois, je me souviens, il s'était vraiment mis en colère parce que j'étais allé jouer dans le garage avec un ami où était entreposé le bateau, et on l'avait abîmé sans le faire exprès. Papa était assez jaloux de ses acquisitions. Alors il se mettait en colère et on avait une fessée. Ça nous faisait plus peur que mal, deux-trois tapes sur les fesses et au lit !

Éric Bergeron :

— Je répondais à mon père. Un jour, on s'est chicané assez rudement. Papa était revenu de son voyage en Chine (voyage avec l'Orchestre symphonique de Toronto, en compagnie de Maureen Forester et Louis Lortie, pour *Les Beaux Dimanches*, diffusée le 21 janvier 1979) avec un petit agenda électronique, ce qui était assez rare à l'époque. Je lui avais emprunté l'agenda. J'étais alors en première année de cégep, j'avais 17 ans. Malheureusement, j'avais perdu l'agenda. Pour papa, perdre quelque chose, ça le rendait fou, hors de lui :

Henri : « Quand même ! Comment se fait-il que tu aies perdu ça ? »

Éric : « Écoute papa, je ne l'ai pas fait exprès. Je sais que ça te tenait à cœur. Je l'ai mis sur le dessus de ma case et je l'ai oublié là. »

Finalement, comme papa continuait, j'ai répondu excédé, l'excuse suivante : « Si tu veux absolument que je te le dise, je l'ai vendu pour m'acheter de la drogue ! »

Papa est resté saisi, pour ne pas dire figé, parce que j'étais un jeune assez tranquille et sans histoires !

Lorraine Bergeron :

— Papa nous a inculqué des valeurs importantes, il fallait être ponctuels et consciencieux, le travail était sérieux. Il a prêché en donnant l'exemple. Je me souviens de n'avoir eu qu'une fois un mauvais résultat en mathématiques, et j'avais dit à maman de ne pas le dire à papa. J'avais peur qu'il se fâche, qu'il élève la voix. À ses yeux, les études étaient une priorité. Alors, comme j'étais disciplinée, je faisais ce qu'on me demandait de faire. J'aimais l'étude et je sentais que c'était important. Il fallait que je travaille fort. C'était mon rôle. Papa nous disait souvent : « Quand tout le monde fait ce qu'il a à faire, il n'y a pas de problèmes. » Je rentre facilement dans un moule, que ce soit à l'école (Lorraine est professeure au collège ECS, à Westmount), au travail, je suis loin d'être rebelle.

Alain Bergeron :

— Les études étaient importantes. J'étais tellement encadré, au primaire, que le premier mois à Stanislas, avec plusieurs professeurs et pas de surveillance, je me suis classé trente-deuxième sur trente-trois. J'avais l'impression d'être en vacances. Je ne foutais rien. Je présente mon bulletin à papa : « Le mois prochain, il faut que tu arrives dans les 10 premiers, sinon tu as une fessée. » La fessée, c'était toujours la menace ultime. Je suis arrivé septième !

Une autre chose pour laquelle il était très sévère, c'était l'honnêteté. Il aimait mieux qu'on avoue ce qui s'était passé que d'essayer de camoufler la vérité. Mais paradoxalement, on le faisait beaucoup. On essayait de trouver des façons de s'en sortir. Raconter des histoires ou dire : ce n'est pas moi qui l'ai fait. Mais papa finissait toujours par le savoir ! Quand tu es jeune, tu as l'impression que tu peux raconter n'importe quoi et que ça va passer. Ça ne marchait pas. Papa nous harcelait jusqu'à ce que nous disions la vérité.

Éric Bergeron :

— Papa n'était pas sévère, mais quand il fronçait les sourcils et qu'il élevait la voix, ça me faisait peur. Il avait une autorité naturelle. Il était imposant. Je me souviens d'avoir pleuré juste parce qu'il avait haussé la voix. Mais papa n'était pas du tout austère, au contraire, j'ai beaucoup joué avec lui. Je n'ai jamais eu de fessée. Ma mère m'a donné une claque une fois et je pense qu'elle a eu plus mal que moi. J'avais 13 ou 14 ans et elle avait dit : «On ne me répond pas comme ça, va dans ta chambre.» Sans doute pour que je ne sois plus dans son champ de vision.

Sylvain Bergeron :

— Papa était très présent l'été, et aussi les fins de semaine. Je n'ai pas trouvé qu'il était sévère. Enfin, dans mon cas, il n'avait pas besoin d'être sévère. Je connaissais ses limites et je ne tenais pas à les franchir ! Ce n'était pas dans ma nature d'affronter mon père. La seule fessée que j'ai eue, c'est de maman. C'était anodin. Je revenais de l'école et maman était sans doute débordée cette journée-là.

Lorraine Bergeron :

— C'était quelqu'un de très sérieux. Si papa était présent pour le souper, c'était un peu plus tendu. C'était quand même l'autorité à la table. On ne se permettait pas les mêmes folies qu'avec maman, les frères faisaient alors des blagues, c'était plus *relax*. Maman avait beau demander aux frères d'arrêter, ça continuait. Mais juste la voix de papa qui élevait le ton en disant «Ça suffit», ça m'impressionnait, même si la remarque était plutôt dirigée vers mes frères. Moi, j'étais tranquille. Comme je suis timide, je n'aime pas que quelqu'un élève la voix, ça m'abat complètement. C'est la raison pour laquelle j'ai un grand respect pour l'autorité. Cela vient sans doute du modèle que j'ai eu à la maison.»

Denys Bergeron :

— Mon père n'était pas une personne différente des autres. Il était connu, mais pour moi ce n'était pas un travail qui était exceptionnel parce que j'étais habitué à ce genre de travail-là. Mon père ne parlait jamais de son travail à la maison. Mes parents n'étaient pas trop le style : « Puis, comment ça a été aujourd'hui, qu'est-ce que tu as fait ? »

Lorraine Bergeron :

— Je n'ai pas de souvenir particulier de mon père parlant de son travail à table. Faut croire qu'il en faisait tellement. Pour lui, c'était son travail, tout simplement. À table, on parlait de sujets très variés, sur l'actualité, les études, des projets de vacances, la famille.

Curieusement, il n'y avait pas de règles établies, à la maison, contrairement à des copines qui avaient des heures de rentrée. Papa disait : « Le jour où vous allez exagérer, ce sera fini. » On connaissait intuitivement les limites. Nos parents ont fait de nous des enfants très autonomes. Pour papa, la famille, c'était comme les cinq doigts de la main : on a mal à l'auriculaire, tout le monde a mal. Faut que ça fonctionne !

Alain Bergeron :

— En France, quand j'ai appelé chez nous pour dire que j'avais raté l'avion, maman m'a dit : « Reviens tout de suite ! » Et elle a raccroché ! J'étais laissé à moi-même. J'ai essayé de me faire rembourser le billet par un mot d'un médecin. Enfin, il y avait des délais... J'habitais chez madame Roche (la femme du pianiste et compositeur Pierre Roche), j'avais encore de l'argent, j'aurais trouvé une solution et je serais revenu. Comme maman a raccroché, elle ne savait pas où me joindre. Mais finalement, maman a pensé appeler chez la mère de Charles Roche et, un matin, papa m'a appelé pour me dire qu'il y avait un billet d'avion au bureau d'Air Canada. C'est Denys qui est venu me chercher à Dorval. Je ne me suis pas fait engueuler au retour, mais j'ai été obligé de laver les vitres et de faire du ménage. On a parlé du voyage que j'avais fait et des conséquences qui m'attendaient. Papa nous a transmis le sens des responsabilités. Il fallait qu'on soit responsables de nos actes. Il nous a donné une bonne éducation. On a développé un sens moral, pas dans le sens religieux, mais si l'on s'engage dans quelque chose, on le fait jusqu'au bout. Je crois que papa avait plus peur que nous de ses propres colères. Papa était impulsif, soupe au lait.

Éric Bergeron :

— Mes parents nous ont toujours laissé beaucoup de liberté, Ils avaient confiance. Sur ce point-là, j'ai toujours trouvé mes parents très corrects. On les sentait inquiets de nous, mais jamais intrusifs. Un exemple : lorsque mes parents partaient de chez les grands-parents Mercier, maman appelait systématiquement à la maison pour me dire : « Bon, eh bien, on s'en vient là ! » Ce qui voulait dire, d'après moi, si t'es avec une fille ou que tu fais des niaiseries avec des amis, je ne veux pas te surprendre, on s'en vient. Je n'ai jamais demandé à maman pourquoi elle le faisait. Faut que je lui demande !

Sylvain Bergeron :

— À Outremont, c'était aussi la liberté totale. Il n'y avait pas de contraintes. Maman ne paniquait jamais. Faut dire qu'à cette époque-là, il n'y avait pas beaucoup de danger. On s'amusait. Aujourd'hui, on met des GPS sur les cellulaires des enfants !

Je pouvais partir à bicyclette jusqu'au parc Belmont. Pour les parents, c'était normal. À 12 ans, je descendais à vélo jusqu'à Saint-Hilaire acheter des pétards. Du moment qu'on disait où l'on allait et que l'on revenait pour six heures. Je ne me suis jamais fait engueuler et je n'ai jamais entendu des questions du genre : Où étais-tu ? À 11 ans, j'allais seul à l'Expo (Exposition universelle de 1967 à Montréal). Papa m'avait emmené une fois en métro quelques semaines avant que l'exposition commence. J'ai compris le système et la semaine suivante, j'y retournais avec des copains. Enfin, je n'avais pas complètement compris parce qu'on avait oublié de prendre une correspondance en sortant à Crémazie. Pour reprendre le métro, fallait repayer. C'était 10 sous peut-être. On n'avait pas d'argent !

Éric Bergeron :

— J'ai l'impression d'avoir été élevé par des parents très *relax* et, par ricochet, je l'étais aussi. Je n'étais pas rebelle. Je n'ai jamais eu d'heure de rentrée, ni de règle fixe à suivre. Par contre, j'ai toujours dit à mes parents où j'étais, ce que je faisais et quand j'allais revenir. Je n'ai jamais fait de fugue. Je n'ai jamais suivi les amis qui passaient la nuit blanche. À deux heures du matin, j'étais fatigué et j'allais me coucher dans mon lit.

Je pense que j'avais une grande peur de décevoir mes parents et de perdre la confiance qu'ils avaient en moi. Et puis, j'ai toujours détesté me faire dire non, alors je préférais ne pas demander des choses impossibles. Je sentais qu'il y avait comme un élastique. Je pouvais tirer, mais pas trop.

Lorraine Bergeron :

— Étant donné que j'étais l'aînée et la seule fille, j'ai toujours senti que j'avais plus de responsabilités. Pour mes frères, je devais avoir des privilèges, parce que j'ai toujours eu ma chambre, surtout rue Wiseman, où j'avais la belle grande chambre. Mais à cause de mon caractère, j'ai toujours pris mes responsabilités.

Alain Bergeron :

— Être le troisième de la famille est difficile. C'est un peu comme la cinquième roue du chariot. Je suis arrivé entre Winnipeg et Montréal, à Hull. Denys et Lorraine jouaient beaucoup ensemble avec leurs amis, alors je me retrouvais seul. Je ne jouais pas souvent avec mon grand frère. Quand Sylvain est né, il fallait que quelqu'un s'en occupe, alors c'était moi qui prenais soin de mon petit frère. Il y avait quand même cinq ans de différence. Alors je le protégeais plus que je ne jouais avec lui. Et quand Éric est né, là c'était moi qui gardais. Les grands étaient occupés et Sylvain était trop petit. Parfois, c'était ingrat, je trouvais ça dur. Une fois en particulier, ils étaient allés fêter le jour de l'An dans un hôtel et j'étais resté au chalet pour garder Éric. Ce soir-là, j'avais pleuré beaucoup. J'étais triste. J'avais peut-être 12 ans. Je me sentais souvent mis de côté. Mais je pense qu'on retire toujours quelque chose de bien et ça a développé mon côté solitaire, pas très famille.

Sylvain Bergeron :

— C'est drôle hein ? Je suis né à Ville Saint-Laurent et je n'en ai pas beaucoup de souvenirs. Je me rappelle plein d'activités à l'extérieur de la maison, mais je n'ai pas de souvenir d'une ambiance familiale à cette époque-là. Je me souviens d'un jour de Noël où j'étais resté seul à la maison avec Denys et les parents étaient partis fêter quelque part. J'ai demandé à ouvrir un cadeau. Je pense que j'étais malade.

Ce n'était pas la période la plus joyeuse à la maison quand j'étais petit. Quand je suis né, mes parents étaient sans le sou, enfin, ils n'avaient pas beaucoup d'argent. Ce n'était pas la joie et je l'ai senti jeune. J'étais malade. J'avais alors 15 mois.

Mon intuition me dit qu'à ce moment-là, maman faisait une super dépression depuis ma naissance. C'est la raison pour laquelle je peux dire que je n'ai pas de souvenir super agréable de Ville Saint-Laurent. J'ai été un peu largué tout partout. Je sentais que ce n'était pas la meilleure partie de la vie de mes

parents. J'en ai peut-être été affecté depuis ma naissance. Je n'ai
jamais su pourquoi j'avais été à l'hôpital. Des allergies alimen-
taires ? C'était aussi une époque où la médecine faisait toute sorte
d'expériences sur les enfants. Je crois que j'ai servi de cobaye.
Papa était venu me chercher à l'hôpital. Ça faisait au-dessus d'un
mois que j'y étais. Il avait dit : « S'il est pour mourir, aussi bien
mourir à la maison. »

Église Sainte-Madeleine, 10 h 34

Henri :

— C'était un peu avant Noël. J'avais dit : « On ne fête pas
Noël si Sylvain n'est pas sorti de l'hôpital. » Alors, je l'ai ramené
à la maison. Sylvain était fragile des intestins. Cela me rappelait
trop les problèmes de santé de ma petite sœur Simone, morte
à 15 mois d'une méningite tuberculeuse. Tous les enfants
Bergeron, nous avions été la voir à l'hôpital de Saint-Boniface
et le lendemain de notre visite elle décédait.

Je n'avais que cette image en tête lorsque j'étais au travail à
Radio-Canada, celle de ma petite sœur au visage émacié et de
ma mère à son chevet.

Malgré les protestations des médecins, j'avais eu raison
de sortir Sylvain de l'hôpital. Quelques jours plus tard, il avait
retrouvé des forces. Pauvre petit, il s'ennuyait sûrement de la
famille.

Yvonne Mercier-Bergeron :

— Après Sylvain, j'ai fait deux fausses couches, la première à
trois mois et la seconde à cinq mois. C'était encore des garçons !
J'avais appris à conduire, Henri insistait. J'allais faire mes courses
et je devais sans doute soulever des boîtes trop lourdes. Mais
après la naissance d'Éric, je me suis beaucoup reposée, parce
qu'un mois avant la naissance, on déménageait à Outremont.
Alors l'accouchement avait été difficile parce que j'étais très

fatiguée, et en plus j'avais reçu toute la famille à Pâques, la famille Le Grand et Léandre qui arrivait de Kingston, Laurette et son premier mari François Gallays...

ΔΔΔ

Le temps de l'impôt

Denys Bergeron :

— Il me semble qu'on a toujours eu de l'argent. Je ne me rappelle pas de la période où c'était difficile. Mes parents ont loué des chambres, mais il me semble qu'on a exagéré un peu ce côté-là. Ma mère en met un petit peu trop quand elle dit que ce n'était pas facile. On n'a jamais manqué de rien. C'est vrai qu'on a eu des vacances en Gaspésie avec une voiture qui n'était pas particulièrement en bon état. On avait fait le tour de la Gaspésie en Austin.

Lorraine Bergeron :

— On ne parlait pas d'argent. Seulement durant le temps de l'impôt, on sentait alors l'anxiété monter d'un cran ! Mais la valeur des choses ne dépendait pas de leur prix. Nous n'avions pas d'allocations parce que mon père avait l'impression que nous serions des employés. Il nous donnait des sous selon nos demandes. Nous n'étions pas exigeants, alors il n'y a jamais eu de problème. La priorité, c'était l'éducation, en second lieu, c'était d'avoir de bons moments en famille.

À 24 ans, j'avais 4 $ par semaine. Je marchais pour me rendre à l'université. Je ne comprends pas comment on arrivait, mais on n'allait pas au resto, rarement au cinéma. On avait une petite voiture, mais ça coûtait trois fois rien. Je ne me souviens pas d'être allée magasiner pour des vêtements, sauf à Pâques, où maman nous habillait pour l'occasion. C'est uniquement quand j'ai commencé à travailler que je suis allée au magasin. Sinon, ça ne fait pas partie de mes souvenirs.

Sylvain Bergeron :

— Papa a été chanceux. Il a gagné de l'argent, mais pas parce qu'il était un homme d'affaires. Au début des années soixante, heureusement que maman était là, pour les finances. Henri avait un côté dépensier.

Éric Bergeron :

— Je me souviens quand j'étais petit et que j'entendais le mot impôt dans la maison. Là, papa s'énervait et c'était une période où l'on ne faisait plus rien. Mais c'était passager. En fait, on ne parlait pas d'argent à la maison. C'était un sujet tabou. Au lieu de dire, regarde j'ai payé 2 000 $ pour ce tableau-là, papa préférait parler de l'artiste et de son œuvre, pas du prix d'achat.

Concernant l'argent, il y avait parfois des tensions entre ma mère et mon père. Maman ne voulait pas que papa dépense pour rien. Maman était plus économe. Quand papa voulait acheter un *Ski-doo*, maman disait :

— On n'a pas besoin de ça !

Papa répliquait :

— Quand même ! On travaille assez fort ! On a le droit de se payer ça !

Ce que j'ai toujours apprécié de mon père, c'est qu'il était toujours prêt à acheter quelque chose pour une activité. Ce qu'il n'aimait pas, par contre, c'était d'acheter un équipement de ski et qu'on fasse du ski de chalet. Papa n'a jamais refusé des choses qui nous tenaient à cœur. Si tu fais quelque chose, fais-le bien, pas juste pour paraître. Faut dire que je n'ai jamais eu l'impression de manquer de quoi que ce soit. On était dans une classe aisée, mais on n'a jamais eu de grand luxe. Papa nous a transmis très jeune la valeur de l'argent et des choses.

ΔΔΔ

Le *Haldys II*

Yvonne Mercier-Bergeron :

— Au cours de l'été 1959, alors que nous faisions du camping au lac Champlain, Henri a fait la connaissance d'un constructeur de bateaux, monsieur Nault. Il disait : « J'ai toujours eu envie de posséder un bateau en acier avec un fond plat. »

Il avait vu ce genre de bateau lorsqu'il travaillait à Prince-Rupert. Alors la commande a été passée et voilà que la construction a commencé à Saint-Vincent-de-Paul, à Laval. Henri s'y rendait tous les jours.

La mise à l'eau s'est effectuée le 27 mai 1960, en compagnie de nombreux invités, dont la marraine, Nicole Germain, qui a lancé officiellement la bouteille de champagne sur la coque du *HALDYS II*, nom formé des premières lettres des enfants, d'Henri et du mien. (Éric n'était pas encore né.)

Il y avait pas mal de monde ! Nos parents respectifs étaient arrivés du Manitoba, la sœur d'Henri, Liliane, était aussi présente avec son mari Albert Le Grand et leurs cinq enfants, dont le dernier bébé, notre filleule Françoise, née 10 jours avant, soit le 17 mai. Le même jour qu'Henri. Le cousin Émile Bergeron et sa femme Pauline étaient aussi de la fête, ainsi qu'Éliette et Laurent Hardy (réalisateur à Radio-Canada).

Denys Bergeron :

— Le *Haldys II* avait un fond plat, ce qui permettait d'accoster sur les plages, quoique le bateau était en acier, alors il était assez lourd. Mon père avait travaillé à la conception du bateau avec le constructeur M. Nault. J'allais avec mon père le samedi matin, voir où en était la construction. Ça a duré tout un hiver et, au printemps, ça a été la mise à l'eau, le lancement.

On faisait les choses en grand, dans le temps. Mon père était fier de son bateau qui, soit dit en passant, n'était pas très beau. Il avait une drôle de forme, qui a été modifiée l'année suivante. J'avais demandé à mon père pourquoi il avait fait l'arrière du bateau arrondi. Je pense que c'était une mauvaise conception de leur part, mais mon père essayait de trouver toutes sortes de raisons. Mon père ne pouvait pas dire que c'était vrai qu'il n'était pas bien beau.

Alain Bergeron :

— Je me souviens de l'inauguration du bateau. C'était une grosse affaire, tellement grosse qu'ils m'ont oublié ! C'était énorme ! Maman était dans tous ses états, papa était occupé avec le bateau et la ligne de flottaison. Les gens du Manitoba étaient là, on avait nos amis, nous étions costumés en marins avec la casquette de capitaine. Nicole Germain baptisait le bateau. Elle avait lancé la bouteille de champagne sur la coque et la bouteille n'avait pas cassé tout de suite. Ensuite, il y avait eu une réception. Tout cela se déroulait à Saint-Vincent-de-Paul, chez le capitaine et constructeur M. Nault. Alors, tout le monde était tellement énervé qu'on m'avait oublié. J'étais resté dans la maison du capitaine Nault qui était située devant le chantier où il construisait les bateaux.

Sylvain Bergeron :

— Quand on était sur le bateau, à Belœil, c'était la liberté totale. On faisait ce qu'on voulait. On nous laissait aller. Un jour papa m'a dit : « Sylvain, tu peux conduire le bateau. » Alors juste après le pont de l'autoroute 20, il y avait un bout droit sur le Richelieu et c'est à ce moment-là que j'avais pris le gouvernail. Là j'étais fier ! J'avais six ans.

Denys Bergeron :

— À bord du bateau, c'était bien ennuyant ! Ça n'allait pas vite. Lorraine et moi, on s'installait sur le pont, on prenait du soleil. On n'avait pas grand-chose à faire. C'était un moteur diesel relativement bruyant, et ça sentait le pétrole. Non, ce n'était pas des plus agréables, mais le bateau nous a permis de voyager avec nos parents. On pilotait à l'occasion, mais on ne faisait pas l'accostage. On suivait les bouées.

Yvonne Mercier-Bergeron :

— Je n'ai jamais beaucoup aimé faire du bateau. C'était énormément de surveillance, avec les enfants, nous étions plutôt à l'étroit. Avec le bateau, tu tournes toujours en rond dans les mêmes eaux. Henri n'était pas à la retraite. On a pris trois semaines pour se rendre à New York. C'est long, sur l'eau, tu ne te déplaces pas comme en auto. On était toujours à Belœil avec les Quirion (Fernand Quirion, réalisateur à Radio-Canada), les Fluet (la comédienne Janine Fluet et son mari Clément Fluet) et les Mongeau (Jacqueline et Roland).

Sylvain Bergeron :

— Un jour, faute de bateau, on s'est fabriqué un radeau. Ce n'était pas des farces, la garde côtière du lac Champlain nous avait avertis qu'il était interdit et surtout dangereux de naviguer sur le lac avec un radeau.

Papa s'était exclamé : « C'est le bout de la marde ! On avait un 40 pieds et on se retrouve sur un radeau fait de quatre, cinq planches de bois et des rondins ! »

Mais on avait eu du fun !

Lorraine Bergeron :

— Nous étions toujours en confiance avec papa. Je sentais que mon père allait toujours nous en sortir, surtout lorsque nous faisions du bateau. Il était tellement bricoleur qu'il trouvait à tout coup une solution pour un moteur qui tombait en panne, des tempêtes sur l'eau. Il trouvait toujours une façon de s'en sortir. Par contre, nos aventures en motoneige se terminaient souvent mal. Je me rappelle à Sainte-Marguerite, on partait dans le bois et on restait pris en fin de soirée, sans essence. Fallait revenir à pied, chercher de l'essence, et là papa n'était pas content! Les roues de l'auto *spinaient* pas mal! Il était fâché, mais au fond, il était surtout inquiet.

Sylvain Bergeron :

— Papa a eu peur de deux choses dans la vie, premièrement l'eau. Ce n'est pas pour rien qu'il a acheté des bateaux. Je crois qu'il avait toujours peur quand il était à bord. Mais il tenait à montrer qu'il gardait le contrôle. Une seule fois, j'ai senti qu'il n'était pas l'aise. C'était sur le lac Champlain. Là, il a eu peur. Ça brassait, mais il a réussi à ramener le bateau même si je suis convaincu qu'il n'a pas passé au bon endroit. Il ne voulait pas qu'on ait peur. Je dois dire que sur ce plan, il a réussi, parce que dans la famille, personne n'a peur de l'eau. Nous avons tous, sauf Lorraine je crois, suivi des cours de plongée sous-marine. Apprendre à nager, c'était très important. J'avais alors 10 ans.

Denys Bergeron :

— J'ai suivi des cours de plongée à 17 ans. Je crois que c'était un ancien réalisateur de Radio-Canada qui donnait des cours. J'ai commencé avec mon père et j'ai terminé les cours seul. On faisait parfois des sorties de plongée ensemble, au lac des Piles. Je n'ai jamais su que mon père avait peur de l'eau. Je sais qu'il était claustrophobe. Quand il allait sous l'eau, ce n'était pas toujours facile. Au début, c'était dans quelques pieds d'eau. Il n'allait pas vraiment en profondeur. Je me rappelle quand on allait réparer les bateaux sous l'eau, mon père ne pouvait pas y aller. Il s'installait près du bord et gardait la tête hors de l'eau tout en essayant de faire la réparation à l'aveugle. On ne le faisait pas seulement pour notre bateau, mais pour d'autres aussi. Il y avait toujours des incidents, comme des bateaux qui accrochent le fond ou l'hélice qui casse et on y allait avec des gens qui connaissaient la mécanique, comme M. Quirion.

Éric Bergeron :

— Moi aussi, je souffre de claustrophobie, comme toute la famille ! J'avais huit ans et je ne savais pas nager. Je me baignais dans le lac Deligny et je m'accrochais à une bouée, car souvent je passais aisément au milieu. Alors, l'hiver suivant, papa a décidé que je suivrais des cours de natation chez Réjean Lacoursière, que papa avait rencontré lors d'une émission. Le premier cours, M. Lacoursière m'avait mis un petit ballon dans le dos et m'avait poussé dans le 12 pieds ! J'étais traumatisé. J'ai haï ces cours-là ! Après une dizaine de cours, je nageais. L'été suivant, j'ai traversé le lac à Saint-Charles-de-Mandeville. Papa avait une phobie de l'eau et ne voulait pas nous la transmettre.

J'aurais tendance à dire que papa était prudent. Il n'était pas audacieux. Il ne risquait pas beaucoup, comme faire de l'escalade. Il n'était pas très intrépide. Il a toujours eu peur de la moto et il n'était pas question de moto en ville. À la campagne, c'était différent ; on a eu ce qu'on appelait à l'époque des *mini-bikes* et aussi des *Ski-doo*, mais c'était moins dangereux. Papa nous faisait beaucoup confiance, en tout cas avec moi, je ne sais pas pour les autres. J'avais neuf ans et j'avais ma petite moto.

Sylvain Bergeron :

— En ce qui concerne la seconde peur, papa a eu peur pour la langue française. Il a veillé sur elle toute sa vie.

ΔΔΔ

L'Ouest canadien et les voyages

Denys Bergeron :

— Mes parents parlaient souvent de l'Ouest. Le Manitoba, pour eux, c'était l'Ouest. Ils en parlaient en fonction de la famille, des frères et des sœurs qui étaient restés là-bas. On y allait assez souvent quand on était jeunes. Lorraine et moi, on y allait presque tous les étés, Alain également. On a fait souvent le voyage en voiture sur la fameuse Transcanadienne, qui n'était jamais finie. Mes parents ne s'ennuyaient pas du Manitoba, peut-être ma mère un petit peu plus, mais ce n'était pas leur grande préoccupation. Ils étaient plutôt heureux d'être bien installés au Québec et mon père était bien au Québec.

Lorraine et moi, on avait une allocation d'environ 25 sous par jour qu'on avait le droit de dépenser à notre guise. En général, on ne faisait pas des voyages pour nous rendre du point A au point B. On passait souvent par les États-Unis, ça nous rallongeait, mais la route était plus belle. On arrêtait très tôt dans l'après-midi dans les endroits où il y avait des activités pour les enfants, sur le bord d'un lac, une plage. En principe, on prenait quatre à cinq jours pour se rendre au Manitoba.

En général, mon père ne restait pas avec nous longtemps. Il avait un nombre limité de congés, il ne prenait pas un mois de vacances, mais deux semaines. Alors on revenait avec mes grands-parents.

Alain Bergeron :

— Je devais avoir quatre ans. On revenait du Manitoba en voiture après le mariage de l'oncle Jos et de tante Valérie. J'étais avec mon cousin Jean-Pierre Le Grand. Maman était enceinte de Sylvain. À bord, il y avait également Liliane, et papa était au volant. On avait appris un nouveau mot : rococo. On partait à rire comme des malades. On s'est fait menacer plusieurs fois de nous laisser sur le bord de la route. On se taisait jusqu'au prochain rococo. Papa était bien en maudit parce qu'il haïssait les fous rires.

Éric Bergeron :

— J'ai voyagé beaucoup avec eux. On est allé à La Nouvelle-Orléans, très souvent sur la côte est des États-Unis. À 14 ans, je suis allé avec eux à Haïti. Ils m'ont perdu à l'aéroport de Miami.

J'ai eu peur cette fois-là ! Je marchais devant mes parents et, tout à coup, ils sont entrés dans un magasin et moi je continuais à marcher. Lorsque je me suis retourné, ils n'étaient plus derrière. J'ai cherché pendant trois minutes, mais pour moi c'était une éternité. Je ne parlais pas anglais.

C'était toujours intéressant de voyager avec mon père parce qu'on rencontrait toujours des gens fascinants. À Haïti, on avait mangé avec un monsieur très important là-bas. En entrant dans l'hôtel, j'avais remarqué les machines à sous. Le monsieur très chic, tout habillé de blanc, avec la canne et le panama m'avait donné un rouleau de 10 dollars en 25 sous pour que je puisse jouer. Après le repas, nous étions allés au casino. Je me souviens que papa m'avait alors dit : « J'espère que tu ne gagneras jamais au casino, parce que quand tu commences à gagner, tu commences à croire que tu peux faire de l'argent. » Papa n'aimait pas jouer de l'argent.

Denys Bergeron :

— La première maison de mes grands-parents Bergeron que j'ai vue au Manitoba, c'était le bloc. Grand-père avait acheté un immeuble d'appartements à côté de la voie ferrée et mon père allait sarcler. C'était assez grand et tout en bois. Ensuite, ils ont habité une toute petite maison derrière la cathédrale. C'était vers la fin des années cinquante. La maison était assez sombre, il y avait de gros arbres. C'est à cet endroit que j'avais appris la mort de Duplessis. Mais nous n'allions pas souvent chez mes grands-parents Bergeron. Quand on allait au Manitoba, on allait chez mes grands-parents Mercier. Mes grands-parents Bergeron étaient plus austères. On était moins près d'eux. La dernière fois que j'ai vu ma grand-mère, c'était pour ses 80 ans à Saint-Lupicin.

Mon père était un peu comme ses parents. Mon père n'était pas un homme drôle. Il aimait rire peut-être, mais il ne se laissait pas aller. Mon père était un homme extrêmement angoissé. Il fallait qu'il garde le contrôle dans tout ce qu'il faisait. Et lorsqu'il le perdait, qu'il était contrarié, il explosait.

△△△

Un papa sérieux

Sylvain Bergeron :

— Papa tenait à son décorum. Il ne se relaxait jamais, même pas à la pêche. Un soir, j'étais arrivé assez tard au chalet de pêche. Papa avait fait une colère noire parce que je n'étais pas là pour le souper. Il s'inquiétait pour le cuisinier et non pour moi....

Denys Bergeron :

— Mon père et moi, on avait été en campignole, c'est ainsi qu'il surnommait son motorisé, que les Français appellent *camping-car*, jusqu'au réservoir Baskatong pour pêcher. Rendu au chalet de l'oncle André, il avait parlé avec tante Odette, une ancienne professeure. Ils avaient parlé longuement au salon et je me suis dit qu'il faudrait bien aller à la pêche, tout de même.

«Oui, on va aller à la pêche!» a finalement dit Henri.

Pour l'essence, il y avait deux réservoirs portant l'inscription : mélangés. J'ai dû prendre celui qui avait plus d'huile. Y avait de la fumée qui sortait du moteur! Enfin, on est partis dans un nuage de fumée. Quelque temps plus tard, mon père a eu une prise. Il s'est écrié : «Vite la puise, la puise! Ah merde! J'ai laissé la puise sur le quai! Quand même! Ça n'a aucun sens!»

Et moi : «Ce n'est pas grave, sors-le de l'eau!»

Finalement, il a perdu son poisson. J'ai pêché plusieurs fois avec mon père, qui aimait beaucoup la pêche, mais encore là, on ne pouvait pas se défouler, s'exprimer comme on voulait. C'était : «Ah! Toute une prise, hein? Vraiment bien! Ah bravo!»

Éric Bergeron :

— La langue française n'a jamais été une source de conflit
avec mon père. Ce que je trouvais fatigant, c'est que papa
chialait souvent en entendant des erreurs à la radio ou la télé.
Ou bien lorsqu'on entrait dans un restaurant et qu'il y avait de la
musique anglaise. Il est arrivé une fois où mon père a demandé
de changer la musique pour entendre du français. Papa n'a jamais
sacré, je ne l'ai jamais entendu sacrer. Il disait maudit et lorsque
j'étais petit, je le reprenais ! Papa, on ne dit pas maudit !

Denys Bergeron :

— Quand il était en colère, là ça sortait d'une façon un
petit peu plus crue. Je l'ai entendu sacrer à quelques occasions.
Entre autres, un jour à Prévost, mon père avait acheté une
motoneige Alouette dont le pont avait été monté à l'envers.
Il était insulté d'avoir acheté une motoneige défectueuse. Là,
je crois qu'il a perdu les pédales, et il avait sauté à la gorge du
vendeur et l'avait traité de tous les noms. Il avait été particulièrement vulgaire cette fois-là. Ça avait été assez violent d'ailleurs,
parce qu'un employé voulait sauter sur mon père. La police est
intervenue et l'incident s'est réglé sans trop de mal. Mon père
n'aimait pas tellement ça, parce qu'il sentait qu'il perdait le
contrôle. Mon père n'aimait pas perdre le contrôle, parce qu'il
avait toujours l'impression qu'il y aurait une nouvelle qui sortirait
dans les journaux. Son image était extrêmement importante. S'il
y avait eu quelque chose de négatif à son sujet, il ne l'aurait pas
pris. Mais parfois, ça fait du bien de perdre le contrôle, ça libère
les tensions qu'on peut avoir à l'intérieur.

Un jour, Sylvain, sa copine Anne et moi, on s'en va faire de la
motoneige. La motoneige de Sylvain tombe en panne d'essence.
Je reviens au chalet chercher de l'essence. Là, mon père se met
à m'engueuler : « Quand même ! Ta mère a préparé le souper !
Vous n'êtes pas arrivés ! »

Une litanie de bêtises et de conneries interminables, alors je lui dis : « On va régler ça quand je vais revenir. »

Mais au retour, il continue :

— Tu es responsable, ton petit frère…

— Il n'est plus mon petit frère, il est aussi débrouillard que moi, je ne vois pas pourquoi tu me tombes dessus… Y avait pas de raisons de s'inquiéter, on connaît bien le territoire, la journée était radieuse, pas de tempête…

Alors je suis parti en colère. Mon père criait : « Si tu es un homme, tu vas revenir ! »

Il faisait souvent ce genre de sortie qu'on ne comprenait pas tout le temps. Il sortait de ses gongs souvent sans aucune raison. Il encaissait peut-être pendant un certain temps et sa colère tombait sur le premier venu. Dans ces moments-là, ma mère ne parlait pas beaucoup. Elle essayait de minimiser les choses.

La fois suivante, il était tombé sur Sylvain. On était dans un camp de pêche et Sylvain était arrivé tard en soirée, parce qu'il avait fait une bonne pêche et le souper était terminé.

Si mon père avait dit : « J'étais inquiet. » Mais ce n'était pas ça. Il pensait au chef cuisinier. C'était peut-être aussi une question d'orgueil, je ne sais pas. Il prenait sur ses épaules beaucoup de responsabilités qui ne le regardaient pas, dans le fond.

Alain Bergeron :

— L'année de l'Expo a été une année faste pour mes parents. On avait déménagé rue Wiseman. Il y avait toujours beaucoup de monde dans la maison, la famille, des *partys*. La porte était toujours débarrée. C'était, faites votre vie et débrouillez-vous. Je suis allé aux Jeunesses musicales pendant six semaines.

Papa a toujours voulu que je devienne musicien classique. Moi, ce qui m'intéressait, c'était la création plus que l'interprétation, faire partie d'un groupe. Mais papa ne voulait pas que je sois dans un groupe. Il a fallu que je le fasse pendant des années en cachette jusqu'au jour où j'ai décroché un contrat pour le Théâtre d'Aujourd'hui dans la pièce *Commandantur* avec Pierre Collin et Bondfield Marcoux. C'était une pièce avec des chansons, j'avais fait la musique et on jouait sur scène tous les soirs. Alors mes parents étaient venus me voir. C'est sûr qu'ils se doutaient que je jouais dans un groupe. On jouait souvent dans les maisons avoisinantes, c'était la mode d'avoir un vrai groupe dans les salons d'Outremont. Alors, les gens disaient à mes parents : « On a entendu ton fils, l'autre soir, il jouait du blues dans le salon, on a eu *ben du fun*. » Mais mes parents ne m'en parlaient pas. C'est un petit jeu qu'on a joué. On jouait à l'autruche.

Un soir, mes parents sont revenus à la maison par surprise et il y avait plein de monde et beaucoup de fumée ! Ça n'avait aucun bon sens, mais mes parents n'ont rien dit ! Pas un mot ! C'était arrivé, un soir, avec Lorraine. J'avais fait un *open house* et Lorraine était entrée à la maison. Elle était hôtesse de l'air à l'époque. Elle avait fait une crise et jeté tout le monde dehors. Mes parents à ce moment-là avaient le chalet à Saint-Charles, alors je restais en ville. Je n'allais pas au chalet. J'étais peut-être une cause perdue…

Sylvain Bergeron :

— L'hiver, je n'allais pas souvent à Saint-Charles parce que je jouais au hockey. Quand maman revenait du chalet, elle n'avait rien à faire dans la maison. Le ménage était fait, c'était impeccable. Je passais l'aspirateur et rangeait tous les *cossins* ! J'étais entièrement libre, j'avais la maison à moi, mais je n'en ai jamais abusé. Je n'ai jamais fait de *party* comme Alain. Quand c'était le cas, je faisais le *bodyguard*. Personne n'avait le droit de monter à l'étage. Je m'installais dans l'escalier et y a pas un chat qui s'essayait ! Ça niaisait pas fort avec moi. J'avais alors 14-15 ans. La seule qui a passé, c'est Lorraine ! J'aurais peut-être dû l'envoyer dans le *party* ce soir-là ! Elle n'était pas de bonne humeur !

ΔΔΔ

Le chalet

Yvonne Mercier-Bergeron :

— C'est un peu grâce à Pauline et Émile Bergeron (petit-cousin d'Henri) si on a acheté le chalet à Saint-Charles.

On a passé plusieurs fins de semaine chez eux. Un jour, pendant qu'Henri et Émile étaient partis à la chasse, Pauline et moi, nous avons fait une randonnée pédestre jusqu'au lac Deligny. Il y avait une belle maison à vendre justement sur le lac. Je ne sais pas pourquoi, mais j'ai eu le coup de foudre en me disant qu'elle plairait également à Henri.

Le lendemain, Henri y est retourné, cette fois avec mon père pour que celui-ci fasse l'état des lieux. La propriétaire était veuve et tenait à vendre le plus tôt possible. L'affaire a été réglée rapidement pour la somme de 11 000 $. Et dès la semaine suivante, bien sûr, on recevait.

Éric Bergeron :

— Mon père a toujours eu un bon jugement. À Saint-Charles, j'avais un copain qui exerçait une mauvaise influence sur moi. Mon père voyait bien qu'il n'était pas un bon ami. Il me l'a dit et j'ai protesté. «Tu vas t'en rendre compte un jour.»

Il m'a laissé la responsabilité de faire ma propre expérience et, effectivement, quelque temps plus tard, c'était fini. Mon père avait beaucoup de tact. Il n'était pas revanchard ou mesquin.

Sylvain Bergeron :

— Quand j'ai annoncé à mes parents que je divorçais, papa a dit : «Ça fait six ans que je m'attends à ça.» C'est la seule chose qu'il a dite. Il avait ça sur le cœur depuis longtemps. Mes parents ont toujours été très discrets quant à nos relations personnelles. Ce n'était pas leur vie, mais la nôtre. Il fallait qu'on fasse nos propres expériences. En disant cette phrase, cela voulait dire qu'il était content que je me sois rendu compte de la situation dans laquelle je vivais. Papa s'en était aperçu avant et moi je ne le voyais pas.

ΔΔΔ

L'anglais et la politique

Éric Bergeron :

— Je n'avais aucun ami anglophone et on ne parlait jamais anglais chez nous. En fait, le seul ami anglophone était un juif, Sheldon, qui habitait de l'autre côté de la rue. Il parlait très bien français, je le lui avais appris !

À 10 ans, je devais apprendre 2 poèmes en anglais. J'avais de la difficulté et je retardais intentionnellement le travail. Mon père avait tranché : « Là ça suffit. Tu vas dans ta chambre et tu l'apprends. »

Il n'y avait plus de discussion. J'ai retenu ma leçon et j'étais fier d'avoir appris mes maudits poèmes. J'avais aussi appris le sentiment du travail accompli.

Lorraine Bergeron :

— Comme mes parents étaient bilingues, ils faisaient le pont entre les francophones et les anglophones du quartier, à Ville Saint-Laurent. C'est d'ailleurs à ce moment-là que j'ai appris à parler anglais, parce que le français était omniprésent à la maison. L'effervescence nationaliste est venue plus tard.

Éric Bergeron :

— Je crois que papa était un souverainiste mou. Il se donnait une prestance, mais au fond il souffrait d'insécurité. Il était pour un Québec indépendant et, en même temps, il s'inquiétait du côté économique de l'entreprise. Il n'aimait pas les radicaux, comme Bourgault, par exemple. Il préférait les idées d'un René Lévesque. Il ne tenait pas à s'afficher. Il était un peu plus de gauche que de droite. Les programmes sociaux étaient importants à ses yeux. Mais je ne parlais pas beaucoup de la politique avec mon père. En fait, mon père parlait beaucoup, mais il ne se confiait pas. Il ne m'a jamais parlé de ses angoisses. Il ne m'a jamais demandé mon opinion sur une préoccupation qu'il avait, peut-être à cause de notre différence d'âge, bien que je considère que j'étais près de lui. Mais mon père fait partie de cette génération d'hommes qui ne se confient pas, qui ne parlent pas de leurs sentiments. C'était considéré comme une faiblesse. Mais papa communiquait sûrement plus que d'autres de sa génération. Il n'était pas fermé.

Lorraine Bergeron :

— Papa a sûrement été déçu et a eu certainement des inquiétudes concernant mon mariage avec un anglophone. Cependant, il a quand même constaté que j'élevais mes enfants de façon très francophone. Nos parents ont toujours respecté nos choix et lorsque nous avions des problèmes personnels, on les réglait nous-mêmes et ils étaient mis devant le fait accompli. Je ne l'ai fait qu'une seule fois et je n'ai pas aimé la réaction de papa : « Tu vas faire ça, tu vas le mettre dehors… » Ce n'est pas ce que je voulais entendre, je voulais juste une écoute. Au fond, je savais quoi faire.

ΔΔΔ

Les gestes d'affection

Éric Bergeron :

— Je ne suis pas quelqu'un de *colleux*. Je n'aime pas qu'on me touche et je ne touche pas les gens. Mon père était un peu comme ça, mais sans doute un peu moins que ma mère. Alors entre eux, c'était la même chose. Je n'ai jamais vu mon père faire un câlin à ma mère. Par contre, j'ai vu systématiquement mon père embrasser ma mère à son départ et son arrivée à la maison. Mais je ne les ai jamais vus s'embrasser dans un autre contexte. Je n'ai jamais vu mon père mettre sa main sur l'épaule de ma mère pour la caresser. Je suis comme ça dans la vie, et cela vient sans doute d'eux. Je me le suis fait souvent reprocher par mes blondes.

Je suis convaincu d'une chose cependant, mes parents s'aimaient beaucoup, mais ils ne l'ont jamais démontré. Je n'ai jamais entendu mon père dire je t'aime à maman et vice-versa. Ils n'avaient pas ce genre de relation-là. Pour eux, c'était clair, c'est comme ça, on est bien et heureux ensemble et on n'a pas besoin de le dire autant et de se le répéter. Il n'y a jamais eu de périodes difficiles entre eux, en tout cas, je ne m'en souviens pas. Je crois qu'ils avaient une relation amoureuse et cérébrale, mais non démonstrative. Jamais ils n'ont eu de disputes en ayant dans la tête de partir. Ça n'a jamais été une option ni pour l'un ni pour l'autre. Je me plais à croire que mon père n'a jamais eu de maîtresse. Je sais que dans ma vie de couple c'est comme ça, et je pense que nos parents nous l'ont transmis. Je n'ai jamais douté un seul instant de leur amour.

Denys Bergeron :

— Mon père était affectueux sans être démonstratif. Il était très fier et très heureux quand on avait un bon résultat scolaire ou une réussite quelconque. Je n'étais pas près de mon père, dans le sens que, lorsqu'on allait quelque part, il nous emmenait, mais on ne faisait jamais l'activité seul avec lui. Il y avait toujours du monde, comme sur le bateau, ou bien à la cabane à sucre. On suivait, on découvrait des choses, mais c'était normalement en groupe.

Lorraine Bergeron :

— Papa était un homme de cette génération qui ne montre pas ses sentiments, sa vulnérabilité, ses inquiétudes. La seule fois où j'ai vu mon père pleurer, et encore là, il faisait semblant, j'avais cinq ou six ans et je refusais de prendre un médicament. Mes parents avaient tout essayé. Mon père avait alors dit en pleurant : « Mais qu'est-ce qu'on va faire ? Tu ne veux pas prendre ton médicament ? »

Là, ça m'avait tellement touchée, je croyais qu'il pleurait vraiment, si bien que j'avais accepté de le prendre. J'avais été bouleversée de voir mon père pleurer, mais je sais que c'était un jeu. Ce n'était pas naturel pour lui de pleurer. Les hommes de sa génération ne parlaient pas de leurs sentiments. Même pas ma mère ! On n'est pas des gens démonstratifs, des gens excessifs.

Alain Bergeron :

— Papa ne faisait pas beaucoup de compliments et, en même temps, pas beaucoup de reproches. J'ai eu des problèmes avec papa parce que j'avais l'impression qu'il ne me disait même pas bonjour. Il était très distant. Il était très préoccupé par son travail. Je dirais que ça a commencé après l'Expo, après le défilé de la Saint-Jean quand les annonceurs ont perdu un peu de leur lustre. Ça a été un coup dur. Les annonceurs à l'époque étaient les grandes vedettes et les journalistes ont pris la place des animateurs, les chanteurs ont fait la même chose. Papa sentait qu'il y avait un changement à Radio-Canada et il fallait qu'il trouve sa place. La politique de Radio-Canada était assez ambiguë à ce moment-là. Ça n'a pas été facile pour lui. Nous, on en était plus ou moins conscients, puisque papa n'en parlait pas. Et s'il en parlait, c'était des déclarations du genre : « Ah ! les journalistes vont prendre toute la place. » Il était pris par ses préoccupations. Il avait moins de temps pour s'occuper de nous. Mais papa ne se confiait jamais. Peut-être à maman, mais pas à nous.

Denys Bergeron :

— En ce qui concerne le défilé de la Saint-Jean, moi je trouve que papa avait les blessures assez faciles. À l'époque, les fonctions étaient très segmentées, alors ses responsabilités n'étaient pas celles des journalistes, mais bien celles d'un animateur, d'un annonceur. Mon père se qualifiait comme un annonceur beaucoup plus que comme un journaliste. Il ne pouvait pas jouer le rôle de journaliste parce que ce n'était pas cette option-là qu'il s'était lui-même donnée. Alors je ne vois pas pourquoi il est sorti de cette aventure-là blessé. J'étais allé le chercher à la station de métro Laurier et il m'en avait parlé. Il n'était pas entré dans tous les détails, mais il était quand même assez bouleversé d'avoir vu les émeutes. Ce ne sont pas des choses auxquelles tu es habitué. Il avait dit que son travail n'avait pas été facile, mais il ne m'a pas parlé précisément du fait qu'on lui avait interdit de décrire les incidents. Faut dire que je n'étais sans doute pas intéressé à en savoir davantage. Pour nous, il ne semblait pas y avoir de problème.

Je n'ai jamais ressenti le besoin de me démarquer de mon père. Mon père m'a appris le métier d'annonceur, d'animateur. C'est ce qu'il m'a inculqué du côté professionnel qui m'a le plus influencé. Ce n'est pas ce qu'il me disait, mais c'est dans la façon qu'il procédait. Il m'encourageait sans trop me pousser à rester à l'emploi de Radio-Canada. J'avais eu de relativement bonnes notes de la part de l'annonceur-conseil Raymond Laplante. Ce que j'ai su plusieurs années plus tard est que mon père écoutait toutes mes auditions. On faisait des émissions qu'on envoyait sur ruban à Montréal et mon annonceur-conseil Raymond Laplante y laissait ses commentaires, ce que je devais faire et ne pas faire. Je sentais que mon père portait beaucoup d'intérêt à ce que je faisais et, jusqu'à un certain point, il en était fier aussi. Il a été déçu lorsque j'ai quitté Radio-Canada. Il ne comprenait pas très bien les raisons de ma démission.

J'ai démissionné de Radio-Canada non pas parce que je n'aimais pas la boîte, mais parce que j'avais l'impression qu'on m'avait parqué à Windsor. Si je pouvais y faire les 15 prochaines années, on serait très heureux. J'essayais depuis un certain temps de me faire rapatrier au Québec. Je pense que mon père l'a compris par la suite, parce que lui-même s'occupait de plusieurs annonceurs en région et se rendait compte qu'effectivement, ils devaient démissionner de Radio-Canada pour mieux revenir au Québec. Mon père comprenait aussi que mon avenir n'était pas à Windsor ni ailleurs. C'était au Québec que je voulais travailler.

Il était attentif à nos besoins, mais à sa façon. Il a réalisé qu'on se prenait en mains, on se débrouillait. Il nous a élevés dans le but de nous rendre autonomes et indépendants.

ΔΔΔ

Les choses de la vie

Sylvain Bergeron :

— Papa m'a expliqué les choses de la vie quand il a fait son disque sur la sexualité. J'avais 12-13 ans. «Sylvain, il faut qu'on se parle.»

Alors on est allés au sous-sol parce que le tourne-disque y était. J'ai écouté le disque avec papa.

— Y a-t-il des choses que tu n'as pas comprises ?

— J'ai juste une question. Y a un mot que j'entends souvent. (Je savais ce que le mot voulait dire, mais fallait bien que je me trouve une question, comme au confessionnal!) Qu'est-ce que ça veut dire *fuck* (surtout que ce mot-là n'était pas sur le disque ?)

Papa m'avait répondu et il était très à l'aise. Il en avait tout de même passé deux avant !

Le seul moment où j'ai senti mon père gêné est quand je sortais avec Anne Tanguay. Il expliquait qu'on devait garder nos distances, en voulant dire, décollez-vous un peu. J'ai senti un malaise.

Éric Bergeron :

— Non, jamais, je n'ai jamais eu de conversation avec mon père au sujet de la sexualité, encore moins avec ma mère. Faut dire que j'étais assez réservé, et même parfois mal à l'aise lorsque j'écoutais un film avec mes parents où il y avait une scène un peu osée; je ne savais plus où me mettre. Je n'attirais peut-être pas la discussion. La seule fois où mon père a pris le temps de m'expliquer une chose, c'était à propos des sécrétions collantes aux yeux lorsqu'on est grippé.

Denys Bergeron :

— C'était aux funérailles d'une vieille tante ou d'un vieil oncle à Saint-Félix-de-Valois. Je pense que c'était pendant le cortège funèbre où l'on se rendait au cimetière, il m'a expliqué les choses de la vie. Il l'avait fait à sa façon, très officielle : «Il faut que je te parle Denys. Nous allons parler de choses importantes…»

Il le faisait avec une voix très radio-canadienne. On était habitués d'entendre ce ton-là quand il y avait des choses sérieuses à dire.

ΔΔΔ

La critique et l'image publique

Lorraine Bergeron :

— Le seul moment où j'ai vu mon père défait, c'est lors de la sortie du disque sur la sexualité. Pour lui, sa carrière était finie, parce qu'il était Manitobain, il se sentait rejeté par le Québec. Là, je l'ai vu très dramatique. Mes parents ont même réalisé à ce moment-là qui étaient leurs véritables amis. On vivait dans un monde tellement fermé que ces sujets-là étaient encore tabous au milieu des années soixante. C'était la grande noirceur. La critique d'un monseigneur en particulier l'avait démoli. Moi, je trouvais qu'il réagissait beaucoup trop fortement.

Denys Bergeron :

— Un jour, Claude Gingras lui avait fait une mauvaise critique lors d'un concert qu'il avait animé. Il n'acceptait pas la critique. En 1964-1965, il a fait son fameux disque *Ton sexe et l'autre,* qui avait été critiqué même par un monseigneur de Québec. Pour lui c'était une tache noire dans son dossier qui se devait d'être impeccable. Pour mon père, c'était dramatique, sa réputation était en jeu, comme lorsqu'il s'était étouffé avec une gorgée de Coke. C'était la fin du monde, Radio-Canada allait le congédier, il perdrait son contrat avec Coke, il était un homme fini. Mais lorsqu'il a réalisé qu'il faisait le *Time Magazine, Coke'n Choke,* il a été soulagé. Ah oui, son image était très importante.

Sylvain Bergeron :

— Papa était comme un joueur de hockey. Il avait un nom à défendre. Il était habitué d'être adulé, reconnu et aimé.

Denys Bergeron :

— Un dimanche d'été, mes parents sont venus me voir à la colonie de vacances. On est allés dans un restaurant pour le brunch. J'ai commandé un Pepsi. Là, je me suis fait engueuler, enguirlander. Mon père faisait alors la publicité de Coke, donc c'était important ce que les gens allaient penser de lui. Ça sortait assez raide. Au lieu de dire discrètement, tu vas prendre un Coke, c'était : « Quand même ! Ça n'a aucun sens ! Mon fils prend un Pepsi ! »

C'était dramatique, ça n'en finissait pas. Ça a continué pendant le repas. Peut-être qu'il avait raison au fond, mais il n'était pas discret.

Alain Bergeron :

— Papa aimait cette reconnaissance publique, et en même temps il craignait la vulgarité et la familiarité avec les gens. Papa ne serait jamais allé à la plage publique de Plattsburg. On allait plutôt à la plage de Saint-Armand, fréquentée surtout par des Américains. Papa n'avait rien contre le fait de rencontrer les gens. Il n'était pas snob. Au contraire, il allait au-devant des gens. Mais il évitait les familiarités. Il tenait ses distances. Mes parents étaient amis avec des Bédard. Lors d'une soirée, il y a quelqu'un qui a joué un tour à papa. Il a bloqué sa voiture pour qu'il ne puisse pas sortir. «*Envoye* Henri, reste donc avec nous autres!»

Papa n'aimait pas les mauvais tours, les farces plates. Après cette soirée, ça a été fini avec les Bédard. C'est ça qu'il fuyait, cette familiarité qui venait avec la popularité.

Ce n'était pas une question d'image parce qu'en camping, il s'habillait comme tout le monde, il aimait se mettre les mains dans le moteur, la graisse. Il tenait cependant à garder le contrôle, et il évitait les groupes où les gens auraient pris le dessus.

Éric Bergeron :

— Papa assis à la table de la cuisine était le même que celui qu'on voyait à la télé. Ça dérangeait parfois certaines personnes, car il était toujours un peu protocolaire, mais ça ne m'a jamais dérangé parce qu'il était comme ça. Papa ne portait pas de masque, il ne jouait pas un rôle, il n'était pas différent dans l'intimité avec ma mère. C'était lui. Il s'est créé cette personnalité-là à cause de la télévision.

Sylvain Bergeron :

— Pour papa, il fallait qu'il y ait un certain décorum, une marche à suivre. Si le *party* virait autrement, papa ne suivait plus. Il avait de la difficulté avec ça. Il devait garder le contrôle. Ah! Des soupers gâchés, y en a eu! C'était comme un scénario déjà écrit.

△△△

Les discussions

Alain Bergeron :

— On discute à propos de tout et de rien. On est comme ça, on veut avoir raison à tout prix. On veut absolument convaincre les autres. C'est très Bergeron. Denys dit toujours qu'il faut être diplomate. Mais je pense qu'on est tous de très mauvais diplomates. Il est arrivé des chicanes avec Sylvain, et après on est tous très malheureux.

Sylvain Bergeron :

— Une fois, j'ai pété les plombs. D'habitude, c'était toujours les autres, mais cette fois-là, c'était moi. On avait un repas chez Alain pour Pâques et on était arrivés en retard. Déjà, ça commençait mal. Mais pour papa, il fallait toujours être là. Et le plus drôle, c'est que le seul qui ait toujours été présent dans les soupers et les fêtes, c'est moi. Les autres avaient toujours des excuses. Ah non, ils sont allés dans le Sud, ils sont fatigués ! Moi, je suis le gars qui n'est jamais fatigué. Ai-je le droit d'être fatigué ?

Oui, s'il y en a un qui est allé à tous les *partys* c'est bien moi, même si je n'ai jamais aimé Noël, parce que je n'aime pas les cadeaux. J'aime mieux en donner qu'en recevoir. Peut-être parce que j'ai toujours été déçu. Alain m'a déjà donné un cellulaire jouet, en plastique. Je n'avais pas réagi, j'en avais ri. Tu vois, j'ai toujours désiré certaines choses que je n'ai jamais eues. Moi, j'étais sportif, alors j'aurais aimé avoir un ballon de football, mais un vrai. Non ! Je recevais toujours des pyjamas ! À 14 ans, mes parents m'avaient donné un ballon de foot en plastique. Je l'avais jeté aux vidanges.

C'est bizarre ! On avait des bateaux, on a fait de la plongée, du ski, mais c'est papa qui voulait ça. Papa ne connaissait rien au sport. Il n'est jamais venu me voir jouer au hockey. Si, peut-être deux fois, c'est tout! Au fond, c'est correct. Je n'allais pas jouer pour mes parents, mais pour moi. Il ne comprenait pas le jeu. Il n'a jamais compris ce que je faisais dans la vie, d'ailleurs. Un jour j'ai demandé à papa pour quelle compagnie je travaillais. Il n'a pas été capable de le dire. Pourtant, je travaillais depuis 10 ans pour la firme d'ingénieurs de l'oncle de ma femme, Pierre Tanguay, l'un des quatre associés.

Éric Bergeron :

— On aime discuter, mais je pense qu'on discute mal. On aime s'emporter. Pour ma part, j'essaie d'éviter ça, parce que je ne suis pas un gars de conflit. J'aime discuter. C'est pour ça que je dis qu'on discute mal, le ton monte, il faut absolument avoir raison, il faut que l'autre change d'idée, nous prenons souvent des positions très opposées. Il n'y a pas de subtilités, c'est blanc ou noir, alors que la vie ce n'est pas ça, c'est souvent gris et faut apprendre à jouer dans ce ton-là. Pour papa, c'était comme ça, il s'enflammait sur un truc pour le plaisir de la discussion, tout comme Alain. Souvent Denys commence en s'amusant et il se prend à son propre jeu et se met en maudit. Alors je me demande s'il est sérieux ou pas. Maman a souvent dit : «Encore un souper de gâché!»

J'acceptais ma position dans la famille. Je laissais passer les autres avant. Quand j'étais avec papa quelque part, je le laissais faire à sa façon, alors que les autres s'essayaient. Je ne me suis jamais *pogné* avec mon père comme Denys ou Alain.

Alain Bergeron :

— On l'avait encore une fois affronté et il avait quitté la table. C'était au moment où il voulait vendre la maison, rue Wiseman. Financièrement, elle coûtait très cher, on était presque tous partis de la maison, sauf Sylvain et Éric. Le comptable avait suggéré d'acheter un duplex avec revenus. Mais maman était très attachée à la maison familiale. Papa n'expliquait pas toujours les choses clairement, alors il était un peu gauche. Maman pleurait et j'avais affronté papa. Alors, il s'était emporté. Il était toujours explosif dans ces moments-là. Il était revenu à la table en pleurant.

Lorraine Bergeron :

— J'ai affronté mon père une seule fois devant la famille, qui était étonnée de mon comportement parce que ce n'est pas dans ma nature de prendre le plancher. Il me poussait à lui dire le fond de ma pensée et il m'a répondu : «Ça t'a pris 20 ans pour le sortir?»

Alain Bergeron :

— Dans les fêtes de famille, c'était papa qui était l'*entertainer*. Quand c'était quelqu'un d'autre, il n'aimait pas ça.

Sylvain Bergeron :

— Papa voulait garder le contrôle. Je faisais le bouffon, mais pas trop, parce que papa voulait être la vedette. Ce n'était pas dans ma nature d'affronter mon père.

Denys Bergeron :

— J'avais pris la voiture de ma mère sans permission. J'avais 13-14 ans. Mais c'était la deuxième fois que je me faisais prendre. La première fois, j'avais 12 ans. Mais pour la seconde fois, mon père était vraiment furieux, à juste titre d'ailleurs, parce que j'avais été me promener sur le Métropolitain sans permis.

Alain Bergeron :

— Denys a forgé mon caractère parce qu'il se moquait de moi. J'avais de l'acné. Lui aussi en a eu, mais là, c'était mon tour. Il me disait : «Cette nuit, j'vas t'casser la gueule!» Je dormais quand même! Il me le disait avec un petit sourire en coin.

Denys Bergeron :

— Non, je n'ai jamais dit : «Cette nuit, j'vais venir te casser la gueule.» Je disais : «Aimerais-tu ça te faire réveiller dans le milieu de la nuit avec un coup de poing sur la gueule ? » Je ne sais pas pourquoi je disais ça. C'était mon sens de l'humour quand j'étais jeune. On dormait dans la même chambre. J'étais le grand frère et il fallait que je démontre ma supériorité.

Alain Bergeron :

— Mais c'est peut-être normal. Tu as besoin de te confronter aux autres. Sinon, tu te confrontes à tes parents. C'est ce qui manque peut-être aux enfants uniques. Éric n'a pas eu ça, et c'est la raison pour laquelle il a demandé à être pensionnaire. Pourquoi Éric affrontait-il souvent papa ? Il remettait en question les affirmations de papa et c'est normal, parce qu'il n'avait personne d'autre. Tandis que nous, on s'obstinait les uns les autres.

Éric Bergeron :

— Papa m'a laissé discuter avec lui. Je n'ai pas été contestataire ni révolutionnaire, j'étais un enfant tranquille, mais je me souviens effectivement que je discutais beaucoup avec mon père. Pour arrêter la discussion, maman disait souvent à papa : « Donne-lui donc raison ! Dis donc comme lui ! »

On faisait ça dans le motorisé. Je me rappelle la discussion à propos du fameux Chesapeake Bridge Tunnel (pont-tunnel qui traverse la baie de Chesapeake et qui relie la partie est de l'État de la Virginie à Virginia Beach, près de Norfolk, aux États-Unis) qui faisait 17,6 milles. Papa disait que la plus longue partie faisait 16 milles. Moi, je disais qu'il y avait une toute petite île artificielle et que ça ne comptait pas. Bref, papa avait eu la même discussion avec Sylvain quelques années avant.

Jusqu'à l'âge de 20 ans, je demandais conseil à papa. Je parlais des décisions que j'avais à prendre. Après, non, parce que je n'avais pas l'impression qu'il comprenait le monde dans lequel j'étais, les problématiques que je vivais, et papa n'était pas une personne qui écoutait beaucoup. Il avait comme des espèces d'automatismes, des grandes réponses. On était rendu trop loin. J'étais déconnecté.

Denys Bergeron :

— Souvent, mon père me posait la question : «Alors Denys, comment vas-tu?»

Je n'avais pas fini de répondre qu'il posait une autre question ou il parlait à quelqu'un d'autre. Il ne démontrait pas beaucoup d'intérêt. Si tu lui posais des questions sur la langue française ou sur un sujet qui l'intéressait, c'était une réponse qui ne finissait plus.

Éric Bergeron :

— En ce qui me concerne, le départ de Wiseman, c'était la première fois que je déménageais, alors pour moi, c'était nouveau. J'étais plutôt ravi parce que dans le coin d'Hartland, il y avait des filles, alors que sur Wiseman, il n'y en avait pas! Ça a été le début d'un apprentissage. J'avais alors 11 ans et c'était le bon moment. Ce dont je me souviens, ce n'est pas l'attitude de mon père, mais bien celle de ma mère. Elle a fait une petite déprime, elle pleurait et quand elle se réveillait, elle affirmait qu'elle ne voyait qu'un mur dans sa chambre. Maman n'aimait pas cette maison-là. Et pourtant, c'est à cet endroit où elle est restée le plus longtemps. Maman s'ennuyait de sa maison rue Wiseman. Mais moi, j'étais trop jeune pour comprendre ça. Mon père était content du déménagement.

En ce qui concerne le pensionnat, mes parents n'étaient pas d'accord. Je pense que ça a été très difficile pour ma mère. Papa devait se dire que c'était une bonne transition entre la maison et le jour où je la quitterais. Maman avait le cafard quand je partais, le dimanche soir. Mais je crois que ça a été une bonne chose, car ils se sont retrouvés seuls durant la semaine. J'ai été pensionnaire pendant trois ans.

Je considère que j'ai été chanceux. J'ai vécu une vie de famille, mais j'ai été élevé comme un enfant unique. Jusqu'à l'âge d'environ 10-12 ans, je me souviens de la famille et après ma jeune adolescence, je me sentais fils unique parce que tout le monde était parti de la maison.

Je me suis senti très choyé. J'ai eu beaucoup d'amour, on m'a apprécié et on s'est occupé de moi. Mon père m'a toujours dit : « Un jour tu seras premier ministre du Québec, alors je pouvais espérer n'importe quoi. »

ΔΔΔ

La campignole

Yvonne Mercier-Bergeron :

— Henri devait toujours s'occuper à quelque projet nouveau. Eh bien, il a trouvé la roulotte. C'était bien la seule chose que l'on n'avait encore jamais fait ! J'ai beaucoup aimé notre premier motorisé. La roulotte était très fonctionnelle avec un espace au-dessus de la cabine à l'avant du véhicule. C'était l'endroit où nos petits-enfants dormaient.

Pendant plus de 20 ans, nous avons fait de nombreux voyages en motorisé vers l'Arizona, le Mexique, la Californie, l'Ouest canadien et finalement la Floride. Je tenais toujours un journal de voyage et je m'amuse à relire, encore aujourd'hui, des passages épiques de ce merveilleux temps passé en campignole avec Henri. Il nommait ainsi le motorisé, et il aurait été tellement fier de voir ce mot homologué dans les dictionnaires.

En ce qui concerne notre premier voyage important, au début de la retraite d'Henri en 1986, nous avons été vers la Louisiane, l'Arizona, la Californie et le Nevada, en compagnie de Marcel et Évelyne Sicotte. Marcel Sicotte avait animé avec Henri les émissions Apollo, et il venait également de prendre sa retraite.

Après avoir visité la Louisiane, nous sommes partis en direction de l'Arizona où vivaient depuis plusieurs années Louis Masson et sa femme Rosa. Puis ensuite, nous avons pris la direction de la Californie, où vit toujours la sœur d'Henri, Louise. Sur le chemin du retour, nous sommes allés saluer Pauline Simon, la sœur d'Yvonne Simon-Hébert (une cousine), à Saint-Louis,

Missouri. Avec eux, nous avons visité cette ville magnifique avec ses musées, sa cathédrale. Ils connaissaient très bien leur ville. Malheureusement pour Pauline, elle a vécu deux drames presque coup sur coup. Son mari a souffert de la maladie d'Alzheimer et, au même moment, sa fille est décédée d'une tumeur au cerveau, tout comme Robert, le fils de Gertrude (sœur d'Henri). Elle demeure toujours là-bas parce que son fils y vit également. On s'écrit toujours aux fêtes de Noël.

ΔΔΔ

La fin des *Beaux Dimanches*

Denys Bergeron :

— J'avais rencontré Michel Chamberland alors directeur des variétés à Radio-Canada, concernant une émission avec Ginette Reno. Au cours du lunch, Michel m'informe que l'émission *Les Beaux Dimanches* allait continuer, mais la façon de la présenter dans sa forme classique avec mon père à l'écran était retirée des ondes. On allait désormais présenter *Les Beaux Dimanches* d'une façon plus dynamique, plus moderne, avec une infographie plus contemporaine. Je me souviens que l'infographie avait été réalisée dans les studios d'André Perry, à Morin Heights. Et la voix hors champ était celle de Normand Séguin. Ainsi, c'était la voix de Normand qui finalement remplaçait Henri dans le cadre des *Beaux Dimanches*. Cela étant dit, j'ai dit à Michel : « Écoute, ce n'est pas à moi de dire à mon père que *Les Beaux Dimanches* allaient être terminés en ce qui le concernait. C'est plutôt à quelqu'un de Radio-Canada. Si ce n'est pas toi, quelqu'un d'autre. »

Je comprends que la hiérarchie radio-canadienne était assez découpée, Michel Chamberland était directeur des variétés, il y avait un directeur des dramatiques, un directeur des programmes, alors dans quel cadre rentrait *Les Beaux Dimanches*, c'était difficile à définir. C'était une plage horaire où l'on présentait des variétés, des dramatiques et de la musique classique et populaire, alors c'était un mélange de toutes sortes de genres. C'était peut-être la responsabilité du directeur des programmes, comme c'était peut-être celle de la réalisatrice des présentations. Mais ce n'était rien de dramatique que d'informer Henri Bergeron que ses présentations à l'émission allaient se terminer.

Après 17 ans, c'était tout à fait normal d'avoir un changement quelconque. Était-ce un changement nécessaire ou non ? Je n'en ai aucune idée. Mon père avait l'impression que ça allait durer jusqu'à sa retraite, et il n'était pas prêt à la prendre à ce moment-là. Il se voyait un petit peu comme le Walter Cronkite des *Beaux Dimanches*. S'il avait pu continuer l'émission jusqu'à 75 ans, il n'aurait fait que ça. Mais, il ne faut pas oublier que le changement dans la présentation des *Beaux Dimanches*, il fallait que ça se fasse.

Mon père l'a pris d'une façon un petit peu dramatique. Ce qui le blessait, ce n'était pas la disparition de ses présentations mais la façon plutôt cavalière que Radio-Canada avait pris pour lui annoncer la chose. Au fond, je pense qu'il était blessé parce qu'il disparaissait en quelque sorte de l'écran télévisuel hebdomadaire québécois. Je pense que c'est surtout ça, qui l'a blessé. Ce qui était tout à fait normal pour un homme de son envergure.

Je ne vois vraiment pas comment mon père a pu percevoir d'une façon aussi négative le fait de se faire informer par... je ne sais plus trop qui l'a fait, de la disparition de sa prestation des *Beaux Dimanches*. Je ne vois pas comment ça a pu le blesser tant que ça. Je pense que ce n'était qu'une excuse, une échappatoire finalement, parce qu'il était déçu de ne plus être à l'écran.

Lorraine Bergeron :

— À la soixantaine, mon père a vécu une période où il était très nerveux, très anxieux. On ne pouvait pas le prendre avec des pincettes. Il était près de la retraite. J'ai toujours pensé que c'est Radio-Canada qui tenait à ce qu'il prenne sa retraite, mais je pense que c'était plutôt mon père qui insistait.

Un peu plus tard, vers 68-69 ans, mon père s'est assoupli. Certaines choses n'avaient plus autant d'importance qu'avant. Il prenait la vie plus calmement, sans doute parce que les pressions habituelles étaient tombées. Il jouait aux cartes, lui qui n'avait jamais fait ça avant.

Denys Bergeron :

— Mon père n'a pas pris sa retraite après son retrait des *Beaux Dimanches*. Il l'a prise quelques années plus tard. Tu deviens tellement identifié à un rôle que cela joue contre toi, mais celui qu'il tenait dans *Les Beaux Dimanches* n'était pas du même ordre qu'un rôle comme Séraphin, dans une série lourde. Ces rôles-là sont coupe-gorge.

Quand, en 1985, est arrivé le moment de prendre sa retraite anticipée de Radio-Canada, mon père était prêt. Il avait alors 60 ans. Il y a été poussé, jusqu'à un certain point, par la société, ce qui est tout à fait normal. À un moment donné, il faut renou-veler le personnel, alors c'est normal de pousser les oisillons hors du nid. On lui a proposé la retraite à plusieurs reprises avant qu'il n'accepte et c'est le cas de bien des employés. Faut dire aussi que c'est un très bel âge pour prendre sa retraite. Il faut ajouter qu'il n'a pas vraiment pris une retraite. Il a quand même continué à faire des choses, mon Dieu, presque jusqu'à sa mort. Il s'est peut-être calmé, mais il ne s'est pas amusé. Mon père, au départ, n'était pas un homme drôle.

Alors à la retraite, il a décidé d'écrire, fallait qu'il écrive. J'étais descendu seul en Floride et, en arrivant à leur emplace-ment, au parc de motorisés, mon père était installé sur le bord de son pneu de secours, à une table et tapait à la machine. Je pense qu'il ne s'est même pas levé. J'ai pris un café avec ma mère dans la campignole et après un maudit bon bout de temps, il s'est levé et a dit : « Bon ! C'est quand même passionnant écrire ! »

C'était un homme tellement discipliné, il s'était sûrement fixé l'objectif d'écrire jusqu'à une certaine heure, alors même si je suis arrivé à l'improviste, il a continué son travail. Il aurait pu arrêter pendant une demi-heure. C'est dans ce sens-là que je dis que même à la retraite, ce n'est pas un homme qui a dérogé à la discipline à laquelle il s'est toujours astreint. Son émission commençait à telle heure et il fallait qu'il soit sur place. C'était un monsieur charmant, très gentil, qui parlait à tout le monde, mais on disait de lui que c'était un « Monsieur ». Alors dans un *party*, à la pêche, ce n'est pas ce qui est des plus amusants. Ce n'est pas le père de famille qui va faire des blagues.

Alain Bergeron :

— Je dirais que papa s'est assagi après la retraite de Radio-Canada. Il était heureux d'avoir quitté cette boîte-là. Il a continué à travailler, à donner des cours. Même lorsqu'il s'est impliqué dans Radio Ville-Marie, il y a eu des affrontements, et il a quitté en se disant qu'il n'avait pas besoin de ça. Alors qu'il ne pouvait pas faire la même chose quand il était à Radio-Canada. Il avait été pris dans un carcan et il ne voulait pas revivre ça ailleurs. Papa était très libre, vers la fin. S'il n'était pas d'accord sur certaines choses, dans les fêtes de famille, il ne s'emportait plus, il laissait faire.

Éric Bergeron :

— J'ai quitté la maison l'année de sa retraite de Radio-Canada (1985). On a fêté papa à plusieurs reprises. J'ai l'impression qu'il était plus calme qu'avant. Je me rappelle lorsqu'il prenait un verre avec Pierre Chouinard (animateur à la radio de Radio-Canada, décédé en 1983) à Saint-Charles, il se fâchait en disant que les artisans de Radio-Canada avaient mal fini leur carrière. Ils étaient un peu aigris. La retraite l'a libéré de ça. Le fait de passer à autre chose a été salutaire.

Denys Bergeron :

— Mon père aurait bien aimé à sa retraite obtenir un poste honorifique, comme sénateur ou commissaire au CRTC (Conseil de la radiodiffusion et des télécommunications canadiennes). Il m'en parlait assez souvent. C'était le genre de fonction qu'il aurait aimé. Il a effectivement été sur une *short list*, vers la fin des années quatre-vingt, début quatre-vingt-dix. L'un de ses avantages, c'était qu'à chaque présentation officielle qu'Henri devait faire lors des grands reportages, la visite de la reine par exemple, il y avait toujours une enquête de la Gendarmerie Royale concernant mon père, sur le plan de la sécurité, à cause des gens qu'il allait interviewer. En règle générale, ces enquêtes étaient toujours très bonnes, on avait rien à lui reprocher. Il avait été même pressenti pour accéder au poste de lieutenant-gouverneur.

Ça a peut-être été une bonne chose, parce qu'au fond, Henri a toujours pris ses rôles au sérieux, tant et si bien que ça n'aurait pas été une retraite bien reposante et agréable finalement, pour ma mère et pour lui. Il s'est alors tourné vers le bénévolat, les Œuvres du cardinal Paul-Émile Léger ou encore Radio Ville-Marie. Et même à Radio Ville-Marie, il a tellement pris ça à cœur qu'il assistait à des réunions, prenait des responsabilités, s'occupait de la formation du personnel et c'était devenu pour lui un travail, alors qu'il aurait dû prendre ça plus *relax*.

Sylvain Bergeron :

— Papa aurait aimé acheter une ferme à L'Acadie (localité sur la rive-sud de Montréal). Il a passé très près de se porter acquéreur d'une ferme avec des chevaux. Mais maman ne voulait rien savoir de l'endroit. Elle lui avait dit, tu achètes ça et tu achètes aussi un condo en ville, et je vais y aller les fins de semaine. Ça a été une grosse déception pour papa. Lui qui a toujours aimé les chevaux et la vie dans une ferme, contrairement à grand-père Bergeron qui détestait la campagne, sauf les chevaux. Il n'aimait pas la terre, mais il adorait les chevaux comme papa qui parlait souvent de son expérience d'avoir conduit un Hannover sur un *selky*. Il en avait joui, tellement il avait adoré ça. Je pense que s'il avait acheté à L'Acadie, il aurait vécu plus longtemps... Il n'aurait plus été en Floride, et il se serait occupé de ses chevaux. Mais maman ne voulait rien savoir. Maman a toujours été une citadine dans l'âme. C'est l'une des rares fois où maman n'a pas suivi. Parce que papa en a demandé à maman : le bateau, le chalet, les roulottes, le camping, mais une belle ferme près de Montréal, c'était non. Je dirais qu'après ça, papa a continué à faire du motorisé, mais sur le *cruise control* (pilote automatique).

Denys Bergeron :

— C'était une fermette sur le bord de la rivière L'Acadie, près de Carignan. Quand Henri a pris sa retraite, il voulait changer sa façon de vivre, se retrouver à la campagne. La fermette à Carignan l'intéressait beaucoup. Mais je sais qu'il voulait y vivre parce qu'il n'a jamais été fort sur les résidences secondaires. L'endroit était près de Montréal. C'est ma mère qui ne voulait absolument pas. «Tu n'iras pas m'isoler dans ce coin-là.»

Alors il a mis une croix là-dessus. Je l'avais visitée avec mon père. Il n'y avait pas un grand terrain, mais c'était très joli sur le bord de la rivière L'Acadie. Il y avait du potentiel en tout cas.

Yvonne Mercier-Bergeron :

— Ce n'était pas vraiment une ferme. C'était une maison que Jos avait vue, qui était située sur le bord de la rivière L'Acadie. Oui, ça aurait pu être un genre de petite ferme, mais il n'était pas question d'acheter là. Henri travaillait encore à ce moment-là. Il faut dire qu'il a travaillé jusqu'à la fin. Il donnait des conférences, il faisait de l'enseignement. Je ne me voyais pas là et connaissant Henri, il se serait ennuyé. C'était trop loin de la ville, loin de tout le monde.

CHAPITRE 7

Le frère et l'ami, sincère et explosif

« Mais qui sait comment Dieu travaille ?
Qui sait si l'onde qui tressaille
Si le cri des gouffres amers
Si les éclairs et les tonnerres,
Seigneur, ne sont pas nécessaires
À la perle que font les mers ? »

Alfred de Musset

**Église Sainte-Madeleine, 10 h 42,
les funérailles se poursuivent.**

Henri :

— C'est merveilleux ! En vous écoutant évoquer tous ces souvenirs, j'ai l'impression de vous connaître davantage. Je me rends compte à quel point vous avez été tellement précieux et combien j'étais fier de chacun de vous. Je vous ai tous aimés, mais sans vraiment vous le dire. Mes mots d'affection et d'amour se traduisaient par des coups de main, mais aussi bien des coups d'éclat. Non, je n'étais pas reposant...

Joseph Bergeron :

— Henri ne pouvait rester en place bien longtemps. Un jour, sur la plage à Ogunquit, Henri était peut-être resté deux ou trois minutes assis sur sa chaise de plage, aussitôt assis, aussitôt parti ! Il était revenu avec des cerfs-volants. Trois minutes, c'était long pour Henri. Il aimait la plage, mais après quelques minutes, il était tanné ! Il était très actif !

Henri était fort sur les bidules, les gadgets. Aussitôt qu'il voyait un nouveau truc à la télé, fallait qu'il l'ait. Comme le truc pour coudre à main levée. Un jour en Floride, il achète un lecteur CD. On l'installe dans la voiture et il ne fait pas trois pâtés de maisons que le lecteur ne fonctionne plus. Henri dit : «Je me suis fait avoir !» Il retourne changer l'appareil le lendemain. Et le manège recommence. Henri avoue alors : «Je me fais toujours avoir !» Et puis, il voulait avoir souvent raison, mais on le connaissait !

Léandre Bergeron :

— En revenant du Manitoba, on se suivait en caravane, j'étais dans ma grosse Lincoln cette fois-là. On s'est arrêtés en Ontario, à côté d'un petit lac, et là Henri, Charles Ferland (mari de Marie Bergeron) et d'autres ont voulu aller se baigner. C'est écrit *No swimming*. Moi, je n'avais pas envie de me baigner plus que ça. Mais là, y a des gens de la place, un camionneur qui crie : «*Get the hell out of there !*» (Sortez de l'eau !) C'était leur source d'eau potable, c'était un lac d'eau potable, alors *No swimming*, c'était pour dire, n'allez pas nager là-dedans. Là, Henri était tout offensé, mais qu'est-ce que tu voulais dire ? «On est au Canada, et puis j'irai me baigner…» Ça a fait un esclandre. Ça voulait dire, j'veux même pas lire en anglais. Il leur a juste parlé en français, il refusait de dire un mot d'anglais. C'est ce genre de combats futiles qui sème plutôt la rancœur. Pour moi, c'était des enfantillages. Et il espérait m'embarquer là-dedans parce qu'il voulait toujours mon approbation.

Laurette Bergeron :

— Je savais qu'Henri était nationaliste, pas nécessairement péquiste, et je respectais la nuance. Je me rappelle d'une discussion entre Jos et Henri. Jos lui disait de se prononcer comme nationaliste, et Henri répondait qu'il n'afficherait pas publiquement ses convictions politiques comme Pauline Julien et d'autres.

Joseph Bergeron :

— En 1995, au cours d'une assemblée pour le référendum, je rencontre le président de l'Union des Artistes, Serge Turgeon.

— Serge, demande donc à mon frère Henri de nous donner un coup de main.

— Tu es le frère d'Henri Bergeron ?

Alors Serge Turgeon a communiqué avec Henri. Là, j'ai trouvé mon frère un peu compliqué. Il voulait une tribune. Mais j'ai dit à Henri : « Moi non plus, je n'ai pas de tribune. Je travaille pour le Parti québécois, je crois à ma culture et à ma langue. Je veux la sauver, sinon on va la perdre. »

Mais au fond, je savais qu'Henri était sur la *short list* pour être lieutenant-gouverneur ou gouverneur général. Je ne le blâme pas. Je sais qu'il aurait tellement bien fait ça.

Un jour, en Floride, j'ai voulu en avoir le cœur net.

— Dis-moi franchement, Henri. Crois-tu au Québec ? On a perdu le référendum par quelques votes. Si tu t'étais impliqué, tu allais en chercher 50 000 facilement. Tu aurais aisément convaincu les gens âgés qui t'aiment et te respectent. Ça passait. Mais tu n'as pas voulu embarquer avec nous autres.

Là, t'as jamais vu Henri piquer une crise ! Il a explosé ! Il a renversé la vaisselle, il a tout cassé et il a sacré le camp ! On a eu de la peine. Pauvre Yvonne, elle voyait ça venir, elle répétait :

— Oh ! Je suis habituée. Chacun a ses idées. Henri a peut-être encore un certain attachement au Manitoba.

— En d'autres mots, il est à moitié assimilé ? Ce n'est pas vrai. Henri ne l'est pas. Moi, je suis complètement québécois. J'ai vu ce qui est arrivé chez nous, toute l'histoire de Greenway, quand ils ont fermé les écoles françaises. MacDonald avait dit : « On est pogné avec le Québec pour longtemps, mais dans le restant du Canada, on va y voir. »

Y a eu la déportation des Acadiens dans l'Est et, pour l'Ouest, au tournant du siècle, ils ont fait entrer les Red River Settler, du bon monde, des gens qui arrivaient directement d'Écosse. Ça leur coûtait pas une cenne, on leur donnait de l'argent pour venir s'installer dans l'Ouest. Un Québécois devait payer son voyage, alors personne n'est venu ou alors très peu. Et là, ils ont fermé nos écoles. Cinquante ans plus tard, ils ont été chercher des Polonais, des Ukrainiens. Le clergé était de toute façon du côté des Anglais parce que nous, on allait au ciel, puis les Anglais en enfer. J'aurais donc aimé qu'ils deviennent tous francophones. En 1960, il restait 3 % de francophones parlant la langue. Alors on s'est anglicisés, y compris les Ukrainiens et les Polonais.

Pour terminer cette histoire, on se retrouve par hasard à Saint-Augustine (Floride), c'était un dimanche de Pâques. Valérie et moi avons attendu Yvonne et Henri devant l'église.

— Écoute Henri, on oublie tout ça !

— T'as raison Jos, on oublie tout !

Il aurait eu tellement de peine si l'on ne s'était pas retrouvés…

Léandre Bergeron :

— Les années pendant lesquelles j'ai publié le *Petit Manuel* (*Petit Manuel d'histoire du Québec*, Éditions québécoises, 1970), on ne se fréquentait pas du tout. J'étais à Montréal, mais on ne se voyait pas. En 1977, en Abitibi, j'ai eu une période assez difficile. À ce moment-là, j'ai changé mon alimentation, pas comme je le fais aujourd'hui (alimentation crue), mais un rejet systématique de toute l'alimentation industrielle et je l'ai fait un peu trop raide. Ça m'a dégonflé pas mal, c'était trop radical, j'ai presque été anorexique, j'étais dégoûté de voir la nourriture. Comme les adolescentes ! C'était terrible. J'étais dans une position de faiblesse psychologique, disons, je n'étais pas fort. Francine voulait qu'on se marie et j'ai accepté, chose que je n'aurais jamais fait. C'est dans cet état-là que j'ai repris contact avec Henri. Certaines relations se sont rétablies, et puis j'élevais de l'agneau et il me recevait bien chez lui, mais je ne me souviens pas qu'on se soit expliqué grand-chose. Henri en était content. Chaque année, j'arrivais avec mes agneaux et Henri distribuait ça. J'évitais toujours les grosses discussions. Il trônait. À table, il me voulait toujours à sa droite. Et puis il est venu chez nous avec Gertrude, je crois en caravaning, il aimait venir chez nous. Il est même venu avec M. Tanguay (Raymond Tanguay, ami et voisin d'Outremont) chercher des agneaux. Les deux étaient dans mon sous-sol quand on débitait la viande, il a participé à ça. Il a même fait un petit film. Il a passé des heures à faire le montage, il m'a filmé quand je cuisais du pain dans le fameux four au sous-sol (un frigo transformé en four à pain), quand je trayais la vache avec l'entonnoir et ensuite le fumoir. C'était bien ramassé, un beau petit document, là il se rapprochait et il m'a fait la confidence qu'il aurait aimé vivre dans une ferme.

Le gros problème, c'est qu'Henri a toujours eu des sentiments très ambigus à mon égard. Il me jalousait, il aurait voulu faire ce que j'avais fait, mais il n'avait pas le droit de le faire. Enfermé dans le traditionalisme, le conservatisme, pis sa *môsus* de carrière qui l'emprisonnait. Quand on lui a dit, *Les Beaux Dimanches*, c'est fini, il m'a dit : « Je comprends les ouvriers qui se révoltent contre les patrons. » Il avait été maltraité.

Je n'ai jamais senti un rapprochement véritable. Il y avait toujours le mur. T'avais l'impression qu'il était de l'autre côté de son mur et qu'il essayait de te dire allô, mais il était toujours emmuré. La parole était devenue une muraille.

Il s'était créé un personnage, avec le temps il s'était aussi pétrifié là-dedans. Il s'était *monumentalisé*. Il était devenu son propre monument. Quand tu deviens un monument, tu bouges pas, hein ? Alors que moi je représentais tout ce qui n'était pas monument.

Gertrude Bergeron :

— Henri avait rencontré les organisateurs du Festival du voyageur à Winnipeg, en leur disant qu'ils devaient absolument mettre du français dans leur festival, sinon il tomberait. L'année suivante, le festival a changé complètement grâce à Henri. Il a reçu le prix du Club Richelieu de Saint-Boniface et une toile du peintre Bérard. Henri était très fier de son coin de pays.

Louise Bergeron-Kripalani :

— Henri et Yvonne étaient venus en Californie en motorisé. On s'était parlé longuement. Pour une fois, je trouvais que j'étais importante à ses yeux. Pour une fois, ce n'était pas à propos de lui, mais bien de moi. C'était une conversation entre lui et moi. Avant, c'était toujours des réunions de famille avec plein de monde autour de nous. Mais cette fois-là, nous nous sommes parlés longtemps. Henri m'avait dit : « Malgré le fait que tu sois ma filleule, on ne s'est pas vraiment connus. »

Il avait des regrets de ne pas avoir été présent pour nous. Quand je suis arrivée à Montréal, en 1964-1965, il était très pris par son travail et sa famille, et il n'avait pas vraiment le temps pour me voir. Il en avait des regrets. On avait parlé beaucoup de religion. Il me posait des questions. Et le lendemain, il m'avait offert cette chaîne en or que je porte toujours depuis. Cette chaîne-là venait d'Henri, c'était lui-même qui l'avait achetée spécialement pour moi. D'habitude, c'était toujours Yvonne qui s'occupait des cadeaux de fête. Voilà pourquoi cette chaîne est si importante pour moi. C'est la chaîne d'Henri. C'est à ce moment-là que j'ai reconnu un vrai frère.

Trois ans avant la mort d'Henri, j'étais venue en vacances au Québec. Henri m'avait parlé à ce moment-là de ses problèmes intestinaux. À cette époque-là, j'avais suivi le programme

Optimum Health. Je regrette de ne pas avoir insisté sur le fait de changer sa diète et de le pousser à venir en Californie pour corriger son problème. Je me le demande aujourd'hui : si Henri avait su que son état était si grave, aurait-il fait le voyage pour guérir ? Parce que tu peux guérir, tu ré-apprends à manger. Il était allergique au lactose depuis qu'il était gamin et personne ne le savait. Et puis son *peanut butter* qu'il mangeait tous les matins...

Léandre Bergeron :

— Il était venu en Abitibi. À ce moment-là, j'avais décidé de ne plus prendre de vin. Alors, on avait le gros repas, le vin et Henri m'avait dit : « Léandre, tu as perdu ta joie de vivre. »

Comme si la joie de vivre, c'était d'aller cuver son vin. Alors, il s'en allait dans sa roulotte, cuver son vin. Je trouvais ça déplorable. Il était en train de miner sa santé par des excès de table. Je le voyais aller mais je n'ai jamais essayé de le raisonner.

Liliane Bergeron :

— Ah mon Dieu ! Yvonne et Henri se sont occupés beaucoup de mes enfants lorsque ça allait mal dans notre couple. Je suis partie dans l'Ouest et ils ont pris tous les enfants comme s'ils n'en avaient pas assez. Ils étaient vraiment généreux. Je me demande pourquoi ils ne sont pas restés avec leur père, au fond ! Yvonne et Henri ont suivi ça de très près, toute cette histoire de divorce.

Henri m'avait conseillé, un jour, conseil que je n'ai pas suivi, mais qui était très juste. Il m'avait dit : « Liliane, tourne-toi vers tes enfants. »

Et il avait raison. J'aurais probablement dû l'écouter plus tôt, mais à 45 ans, on a encore beaucoup d'ego, un peu de jalousie aussi. On se dit, il prend des libertés, pourquoi pas moi. C'est de l'orgueil et de l'égoïsme, parce qu'il est vrai que mes enfants avaient besoin de moi. J'aurais pu sauver un peu mieux la barque qui coulait. J'ai appris de mes expériences et, somme toute, personne n'a de regrets aujourd'hui.

Henri avait mes mésaventures à cœur. Lorsque je suis revenue de l'Inde où j'étais restée trois mois, ouf!, j'avais une grande robe orange et le portrait de mon maître autour du cou et mon *mala* (chapelet de 108 grains). J'ai téléphoné à Yvonne pour qu'elle vienne me chercher à l'aéroport. C'est Henri qui est arrivé avec sa belle voiture capitonnée de velours. Là, il m'a carrément fait un reproche.

— Liliane, pourquoi es-tu partie?

— Je ne peux rien faire avec mes enfants de toute manière. Ils reçoivent de l'argent de leur père, je n'ai aucune autorité sur eux, alors ils se couchent tard, se lèvent tard. Moi, j'attends qu'ils se lèvent. J'ai déjà pris mon repas du midi. Je trouve ça très dur. Alors je suis partie. J'ai suivi mon destin… Penses-tu qu'on pourrait aller voir Albert? (Albert Le Grand, ex-mari de Liliane.)

— Ben voyons! Penses-tu qu'on entre à l'hôpital habillé comme ça?

Je n'ai rien dit. Quelques jours plus tard, j'ai profité du fait qu'Éva (la seconde épouse d'Albert Le Grand) dînait avec Françoise (fille de Liliane et d'Albert) pour me faufiler jusqu'à la chambre d'Albert. Quand il m'a vue, il a crié: «Liliane! Qu'est-ce que tu fais ici?»

J'ai éclaté en sanglots. Il ne voulait sans doute pas que je le vois amaigri. Je lui ai demandé s'il s'était occupé des enfants. Il a dit oui. Albert, comme tout bon écrivain, philosophe et grand penseur, ne croyait en rien après la mort: «*After death, just worms*» (Après la mort, il ne reste que des vers de terre). Alors, avant de partir, je tenais à lui dire qu'après la mort, ce n'est pas fini. Si tu médites beaucoup, tu es éternel.

Louis Le Grand, né à Kingston, Ontario, le 24 mai 1956. Fils de Liliane Bergeron et d'Albert Le Grand:

— J'avais huit ans, c'était l'été. Nous sommes allés à une exposition de tableaux en plein air. Pour occuper les enfants, on nous avait donné de grandes feuilles et de quoi faire une peinture. J'ai passé de longues minutes à dessiner, organiser mes couleurs, dans l'herbe, au grand soleil. Je comptais bien gagner un des trois prix décernés aux plus beaux dessins d'enfants.

Malheureusement, je n'ai rien gagné du tout. Et c'est en larmes que je suis revenu à Montréal. Dans la cuisine, chez Henri et Yvonne, rue Wiseman, j'ai mis la grande feuille de papier en miettes. Apprenant cela, Henri est venu me voir. Il s'est adressé à moi, et quand Henri s'adressait à vous, le message était toujours clair. Il m'a expliqué pourquoi j'aurais dû garder ce dessin, et que l'important était le geste créatif plus que le fait de gagner un prix. Mais sans me blâmer, il m'a dit : « J'ai une commande pour toi, Louis. Je voudrais le dessin d'un bateau, que je pourrais accrocher dans mon bureau. »

Deux semaines plus tard, mon dessin fortement colorié d'un bateau bleu sur l'eau bleue était encadré et accroché au mur. Ce n'était pas une œuvre majeure, mais mon oncle m'avait compris, il avait hébergé mon dessin. Quand nous avions une fête de famille, je montrais avec fierté ce bateau à mes cousins et cousines.

Pendant le dernier été de sa vie, Henri est venu avec Yvonne pour m'acheter quelques pièces de céramique. Je savais qu'il était gravement malade, c'est la dernière fois qu'il est venu chez moi. Il aimait un petit pot à lait parce qu'il était décoré de gravures. « J'aime cette pièce, parce qu'on peut sentir la terre, disait-il en passant les ongles sur le relief de la terre cuite. »

Il faisait beau, ce samedi après-midi, Henri était heureux et disait qu'ils prendraient le temps de marcher pour rentrer rue Hartland. Pour cela, il fallait arpenter plusieurs rues qu'il avait bien connues, traverser des parcs, passer devant des petits commerces. Tout ce quotidien, tous ces gens qu'il laissait derrière lui. Il faisait beau ce samedi après-midi. Mais quand Henri et Yvonne sont partis, j'étais triste.

Il paraît qu'Henri et Albert (père de Louis Le Grand) avaient leurs soirées western, au sous-sol de la rue Wiseman. Après tout, ils étaient des immigrants au Québec, et personne à Radio-Canada ou à l'Université de Montréal ne comprenait rien aux Broncos, aux bons et mauvais chevaux, à l'Ouest, aux succès et aux défaites de Louis Riel. Et puis, ils écoutaient leurs classiques, entre autres, Hank Williams.

Un automne, Henri et Yvonne sont allés dans un *party* déguisé avec mes parents. Comme mon frère Bernard et moi étions cloués au lit par une grippe, tous quatre sont venus défiler devant nous, habillés en cow-boys. Les hommes avaient des Stetson (mon père a gardé toute sa vie son Stetson blanc Five Gallon). Ils avaient de faux colts à la ceinture, deux chacun, et ils tiraient dans tous les sens en faisant Pow! Pow! Yvonne et Liliane étaient magnifiques dans des robes à franges assez courtes. Ils étaient visiblement heureux de s'habiller en pionniers de l'Ouest.

Le dimanche après-midi, les deux beaux-frères discutaient souvent dans notre salon, rue Bloomfield. J'aimais m'asseoir sur le tapis et les écouter discuter. C'était la Révolution tranquille, la parole faisait bouger les choses, et ils appartenaient à des institutions importantes. C'était de bons bâtisseurs de société, et de bons démolisseurs parfois. Papa fumait la pipe, avec sa blague à tabac Sail, vert tendre. Henri fumait des Du Maurier, le petit paquet rouge. Des fois Henri n'avait plus de cigarettes. « Louis, va donc me chercher un paquet chez Steinberg. »

Je prenais ma bicyclette et je pédalais fort, en pensant que les deux compères profitaient de mon absence pour se dire plein de choses...

Bernard Le Grand, né à Saint-Boniface, le 13 juin 1957. Fils de Liliane Bergeron et Albert Le Grand :

— Sans faire aucun effort, Henri avait un gros charisme et toujours un gros « char ». Vous croyez qu'une automobile ça n'a pas beaucoup d'importance ? Détrompez-vous, sur la planète des petits garçons, c'est LE critère le plus important. Il était pour moi l'« Ambassador » à la voix d'or.

J'étais assez bas dans la grande hiérarchie familiale, on n'attendait pas de prouesses particulières de ma part. Ça me permettait d'observer… Et parmi les plus beaux souvenirs que j'ai gardés de mes années à regarder et écouter, il y a bien sûr les fêtes rue Wiseman où j'ai enfin compris ce que ça voulait dire AVOIR DU FUN !

Quelle époque extraordinaire, quelle vitalité, quelle joie de vivre !

Et Henri, le roi pour lequel nous avions tous voté, trônait sans flagornerie, car son succès était notre succès à tous !

Mais de façon bien égoïste je vais vous raconter mes histoires de « Henri et moi ».

Alors que j'étais trop petit pour aller à l'école, période bénie, il arrivait de temps à autre qu'Henri arrête pour dire bonjour et peut-être même casser la croûte. Ça se passait le matin, un jour de semaine, dans une ambiance « pantoufles et café ». Il y avait papa, maman et Henri qui discutaient de choses sérieuses et plates, probablement politique ou quelque sujet sans importance à mes oreilles. Tout ça dans un gros nuage de fumée bleue où le temps s'était arrêté. Une époque formidable, je le redis.

Bien souvent Henri oubliait un de ses paquets de cigarettes, que ma mère rangeait prestement au frigo. Moi, je prenais le paquet, laissait les cigarettes là, le remplissait de crayons de couleur assez usés pour entrer dedans (croyez-moi, cinq enfants, ça en use des crayons). Je me promenais alors dans la maison tirant voluptueusement sur mes petits crayons, sûr que maintenant un peu de son charisme était descendu sur moi.

Comme je l'ai dit plus tôt, ma place insignifiante parmi tous ces cousins, neveux, amis, oncles et grands-mères, avait fait que personne n'avait pris le temps de m'apprendre comment monter à bicyclette. Donc je marchais ou courais à côté de la bicyclette, c'était pas tout à fait pareil, mais ça me contentait pleinement. Henri avait trouvé ça un peu étrange.

— Bon ben Bernard, tu vas apprendre aujourd'hui comment aller à bicyclette !

— Euh moi ? Non, non, comme ça, ça marche aussi oncle Henri.

— C'est ça, tu roules pas, tu MARCHES ! Monte !

Je montais, très nerveux en vérité à l'idée de me casser la margoulette, mais bon, le capitaine avait parlé ! Tenant fermement le siège, il courait à mes côtés. Après quelques instants, Henri avait remarqué que j'étais fasciné par la roue avant qui « n'arrêtait pas de tourner ». « Ne regarde plus ta roue, regarde devant ! »

Et au moment où je levais les yeux, il me propulsait d'une formidable poussée dans un monde merveilleux où l'équilibre, magiquement, me faisait tenir tout droit au milieu de la rue, pédalant allègrement vers Wiseman, goûtant chaque seconde le statut tout nouveau de « Oui moi aussi, je SAIS aller à bicyclette ! »

Arrivé devant la maison des Bergeron, je réalisais soudain qu'on était peut-être passés un peu rapidement sur la question du freinage… Alignant courageusement le gros arbre du terrain des voisins, je fermais les yeux le temps de le percuter, en plein dans le mille ! Je me relevais, encore sur mon nuage, le temps de voir arriver Henri au pas de course, riant de mon système de freinage…

Je pourrais aussi vous raconter une belle histoire de chasse d'où nous sommes revenus bredouilles, mais moi, riche de la sagesse que j'avais rapportée dans ma besace, notamment qu'il était superflu d'essayer de se mettre devant le canon pour voir à quelle vitesse la balle allait sortir et autres vieux trucs de chasseurs. Entier, généreux, authentique et il faut bien le dire, un brin colérique à ses heures*… Un homme, en somme, pas un

---

* Bien que les colères de l'oncle Henri m'aient fait peur, je les trouvais particulièrement distrayantes. Il devenait alors tout à fait convaincant,

saint, qui m'a apporté la chaleur et le réconfort qu'on retrouve autour d'un bon feu. En un mot un rassembleur.

Je ne peux pas parler d'Henri aujourd'hui, sans parler d'Yvonne. C'était le rayon de soleil qui faisait briller Henri, toujours heureuse et souriante, il se dégageait de leur couple vitalité et bonheur. J'ai d'ailleurs eu la chance de faire le trajet Pointe-Calumet–Montréal seul avec elle dans la Rambler rouge, en 1967, par un bel après-midi d'été. Imaginez! Moi et ma belle tante blonde aux yeux bleus, dans une décapotable, tout le monde nous regardait, quelle joie!

Enfin, si Henri a marqué son époque, son héritage aujourd'hui est bien vivant. Tous ceux qu'il a éveillés à l'expression de soi, tous ceux chez qui il a fait naître le goût d'une langue bien parlée continuent son œuvre avec enthousiasme, comme on disait dans le temps, par monts et par vaux.

Si vous voulez savoir ce qui, aujourd'hui, l'horripile, appelez un ami possédant un cellulaire, d'une compagnie dont je préfère taire le nom, mais qui permet une certaine mobilité, juste pour écouter le message du répondeur. Si vous entendez une colère homérique venant du ciel, vous saurez ce qu'en pense Henri.

Françoise Le Grand, née à Kingston, Ontario, le 17 mai 1960. Fille de Liliane Bergeron et d'Albert Le Grand :

— Henri fait partie des personnes importantes de ma vie. Comme mon père, bien sûr, mort jeune, et un autre de mes oncles, François Gallays, il est une des figures paternelles de mon enfance et de ma vie. Quand j'étais petite, je l'appelais l'oncle Henri, comme tous les enfants chez nous. Et je dois mentionner

---

invoquant avec passion un Dieu de la mythologie romaine, Jupiter pour être plus précis, et je me souviens avoir pensé tout bas : « Wow! ça c'est une belle colère, sa voix porte drôlement loin, quelle passion, quelle émotion! » Évidemment je n'étais pas directement dans sa mire, je vous le rappelle, je n'étais qu'un acteur de second plan et très heureux de l'être!

que c'était une si grande vedette que chaque fois que je disais que Henri Bergeron était mon oncle, mes amis étaient béats d'admiration.

Henri et Yvonne aimaient beaucoup discuter, tout simplement, et c'était aussi le cas de mes parents, Albert et Liliane, si bien que tous les quatre se retrouvaient souvent chez les uns ou chez les autres (les deux maisons étaient à quelques minutes de marche l'une de l'autre) pour souper, prendre un verre ou pour les fêtes familiales. Car Henri, comme mes parents, aimait vraiment les fêtes. Comme tous ses frères et sœurs, il était d'une grande sociabilité et débordant d'énergie et de choses à dire. Il était beau et il avait un charisme fou. Il était bien dans son corps et dans son esprit et il avait une aisance remarquable.

Après avoir entendu des émissions où il lisait des textes religieux avec ma mère, à Radio Ville-Marie, je me suis dit qu'il aurait pu être un grand acteur de théâtre ou de cinéma. Comme on peut le voir, je faisais partie de ses admiratrices inconditionnelles.

Tous les sujets l'intéressaient, et surtout l'actualité politique, si bien qu'on ne s'ennuyait jamais avec lui. Il exprimait ses opinions avec conviction, en fronçant parfois ses gros sourcils, et quand il riait, c'était très communicatif. De toutes les manières, Henri était vraiment en vie, vraiment présent. Par son seul regard très franc, il s'affirmait.

C'était mon parrain et notre anniversaire tombait le même jour. Il est donc arrivé plus d'une fois que l'on fête notre anniversaire ensemble, même si 35 ans nous séparaient, et je trouvais que j'avais bien de la chance. Et puis, il y avait chaque année, dans le temps des Fêtes, au jour de l'An, une soirée où l'on finissait tous par danser le rigodon dans le sous-sol, tandis qu'Henri *callait* la danse en sautant parfois par-dessus un balai !

Les dernières années, il nous arrivait assez souvent de nous retrouver le dimanche, Henri et Yvonne, mon frère Louis, ma mère et moi, et parfois Antoinette aussi, pour un petit repas du midi, à discuter de choses et d'autres. Je garde un très beau souvenir de tous ces moments.

Je me souviens aussi que je l'avais encouragé à finir son roman *L'Amazone*, puis aidé à trouver un éditeur.

Je crois qu'il y avait entre nous une belle complicité. Il était présent pour moi dans des actions concrètes et m'avait donné, par exemple, à deux ou trois reprises, un bon coup de main pour déménager. Un jour, tandis que j'emménageais dans un appartement, il avait même été m'acheter un escabeau chez Rona, comme ça, parce que j'en avais besoin!

Henri aimait aider, donner, conseiller, faire quelque chose pour les autres. Il était généreux. À ce propos, ma mère m'a déjà confié que ma grand-mère, leur mère, disait souvent de lui qu'il avait un grand cœur.

Les derniers mois, il voyait souvent le prêtre Pierre Murray et s'était réconcilié avec la foi. Il avait eu le temps de réfléchir à sa vie et je crois qu'il était en paix avec lui-même. L'avant-dernière fois que je l'ai vu, lorsqu'il était encore à la maison, nous avons parlé un peu. Je n'ai pu retenir une crise de larmes et il a pleuré aussi. Nous étions si tristes. Il me suffit de penser à ce moment pour avoir les larmes aux yeux. C'est vraiment quelqu'un que j'aimais beaucoup et qui me manque.

Antoinette Bergeron-Nielson :

— Il aimait quand même son frère Léandre, même s'il y avait un profond désaccord entre eux à propos de tout. Henri n'avait pas du tout aimé la façon dont Léandre avait claqué la porte chez mon père. Ça l'avait heurté autant que mon père. Léandre était revenu de l'Université d'Aix-en-Provence et il avait signifié à mon père qu'il ne voulait plus suivre le mode de penser de mes parents. Inspiré de la doctrine communiste, il affirmait qu'ils ne devaient plus se soumettre aux imbroglios du christianisme. Il l'a dit d'une façon assez brutale. Mon père l'a regardé et lui a dit : «Si tu veux passer la porte, passe-la!» Et Léandre a rétorqué : «Je la passe pour toujours!» Léandre a toujours été *ignoramus*, dans notre famille. Mais, malgré tout, Henri allait quand même le voir en Abitibi.

Léandre Bergeron :

— Non, c'était en 1959, avant mon départ pour la France, ça a été terrible. Lors d'une grande fête de famille, mais là Henri était déjà à Montréal, enfin il y avait Antoinette et il y avait des chansons comme *Dominique nique nique s'en allait*... Là, on a su que je ne fréquentais plus l'église catholique. Là, ça a été l'Inquisition, une explosion, une bombe, un tremblement de terre dans la famille. Moi, j'avais lâché ça, la confesse et tout, depuis l'âge de 17-18 ans. Mais rendu dans la vingtaine, j'allais pas me faire suer, hein! C'était fini les courbettes au curé. Ma mère pleurait : «Ah! mais Léandre n'a plus la foi! C'est terrible! Il va aller en enfer!» Et mon père, pour qui c'était noir ou blanc, et qui m'avait promis 500 piastres pour mon voyage, j'étais déshérité, t'auras rien! Ils m'ont chassé de chez nous. C'est sûr que c'est pas tous les enfants qui se sont rebellés. J'étais marié à ce moment-là avec Évelyne, une jeune fille de Saint-Pierre-Joli (Manitoba).

Quand on est partis du Manitoba, on est allés à Kingston, chez ma sœur Liliane et Albert. Les deux allaient encore à la messe. Au moins Albert, lui, il n'a pas commencé à m'injurier. Lui-même, ça l'a poussé à quitter. C'était un ancien jésuite et pas longtemps après, les deux ont lâché. J'arrive à Montréal, ça a été terrible! Henri a sorti le gin et il m'a dit que j'allais faire mourir ma mère. Pour moi, Henri a toujours été très conservateur, très traditionaliste. Il m'envoyait des lettres très paternalistes : «Je suis ton grand frère, je suis passé par-là. Oui, mais tu sais, après tout, il faut se conformer...»

Marie-Louise (Mimi) Mercier :

— Henri était parfois explosif. Un jour, j'avais amené mon ami roumain, Michel, pour un repas sur Wiseman. Henri s'était alors fâché à propos des dépenses, c'était le temps de l'impôt sans doute. Il s'était levé et il avait dit : «Je m'en vais à Saint-Charles!» Il avait pris la porte d'en arrière et quelques minutes plus tard, il était revenu par la porte d'en avant! Mon ami Michel m'avait dit : «Tu vois, même quelqu'un comme Henri Bergeron se fâche!»

Je sais que lorsque Henri se fâchait, ça contrariait Yvonne. Une fois chez papa et maman, rue Henri-Bourassa, Henri s'était emporté envers mes parents, je ne me rappelle plus à quel sujet. Yvonne a souvent dit : «Encore un repas de gâché.» Une autre fois, mon père s'obstinait à propos de la guerre, avec Raymond Tanguay, qui avait été aussi au front mais en 1945. Isidore affirmait que M. Tanguay avait été à la guerre, non pas pour le Canada mais pour l'Angleterre. Là M. Tanguay s'était fâché en défendant qu'il avait été au front pour le Canada. Voilà qu'Henri entre dans la discussion, lui qui n'avait jamais été à la guerre, et il y a eu une grosse chicane, tant et si bien qu'Henri avait dit à papa de quitter la maison. Mais Henri est allé s'excuser quelques jours plus tard.

Marie Bergeron-Ferland :

— J'ai connu un peu plus Henri lorsque nous avons habité Sainte-Adèle, dans les Laurentides, au Québec. Charles enseignait l'anglais à Mont-Rolland. Henri avait alors loué un chalet et on faisait du *Ski-doo* avec les enfants. Henri voulait que l'on reste au Québec, mais on a choisi l'Ontario. Henri était déçu, je le sentais, mais on n'en parlait pas. C'était les années 1967-1968, la période séparatiste, la mentalité était très différente. Lorsqu'on se voyait, c'était très cordial, mais pas plus que ça.

Gertrude Bergeron :

— J'ai plus connu Henri lorsque je suis arrivée au Québec. On a voyagé ensemble, en France, en Italie, avec Henri et Yvonne. C'était un couple charmant en voyage. J'ai les plus beaux souvenirs avec Henri lorsque nous avons fait ces voyages. La dernière fois que je suis allée chez Yvonne, elle a lu tout le voyage en Italie dans son carnet. Henri et moi, on s'est retrouvés durant nos voyages. Henri venait souvent me voir lorsque j'étais seule et je l'appréciais beaucoup. J'ai été très proche de lui, mais plus tard dans la vie. Quand on a été au Costa Rica, les gens faisaient la queue pour voir Henri, lui parler et lui serrer la main ! Il a été aimé cet homme-là !

Laurette Bergeron :

— Henri aurait tellement aimé les honneurs, devenir gouverneur général ou sénateur. Il aurait été comblé, et je crois qu'il aurait fait du beau travail. Henri avait le sens des événements. Il expliquait les choses clairement. Il était très sensible.

Comme je voulais démarrer mon entreprise de communications, je me suis dis que la seule personne qui pouvait m'aider, c'était Henri. Je voulais essayer en quelque sorte de continuer ce qu'Henri avait fait. Il y a des choses qu'Henri m'avait dites qui m'avaient vraiment surprise : « Tu sais Laurette, avant de prendre ma retraite, j'avais mis les premiers jalons de ma petite boîte de communications, le studio au sous-sol, etc. À ce moment-là, je ne savais pas très bien ce que je faisais, mais au fond, quand j'ai pris ma retraite, ça a été extraordinaire, parce que j'avais tout mis en place sans vraiment trop le savoir. »

Je tenais à prendre les bonnes décisions, à éviter les erreurs pour obtenir des contrats intéressants. Alors Henri m'a aidée, il est devenu mon mentor, il m'a conseillée, grâce à son expertise dans le domaine. Je considérais qu'Henri avait de belles qualités en communication. Finalement, je n'ai pas trop mal réussi !

Antoinette Bergeron-Nielson :

— Quand je dis que je suis la sœur d'Henri Bergeron, les gens s'exclament : « Oh ! Comme on l'a aimé cet homme ! »

ΔΔΔ

La mort de Rosalie Bourrier-Bergeron

Léandre Bergeron :

— Ma mère était venue 10 ans auparavant en Abitibi. Elle était toute contente avec les poules, les agneaux, elle retrouvait un peu la campagne. C'est à ce moment-là que je lui ai dit : « Si vous voulez venir finir vos jours ici, pas de problème, la porte est ouverte. »

Elle est arrivée avec Liliane à l'automne 1987. Elle était assez contente, c'était merveilleux pour elle et pour tout le monde. Henri est venu la voir à quelques reprises à l'automne. Henri aurait aimé être dans une ferme, mais Yvonne ne voulait pas. Mon coin lui rappelait le Manitoba, et puis Henri, il avait aimé la ferme quand il parlait de Rigodin et tout ça, il n'a pas rejeté ça, comme Suzanne. Suzanne a vomi là-dessus, elle ne voulait rien savoir.

Liliane Bergeron :

— Maman n'avait pas vu Léandre depuis longtemps et elle n'avait jamais vu ses trois petites-filles, celles de Léandre et de sa deuxième femme, Francine. Léandre m'a demandé d'emmener maman en Abitibi. En route dans l'avion, maman avait dit à son voisin : « Vous savez, je suis la mère d'Henri Bergeron ! » Elle était fière, une vraie dame, habillée en rose et gris et, comme par hasard, je portais les mêmes couleurs. Rosalie venait mourir au Québec.

Joseph Bergeron :

— J'avais appelé Henri en lui disant qu'il était le seul qui n'était pas au chevet de maman. Il m'avait répondu qu'il avait déjà fait ses adieux avant les Fêtes. J'ai répondu : « Je ne te le demande pas, viens tout de suite ! » J'avais parlé à Denys pour qu'il le convainque. J'avais dit à Denys : «Dis-lui de prendre l'avion.» Henri a rappelé quelques minutes plus tard. Denys lui avait parlé. «Je m'en viens, j'arrive!»

Maman ne voulait pas mourir sans voir son Henri, son idole. Elle était encore consciente. Quand on a lu le testament, Henri ne pouvait pas le lire. Il a essayé, il se trompait, il reprenait, il voulait faire Radio-Canada, mais il fondait et il pleurait. Il a passé une heure dans la chambre, près du corps de maman, seul. Henri m'a dit ensuite qu'il avait compris bien des choses. Henri avait une maudite peur de la mort. Au décès de Marcien, Henri paniquait, il ne voulait pas entrer dans la pièce où était le corps. C'est ma belle-mère qui l'a traîné jusqu'au tombeau. Pour Henri, Marcien était comme un dieu, comme un pilier, c'était le grand chêne, le paratonnerre. Quand Henri avait des grosses peines, Marcien était là.

Marie Bergeron-Ferland :

— Je suis montée en Abitibi avec Suzanne. Nous avons pris un repas avec maman, Léandre et sa femme Francine, et maman a déclaré : «C'est mon dernier repas.» Elle n'a plus mangé après…

Quand Henri est arrivé au chevet de Rosalie, maman a dit : «Les mains de papa» (Napoléon Bergeron).

Liliane Bergeron :

— Elle est restée chez Léandre trois mois. Juste après les Fêtes, nous nous sommes tous réunis autour d'elle pour l'accompagner dans ses derniers moments. Elle est partie le 3 janvier 1988.

Le passage a été difficile. Rosalie s'accrochait. Malgré tout, j'aurais pensé qu'elle se serait abandonnée plus rapidement, mais non. Il y a eu lutte. Mais Léandre l'avait un peu préparée, car il voyait qu'elle dépérissait. Son heure était arrivée.

Léandre est allé s'étendre à côté de maman qui était morte.

On lui a cousu comme une bure dans un tissu très primitif, genre sac à patates, parce qu'elle faisait partie du Tiers Ordre de Saint-François et elle prenait ça très à cœur. On l'a laissée pieds nus et on a enfilé un collier de buis sur lequel Antoinette a glissé un gros chapelet. Francine a trouvé un capuchon de velours brun. Maman était très belle. Pour faciliter le transport, on l'a déposée sur une traîne sauvage et on est partis à l'église.

Le prêtre, qui avait connu Rosalie depuis son arrivée en Abitibi, n'arrivait pas à parler, il pleurait. C'était très touchant. Maman était étendue sur le support à cercueil au milieu de nous. On l'a incinérée le lendemain. Ses cendres sont au cimetière de Saint-Lupicin, de même que celles de Paul, Simone et Napoléon.

Léandre Bergeron :

— Henri est arrivé en Abitibi comme un grand frère, il trônait comme d'habitude. Je l'ai laissé faire. Jos a dit à un moment donné : « Elle a de la difficulté à respirer, il faudrait l'emmener à l'hôpital. » J'ai dit : « Ouvre la fenêtre ! »

Chacun a fait son *trip*… Louise a vu la flamme monter. Marie à sa façon et sœur Marie-Joseph (Antoinette) aussi. Elles ont vécu la mort de leur mère à leur manière. Moi, j'étais le photographe seulement… Mais j'ai capté de belles images avec un appareil insignifiant. Louise avait son gros appareil, elle a pris quelques photos mais… il n'y avait pas de film dans l'appareil ! C'était très beau à vivre, il y avait une belle ambiance.

Quand les pompes funèbres sont arrivées, on chantait, on déjeunait. Le cadavre était là, dans la chambre à côté, et nous autres on fêtait. Francine a préparé un gigot, c'était la joie ! On avait permis à Rosalie de partir et elle était très contente de partir de cette façon-là, mourir dans les bras de ses enfants.

Église Sainte-Madeleine, 10 h 46, les funérailles se poursuivent.

Henri :

— Je n'étais pas du tout d'accord en ce qui concerne maman, en Abitibi. J'ai réagi de la sorte sûrement parce que je me sentais fautif de ne pas pouvoir en faire autant, de ne pas être aussi généreux en lui ouvrant ma propre porte... Maudite culpabilité ! Je l'avoue, j'étais jaloux de Léandre, parce qu'au fond, il a eu raison de permettre à maman de vivre ses derniers moments, entourée de ses enfants. Bon, je dois dire que nous avons eu une façon assez originale d'enterrer notre mère, mais en y pensant bien, cela s'apparentait aux vieilles traditions de l'époque des pionniers où l'on faisait la veillée du corps et des enterrements sommaires, pour ne pas dire primitifs. Et puis, encore fallait-il être à la hauteur de notre originale et colorée famille en évitant la banalité.

Il est vrai également que j'avais peur de la mort, surtout lorsqu'elle frappe les nôtres en plein cœur, comme lors du décès tragique de mon grand frère Marcien. Un horrible accident de train est venu le faucher, sans pitié, brutalement. Il n'avait que 50 ans. Quelques mois plus tard, c'était mon père qui le suivait. On aurait dit qu'à chaque décès, celui de ma petite sœur Simone, puis Marcien et papa, un morceau d'âme s'éteignait, laissant à chaque départ un vide qui ne serait jamais comblé. J'ai peut-être apprivoisé ma peur au chevet de maman. Elle m'aura enseigné la paix et la résignation...

Ouf ! Je prendrais volontiers un petit verre de vin, monsieur le curé !

Oh ! Il faut que je vous raconte une anecdote assez cocasse à propos de la mort. Vous me dites tous que je n'entendais pas à rire... Ne me faites pas passer pour un rabat-joie, quand même !

Un jour, je lis dans la colonne nécrologique qu'un certain docteur X est décédé et exposé dans la journée... Je regarde la photo attentivement et je réalise que c'est notre voisin, le docteur X qui souffrait d'un cancer. Alors, je décide de me rendre au salon funéraire. Je m'approche du cercueil tout en sentant bien les regards des gens dans ma direction. Je m'agenouille et en faisant mon signe de la croix, je réalise que ce n'était pas notre voisin ! Il portait le même nom, il était également médecin, mais je m'étais carrément trompé d'individu. Je suis ressorti rapidement, en me disant que les gens devaient bien se demander pourquoi Henri Bergeron était venu se recueillir deux secondes, et surtout quel lien il avait avec le défunt.

ΔΔΔ

Les liens d'amitié

Rollande DesBois, professeure d'art culinaire et conjointe de Romain DesBois :

— J'ai rencontré Henri pour la première fois alors qu'il arrivait à Londres avec une équipe de Radio-Canada pour Churchill. Celui-ci, agonisant, tenait bon et chaque jour on disait qu'il prenait du mieux. Le cirque a duré plusieurs jours, si bien que l'équipe est retournée au Québec pour y revenir une seconde fois lors du décès du premier ministre, le 24 janvier 1965, à l'âge de 90 ans. Nous avions invité Henri à dîner à la maison. Il était joyeux, souriant et généreux, tant en paroles qu'en gestes !

Lorsque nous sommes revenus définitivement au Québec en 1977, nous nous sommes installés à proximité des Bergeron, rue Hartland, à Outremont. En nous voyant, Henri s'est exclamé : «Comme c'est dommage ! J'aimerais bien vous avoir comme locataires. Celui qui occupe présentement les lieux nous quitte l'été prochain. »

À peine un an plus tard, nous avons emménagé chez Henri et Yvonne, au second étage. Quelle chance et quel accueil ! Henri avait fait un grand ménage, peinture et tout, et l'endroit était très éclairé. Nous y sommes restés presque 10 ans, jusqu'à ce que leur fils Alain prenne à son tour l'appartement du duplex. Nous sommes partis bien à regret...

Romain DesBois :
— C'est en témoin admiratif que je l'ai vu, à plusieurs reprises, dépanner ses voisins, pour une auto glacée à survolter ou un enfant à héberger.

Laurent Hardy, réalisateur radio à Radio-Canada en 1955, chef du Centre de documentation de l'information à R.-C. :
— Ma première rencontre avec Henri s'est faite grâce à ma femme, Éliette Poirier. Un jour, en 1954-1955, aussitôt que nous avons possédé un appareil de télévision, ma femme regardait la télé et en voyant Henri s'est écriée : «C'est mon cousin! Nos grands-mères, Perpétue et Philomène Boisvert, sont sœurs. J'ai connu Henri avec sa sœur Suzanne lorsqu'ils sont venus chez nous en 1940. Henri dansait bien! Je me rappelle qu'Henri fumait. Mon père Albert laissait son paquet de cigarettes bien en vue pour Henri, car il savait que son budget était serré!» Je lui ai répondu : «Appelons-le!»

Peu de temps après, nous avons été reçus chez Henri et Yvonne à Ville Saint-Laurent. Je n'étais pas encore à l'emploi de Radio-Canada. À cette soirée, il y avait entre autres, Raymond Laplante et son épouse, Armand Plante et sa femme, Jeannette. Je dois dire que j'étais séduit parce qu'Henri parlait beaucoup. Mais c'était l'occasion pour moi d'apprendre un tas de choses sur la télévision et l'information. J'avais la tête pleine! Ça a été le début de nos bonnes relations entre petits cousins.

Lors du baptême du bateau construit par M. Nault, il y avait beaucoup d'invités et aussi des curieux. J'ai rencontré les parents d'Henri et ceux d'Yvonne. Nicole Germain était présente aussi, comme marraine du bateau. Elle n'a pas fait de discours, mais par contre Henri a parlé, ainsi que le constructeur, M. Nault. Pour Henri, c'était une grosse réussite. Il était très fier, mais il restait lui-même. Il ne snobait pas les gens autour de lui, qui avait sans doute moins bien réussi que lui. Au contraire, il saluait tout le monde et les quelques curieux présents.

Henri protégeait son intimité constamment. Un journaliste du nom de Clément Fluet, le mari de la comédienne Janine Fluet qui tenait le rôle de la riche héritière dans *Les Belles Histoires des pays d'En-Haut*, et qui écrivait dans un tabloïd de fin de semaine, avait écrit quelque chose sur le salaire d'Henri en titrant : « De quelques dollars à 75 $ la minute. » Henri avait été tellement offensé que ce Clément n'a jamais remis les pieds chez eux.

Henri a toujours été lui-même. Il ne s'est pas forgé une prononciation spéciale. Il a hérité de la prononciation surtout de sa mère et de son père. Il n'avait pas d'accent emprunté. C'était toujours le même accent partout, à la télé, la radio, chez lui.

Henri était perspicace, c'est-à-dire qu'il avait un esprit pénétrant, capable de saisir des choses que d'autres ne pouvaient pas comprendre. Henri avait aussi un esprit de famille inné, à preuve, toutes les réunions de famille ; un esprit de famille également, dans le sens de sauver ses petits. Il avait pris à part Denys dans sa voiture pour lui parler des choses de la vie. Il m'avait confié cela. Pour lui, les relations avec ses enfants étaient primordiales, il tenait à ce que ses enfants soient bien élevés, avec des valeurs qui étaient les siennes. Henri était un leader né. Il aurait réussi à peu près n'importe où. C'était un gars qui mettait de l'acharnement dans son travail. Un homme naturellement généreux. Sa personnalité s'était développée de très heureuse façon grâce à des événements marquants. Tout d'abord, il était allé chez les jésuites, un collège parmi les plus exigeants, qui donnaient la meilleure formation. C'était le père Hardy qui lui avait dit de ne jamais changer son *parler*.

Après son séjour dans les chantiers maritimes à Prince-Rupert, à l'école de la vie, à la dure, Henri a réalisé qu'il ne voulait pas devenir travailleur manuel. Quand tu fais ton cours classique, tu ne veux pas retourner dans le garage ! Ensuite, ses études en droit lui ont donné beaucoup de finesse. Chaque détail était important à ses yeux. Il ne faut pas oublier le Cercle Molière qui l'a plongé dans la littérature, la culture. Il est entré à la radio CKSB et a délaissé ses études de droit. Sa voie était tracée. Il me vient deux exemples à ce propos. J'ai connu deux gars qui ont suivi le même chemin qu'Henri : René Lévesque et Gérard Picard, l'ancien secrétaire général des Syndicats nationaux catholiques. Ils n'ont, comme Henri, jamais terminé leurs études en droit. C'est le destin!

Cécile Corbeil-Laplante, épouse du réalisateur Marcel Laplante :

— Henri était un homme très généreux. Généreux de son temps, toujours prêt à rendre service. Je le connaissais par le petit écran, car nous avions déjà un téléviseur en 1953. Mais j'ai fait sa connaissance au studio 43, où mon mari travaillait comme assistant sur le plateau. C'est ce soir-là qu'Henri s'était étouffé avec une gorgée de Coke.

J'étais très impressionnée de voir toutes ces vedettes du *Survenant* et de rencontrer Henri Bergeron que je trouvais extraordinaire, élégant et tellement beau. Par la suite, nous nous sommes liés d'amitié avec sa charmante femme Yvonne, le chef d'orchestre Jean Deslauriers et sa femme, Jeanne, les Auger et les Landry, Jean-Yves et Josette. René Auger était violoniste dans l'Orchestre symphonique de Montréal et agissait comme répartiteur auprès des musiciens, il engageait le nombre exact d'exécutants pour un programme de concert choisi par le chef d'orchestre invité.

Yvonne et Henri étaient des gens d'une grande simplicité et nous passions des soirées agréables. Un jour, Henri avait servi une fondue, c'était rue Filion, fondue qu'il avait ratée et il ne s'en formalisait pas du tout. Et notre grand bonheur a été que leur fils Denys ait marié notre fille.

Henri avait une personnalité qui se démarquait de toutes les autres. Il ne passait pas inaperçu. Nous avons eu la chance de le connaître très bien, de faire des voyages avec Yvonne et lui, et combien de repas nous avons partagés. L'été 1999, il avait apporté une tresse d'ail, Henri était si heureux de me l'offrir. Sa dernière sortie a été chez nous, le lundi de Pâques 2000. Il était alors très faible, mais il avait eu la gentillesse de se déplacer avec Yvonne. Ils ont toujours été de grands amis sincères. Henri a été un exemple, une institution, je l'admirais beaucoup et j'en garde un souvenir ineffaçable.

Estelle Picard, comédienne :

— J'ai connu Henri bien avant mon mari Gilbert. C'était sur le plateau du *Survenant* où Henri était l'annonceur de l'émission et des publicités de Coke. Pour ma part, on me voyait allumer la lampe ancienne et ouvrir le grand livre à chaque début des épisodes du célèbre téléroman de Germaine Guèvremont. Marcelle Barth m'avait surnommée *l'allumeuse*. Henri était très généreux. Après le studio, il me ramenait souvent chez moi. Par la suite, Henri a travaillé régulièrement avec mon mari Gilbert, particulièrement lors des biennales de la langue française. Nous avons beaucoup voyagé avec Henri et sa femme Yvonne et nous avons partagé de beaux moments ensemble.

Gilbert Picard, réalisateur radio à Radio-Canada, 1961-1992 :

— Henri était un habitué des biennales de la langue française. Aussi, à partir de 1973, nous avons fait équipe en réalisant des émissions sur les biennales auxquelles nous assistions. Henri était un travailleur infatigable et nous étions sur la même longueur d'onde en ce qui concerne les reportages. Nous voulions toujours ajouter une saveur locale aux documentaires et à ce propos, nous avons vécu bien des péripéties amusantes.

À Marrakech, nous nous étions installés à notre balcon d'hôtel dès 5 heures du matin pour enregistrer l'appel à la prière. À travers les cris d'oiseaux et les premiers murmures d'une ville à son réveil, nous avions capté également les bruits pétaradants d'un moteur qu'on démarre. À Lafayette, en Louisiane, Henri s'était carrément embusqué derrière un pilier du quai pour saisir, après une attente d'au moins une vingtaine de minutes, l'orgue à vapeur à bord d'un bateau, qui faisait non seulement office de sirène, mais qui jouait aussi des airs populaires.

Un jour, dans la campagne sénégalaise, Henri interroge spontanément un écolier : «Dis-moi, en quelle année es-tu?» Et l'enfant répond stupéfait : «Nous sommes en 1973, monsieur!»

Que ce soit à Casablanca en prenant un thé à la menthe pour l'anniversaire d'Henri, après avoir été tous malades, nos femmes et nous, à cause d'un souper marocain très épicé, ou encore à l'île de Jersey où il faisait si froid que les éleveurs avaient recouvert leurs célèbres vaches de chaudes couvertures, ou à Madrid où Henri avait interviewé le grammairien et poète sénégalais Léopold Senghor, alors président du Sénégal, jusqu'au sommet du mont Saint-Bernard en chantant du grégorien au monastère de l'endroit, Henri a été un collaborateur efficace et surtout un ami magnifique et patient. Je nous revois encore en compagnie du président de la biennale, Alain Guillermou, à bord de la campignole d'Henri en plein centre-ville de Montréal, ou encore transportant nos volumineux bagages et tapis marocains cherchant un taxi, le jour de la fin du Ramadan décrété comme il se doit par le roi du Maroc. Quelles belles aventures!

Yvonne Brault, voisine à Ville Saint-Laurent :

— J'ai connu Yvonne et Henri lorsqu'ils sont arrivés à Ville Saint-Laurent, au tout début de la télévision. Mon mari et moi avions acheté une maison quasiment au même moment. C'était des maisons neuves. Nous habitions au coin de Filion. Notre fils Jacques avait six ans, comme l'aînée des Bergeron, Lorraine. Alors, c'est par nos enfants qu'on s'est connus et qu'on a appris que M. Bergeron était à la télévision. Nous n'avions pas encore de téléviseur, mais nos voisins Jacques et Jacqueline Leduc en possédaient un. Nous avons acheté un appareil télé pour le couronnement de la reine Elizabeth.

Henri était entouré de voisins cosmopolites. Il n'y avait pas beaucoup de francophones. Il y avait les Bernier, nous, sur le coin, les Leduc et les Bergeron.

Nous, les Canadiens français, on s'empressait de regarder ce beau monsieur à la voix d'or qui portait la cravate. Il arrivait que nous critiquions le choix de ses cravates, et on le lui disait! Henri était tellement facile d'approche. Il parlait à tout le monde.

Au début, mon mari André et le voisin Jacques Leduc possédaient de grosses voitures, alors qu'Henri n'avait qu'une toute petite voiture. Mais ça n'a pas duré longtemps. Henri a eu une grosse voiture, une autre pour Yvonne et un bateau, choses que nous n'avions pas bien sûr!

Avec les voisins, on a fait quelques excursions à bord du bateau d'acier. Un jour, mon mari André a plongé du bateau pour nager, mais il s'est accroché le gros orteil sur le bord du bateau et se l'est cassé. Une histoire inoubliable!

On portait des robes bustiers dans les soirées. La soirée commençait tard, vers 21 h et on faisait un lunch vers minuit, 1 h du matin. Le vin n'était pas à la mode à cette époque-là. On servait du fort et il fallait en acheter de toutes les sortes. Un prenait du scotch, l'autre du rye, du gin ou du rhum. En plus, il fallait avoir les boissons gazeuses. C'était cher les *partys*. Alors, c'était chacun notre tour. On fumait, on dansait et on parlait!

Je me rappelle qu'Yvonne avait cuisiné des biscuits pour une soirée. Les enfants les avaient tous mangés. Yvonne n'avait plus de dessert pour sa réception.

Les Anglais du quartier étaient très gentils. Les Rutherford et les Weldstead venaient de l'Ouest. Comme les Weldstead étaient les voisins immédiats des Bergeron, ils se recevaient pour le souper et faisaient des barbecues. Ils nous aimaient parce qu'on était des gens de *party*, qui aimaient avoir du plaisir.

Henri trouvait que les enfants du quartier ne parlaient pas très bien français. Alors, il leur a donné des cours dans son sous-sol. Même nous, les adultes, on y assistait, enfin surtout les femmes. Mais aujourd'hui, tous ces enfants-là parlent un bon français. Il les enregistrait à tour de rôle et ils s'apercevaient de leurs erreurs plus rapidement, y compris ses propres enfants.

Un jour, Yvonne m'a laissé le petit Sylvain en vitesse parce qu'elle devait se rendre à l'école pour un des enfants qui s'était blessé. Voilà que Sylvain me fait une crise, mais Yvonne m'avait prévenue, il fallait le laisser seul et la crise passait. J'étais quand même mal à l'aise. Sylvain souffrait de troubles intestinaux, des diarrhées. Mais il est bien aujourd'hui. Ce sont des choses qui arrivent.

Lorsque Yvonne et Henri ont acheté à Outremont, j'ai préparé une petite réception pour Yvonne qui était enceinte de son cinquième. Comme elle désirait avoir une fille, j'ai tout décoré en rose, la nappe, le gâteau, les chandelles. Finalement, elle a eu un garçon, Éric. Ma décoration n'a pas porté fruit! Yvonne s'en rappelle encore.

Après leur déménagement à Outremont, on a continué à se fréquenter. Yvonne et Henri sont des gens généreux et serviables. Henri est même venu installer mes tableaux lorsque j'ai emménagé ici, à la résidence. Ce n'est pas tout le monde qui fait ça. Je ne peux pas oublier Yvonne et encore moins Henri.

Jacqueline Mongeau et moi, nous sommes allées en campignole avec eux au mont Washington. Arrivés à destination, pas moyen de trouver un motel. Alors Henri a préparé le lit situé au-dessus de la cabine du chauffeur à l'avant du véhicule en disant : «Ça *matche* pas!» J'étais interloquée! «Qu'est-ce que tu dis là, toi, Henri Bergeron?» Henri disait ça pour se moquer. Sa belle-mère disait la même chose lorsque les draps n'étaient pas assortis. On avait ri pour mourir! Voilà que Jacqueline essaie de monter sur le lit, mais encore fallait-il la pousser! Une fois rendue, elle voulait redescendre pour aller aux toilettes! On avait quasiment pas dormi de la nuit!

En Floride, Henri nous emmenait au marché aux puces. Il était assez patient. Il aimait magasiner, mais lorsqu'il avait terminé, nous les femmes, on continuait. On allait aussi à la plage. Henri apportait le jeu de Toc et on s'installait sur une table à pique-nique tout en lunchant. C'était très agréable.

J'y pense souvent à Henri. Il est parfois même dans mes rêves! Il était tellement généreux. Il me rappelle de bons souvenirs. C'est une chance de l'avoir connu. Tu voulais être ami avec lui. Il était attachant. Quel grand cœur! Ses réceptions du jour de l'An sont inoubliables. Tout le monde avait un cadeau acheté et emballé par lui-même.

Jacqueline Mongeau, amie d'Yvonne et Henri Bergeron :

— La première fois où mon mari et moi avons fait la connaissance d'Yvonne et d'Henri, c'était au Club nautique, à Belœil. Un jour, on voit un gros bateau d'acier qui arrive à la marina. C'était assez impressionnant comme bateau. Mais qui on voit sortir de là, nul autre qu'Henri Bergeron. Son arrivée avait été véritablement *the talk of the town* (la nouvelle du jour). Mais mon mari Roland s'est aperçu assez vite qu'Henri n'avait pas beaucoup de notions nautiques. Il naviguait à peu près et risquait de briser son hélice en longeant les rives au lieu de suivre le chenal. Roland lui a demandé pourquoi il avait fait construire un bateau en acier et Henri lui a répondu : «C'est plus sécuritaire, le bateau risque moins de caler!» On aurait dit un véritable porte-avions! Henri avait peur de l'eau.

On a beaucoup navigué avec la famille Bergeron. On allait au lac Champlain; Henri était très heureux en bateau. Un jour, Sylvain courait partout sur les quais et, à un moment donné, il est tombé à l'eau entre deux bateaux. Heureusement, Henri l'a repêché par le fond de culotte. Yvonne elle, restait toujours calme, elle ne s'affolait jamais. Ils n'ont pas gardé le bateau très longtemps parce que le dernier enfant, Éric, était bébé et son estomac était fragile à cause du tangage.

Quand mon mari est mort, subitement, je me rappelle que c'est Henri qui a été le premier à entrer au salon funéraire. Il pleurait. Il m'a encouragée et son geste m'a beaucoup touchée. C'était facile de devenir ami avec eux, de vrais amis sincères.

Henri avait la dignité d'un seigneur très accueillant, tout en commandant le respect. Il ne supportait pas que ses élèves le tutoient. En bon soldat, il aura fait du français son cheval de bataille. Il écrivait souvent dans la page des lecteurs du *Devoir* et, un jour, il avait donné une leçon d'histoire au politicien Gary Filmon, qui avait fait un discours concernant les immigrants lors d'une campagne électorale au Manitoba.

Il voulait rétablir les faits historiques. Filmon affirmait que le Manitoba avait accueilli tous les immigrants en leur facilitant le transport en train. Henri tenait à rectifier cette affirmation en soulignant que les Québécois francophones peu fortunés avaient pour leur part été obligés de s'y rendre à cheval et en chariot, au détriment de leur santé, parce que le gouvernement manitobain leur préférait les immigrants anglophones.

J'avais parlé à Henri quelques semaines avant son décès. Il m'avait dit qu'il avait analysé sa vie et qu'il avait fait tout ce dont son père avait rêvé. Il était très lucide et résigné devant l'inévitable. Il a été courageux devant une maladie implacable. Il n'a jamais eu de mouvement de panique. Il avait un caractère très fort. Je dirais qu'il était beaucoup comme *le veau d'or* de la famille Bergeron. Ils étaient toujours après lui pour demander de l'aide, et ça lui faisait plaisir de rendre service, ça le gratifiait énormément. Chez Yvonne et Henri, c'était toujours la joie et c'est la raison pour laquelle ils attiraient beaucoup de monde à la maison.

Henri aimait magasiner. Je me rappelle, nous allions chez un antiquaire près d'Ogunquit, dans le Maine. Il avait déniché des couteaux en ivoire et Henri m'avait offert un bibelot représentant une chienne et ses chiots. Je conserve précieusement le présent chez moi. Henri était ce qu'il était parce qu'il venait d'une famille nombreuse où l'entraide était omniprésente.

Jeanne Deslauriers, épouse du chef d'orchestre Jean Deslauriers :

— L'une des premières émissions qu'Henri ait présentées était un concert avec Jean. Alors, on les a connus à ce moment-là. Ils habitaient à Saint-Laurent, les enfants étaient jeunes. Henri et Jean ont fait *Sérénade pour cordes* et *L'Heure du concert* pendant plusieurs années. On a toujours gardé de très bonnes relations depuis ce temps-là, même après la mort de Jean.

Jean et Henri aimaient travailler ensemble. D'ailleurs, une des premières émissions françaises qu'Henri avait entendues à la radio de CKSB à Saint-Boniface était un concert avec Jean. Ils se vouaient une admiration mutuelle.

Yvonne et Henri ont acheté la maison sur Wiseman grâce à moi. Ils m'avaient dit qu'ils voulaient acheter une maison plus grande dans Outremont. De mon côté, je connaissais un couple ami, Jean-Paul et Lucille Corbeil, qui voulait vendre la leur justement à Outremont. Yvonne et Henri sont allés la visiter et ils en ont fait l'acquisition. Drôle de coïncidence, n'est-ce pas ? C'était une belle résidence pour y élever les enfants. Yvonne et Henri aimaient beaucoup recevoir, sur Wiseman.

Henri était assez spécial. Il était intelligent et cultivé, et surtout déterminé. Il savait ce qu'il voulait et savait s'imposer. Il prenait sa place. Il était facile d'approche, aimable avec tout le monde.

J'avais reçu, au lac Achigan, et Henri s'était emporté contre une invitée. Moi aussi, j'ai souvent argumenté avec lui. J'ai déjà eu des accrochages qui ne duraient pas. Henri avait ses idées et y tenait, et je ne le blâme pas. Henri s'emballait et il avait souvent des réactions assez vives. Il était parfois raide, mais je considérais que je pouvais donner mon opinion. Ça chauffait, parfois !

Je suis allée avec eux en motorisé chez les Tanguay, en compagnie d'Annette Renaud et des Plante. Henri m'avertissait : « Je t'emmène à condition que tu ne fumes pas. »

Henri ne fumait plus, et ça le dérangeait.

Tout de suite après la mort de mon mari, Jean-Yves Landry a travaillé jour et nuit pour réaliser une émission à la mémoire de Jean qui a été diffusée à Radio-Canada, le dimanche suivant les funérailles. Au début de l'année 2000, je suis allée chez Henri avec Jeannette (Plante) et on a visionné l'émission. C'était très touchant cette émission-là. Nous l'avons écoutée religieusement en silence, sans passer de remarques, sans dire un mot.

Jeannette Plante, épouse d'Armand Plante, réalisateur radio à Radio-Canada :

— À peu près 20 ans après la mort de Jean Deslauriers, Marie a donné à sa mère, Jeanne Deslauriers, un enregistrement que Raymond David (vice-président et directeur général du réseau français de Radio-Canada) lui avait remis peu de temps après que l'émission eut passée en ondes. C'était une émission hommage réalisée en peu de temps par Jean-Yves Landry, d'une durée d'une heure et demie, où les chanteurs et chanteuses, musiciens, enfin tous ceux qui avaient travaillé avec le chef d'orchestre, dont le réalisateur Armand Plante, rendaient un dernier hommage. Henri Bergeron animait l'émission.

Nous nous retrouvons donc, Jeanne Deslauriers et moi chez Yvonne et Henri pour visionner l'émission. On s'installe dans le boudoir et Henri dit : « Écoutez-ça ! Vous allez brailler parce que moi j'ai braillé. Ne vous gênez pas. C'est très émouvant. »

Henri avait raté la diffusion 20 ans plus tôt. J'étais bouleversée. D'abord parce que je voyais mon mari Armand pour la première fois depuis son décès, et ensuite parce qu'Henri était également ému, la voix brisée, même si c'était la deuxième fois qu'il regardait le documentaire souvenir. Yvonne, quant à elle, essayait de me consoler. Finalement, Henri a réussi à dire quelques mots : « Je suis tellement heureux d'avoir vu cette émission. » Peut-être qu'à ce moment-là, Henri savait que sa vie était menacée. N'empêche qu'Henri était très en forme, car ils sont partis pour la Floride peu de temps après.

Henri travaillait du côté de la télévision alors qu'Armand réalisait des radio-romans comme *Vie de femmes* de Paul Gury Le Gouriadec et *Maman Jeanne* de Rudel Tessier (frère d'Annette Renaud, grande amie d'Yvonne Bergeron) dans les années 1953-1954. Lorsque le populaire annonceur Raymond Berthiaume est mort subitement dans un accident de voiture, c'était un choc, mais il fallait trouver un remplaçant et Armand a pensé à Henri à ce moment-là. Henri répétait souvent que c'était grâce à Armand s'il avait pu faire des émissions à la radio.

Henri était alors en contact avec les comédiens lors des répétitions et il appréciait énormément cela. Comme toutes ces émissions (roman-savon) étaient commanditées, les compagnies demandaient Henri pour faire les annonces publicitaires. Henri a donc fait beaucoup de publicité.

Les amitiés sont parties de là. Nous habitions également Ville Saint-Laurent et rapidement, nous avons fait connaissance. Dès les premières rencontres, on s'est lié d'amitié, même sur le plan famille. Le dimanche, on partait avec les enfants faire de la traîne sauvage au mont Alarie, près de Saint-Jérôme, qui avait un remonte-pente assez rudimentaire.

Nous avions nos activités régulières : le théâtre, l'opéra, les concerts et aussi les fins de soirée où l'on se réunissait souvent chez Henri jusqu'à une heure du matin. On parlait musique, théâtre, c'était agréable. On a également eu comme loisir les quilles, le mercredi soir. Je me dis, comment on arrivait à faire tout ça, à travers la famille, les enfants… On ne pourrait plus faire ça aujourd'hui. J'ai fait partie des Disciples de Massenet pendant huit ans, les répétitions, les concerts…

Henri avait un autre ton lorsqu'il discutait avec Armand. Il appréciait Armand pour toutes ses connaissances, que celui-ci partageait. Il y avait une espèce de complicité entre eux, chacun respectait l'autre.

Pour les émissions *Théâtre lyrique Molson* et *Opéra Concert*, Henri était le présentateur et assistait aux répétitions. C'était une époque vraiment extraordinaire où l'émission, diffusée en direct, permettait de faire connaître les chanteurs canadiens comme Richard Verreault, Louis Quilico, André Turp, Raoul Jobin, Colette Boky, etc. Plusieurs chefs d'orchestre comme Jean Deslauriers ont dirigé ces concerts qui avaient un succès fou. Radio-Canada distribuait des billets à la salle du Plateau au début et ensuite à la salle Claude-Champagne, et c'était rempli tous les soirs. Armand avait trouvé une façon originale de rendre accessible les opéras en faisant une adaptation. Les comédiens jouaient l'histoire et les chanteurs rendaient les airs principaux. Armand portait une attention particulière pour marier les voix des comédiens à celles des chanteurs pour éviter des décalages. Par exemple, pour Fernande Quioquio qui avait une voix de mezzo, Armand s'arrangeait pour trouver une comédienne à la voix assez grave.

C'était une entreprise énorme, 80 musiciens, les chanteurs, les comédiens, entreprise qui a fait connaître et aimer la musique et l'opéra. J'aime réécouter les enregistrements, on y entend la voix d'Henri. Ce sont des souvenirs impérissables.

Grâce aux émissions réalisées par Armand, Henri est entré dans tout ce milieu des artistes qu'il aimait et il aimait le répéter souvent. Il l'a souligné lorsque Armand est décédé.

Henri avait toutes les qualités professionnelles pour être à la télé. Il venait de l'extérieur, il n'était pas connu à Montréal, comme Roger Baulu, par exemple. Henri était plus jeune, c'était un bel homme qui s'exprimait d'une façon impeccable aussi bien en français qu'en anglais. À cause de sa personnalité, de sa prestance naturelle, de son éducation francophone mais aussi anglophone, de ses années passées à la radio, de sa façon expressive, de son côté comédien, de son sens de l'improvisation et de son sens inné du *timing*, Henri est devenu un personnage apprécié spontanément des téléspectateurs. Pour Radio-Canada, c'était un candidat en or.

Henri était le même, au travail comme dans la vie privée. Il gardait le même niveau de langage.

On se voyait dans notre petit groupe. Henri était toujours heureux d'avoir du monde autour de lui parce qu'il dominait et faisait la fête. Il y avait parfois des prises de bec avec une certaine personne qui aimait provoquer les discussions.

Souvent Yvonne se confiait à moi : « Tu sais, Henri n'arrête pas. J'aurais le goût parfois d'être tranquille, mais avec Henri, faut que ça bouge. Si, un soir, nous sommes seuls à la maison, il faut aller au cinéma. »

Alors, Yvonne partait, malgré la fatigue, mais elle suivait. Fallait avoir de l'énergie pour suivre Henri. Yvonne connaissait bien son Henri.

Lorsque nous allions au concert, on perdait Henri. Yvonne nous suivait alors qu'Henri s'accrochait et parlait aux gens qu'il connaissait. C'était comme ça partout, comme un jour à la basilique Saint-Anne-de-Beaupré, Henri était heureux de parler aux gens qui le saluaient. Il en avait besoin. Il était le Henri Bergeron de la télévision.

Henri était un anxieux et un angoissé, mais il le cachait très bien. Il a eu des frustrations qui l'ont fait sortir de ses gongs. C'était un bonhomme qui pouvait encaisser, mais lorsque la limite était atteinte, c'était quelque chose ! Il faisait une bonne colère et parfois ça sortait très mal.

Au moment où il a quitté Radio-Canada, je pense qu'Henri en avait assez. Il avait accumulé beaucoup de frustrations et il se confiait à Armand, qui travaillait également dans la boîte. Ils avaient senti que les choses avaient changé et ça les rendait très malheureux tous les deux parce qu'ils avaient connu une époque tellement différente.

Yvonne a été préparée à la mort d'Henri. Elle savait où elle allait et l'a finalement acceptée, même avant sa mort. Mais Yvonne ne se dévoile pas facilement. Elle ne démontre pas ses sentiments.

Les dernières semaines ont été pénibles. Au début, Henri avait quand même confiance, à cause de son caractère, il restait serein. J'aurais cru à un moment de révolte de sa part, mais ce n'est pas arrivé et ça m'a toujours épatée. Un jour, il a sorti son paquet de pilules : «Jeannette, je ne m'y retrouve plus! Je cherche cette pilule qui m'enlève mes nausées.»

Comme j'ai été longtemps en pharmacie, j'ai trouvé le bon comprimé.

Un autre jour, au téléphone, Henri me dit : «Tu sais Jeannette, je suis engagé dans le tunnel. Je n'ai plus d'énergie.»

Je ne voulais pas lui dire que ça irait mieux, car je savais qu'Henri connaissait très bien sa maladie. Alors je parlais dans le même sens que lui sans raconter d'histoires.

Yvonne était une femme totalement soumise, avec Henri. Elle répétait souvent : «Oh Henri, c'est Henri!» Henri était très exigeant parce que dans la maladie, les gens deviennent exigeants, et Yvonne faisait preuve de beaucoup d'abnégation, de courage. Henri était resté là où il voulait être, à la maison, avec tout ce qu'il y avait autour de lui, son téléviseur, l'arbre à la fenêtre.

Henri trouvait encore la force de se lever, de venir au salon prendre le champagne qu'Yvonne servait aux visiteurs. Henri voulait encore être ce qu'il avait été, paraître, parler, c'était essentiel pour lui.

Je pense souvent à la vie après la mort. Il me semble que les gens qui étaient si près, comme l'étaient Armand et Henri, doivent se retrouver ensemble là-haut.

Marie-France Beaulieu, veuve de Paul Gros D'Aillon, amis d'Henri et d'Yvonne Bergeron :

— Paul et Henri se sont connus à Saint-Charles, où ils avaient leurs maisons de campagne. Ils s'étaient liés d'une belle amitié. Ils aimaient beaucoup aller à la chasse au petit gibier, ce qui était aussi le prétexte pour échanger sur la langue, la politique et l'actualité. Paul était encore à cette époque-là (années 70), le rédacteur en chef du *Montréal-Matin*. Lorsque je pense à Henri, je pense également à Yvonne. Ils nous ont accueillis d'une façon tellement chaleureuse, un peu comme des membres de la famille. Nous étions près d'eux, à tel point qu'Henri est devenu le parrain de notre fille Cendrine. Puis, nous sommes partis pour Paris où Paul a été nommé directeur des communications pour la délégation du Québec. Notre attachement et notre amitié sont toujours demeurés intacts, malgré l'éloignement. Maintenant que Paul et Henri ne sont plus avec nous, je tiens à revoir Yvonne, qui représente pour moi la « maman » par excellence. Je suis très reconnaissante d'avoir eu le privilège de les connaître tous les deux et d'avoir partagé des moments de bonheur.

Andrée Maher-Tanguay et Raymond Tanguay, amis et voisins d'Outremont. Andrée Maher-Tanguay :

— J'écoutais déjà des émissions qui provenaient de l'Ouest, du Manitoba. Il y avait des reportages sur le Cercle Molière et c'est à ce moment-là que j'ai entendu le nom d'Henri Bergeron pour la première fois. Et puis, bien des années plus tard, j'ai vu Henri au collège Jean-de-Brébeuf à l'occasion d'une pièce de théâtre pour laquelle ma fille Anne avait fabriqué des masques, et je me rappelle que pendant 10 minutes, Henri m'avait parlé contre sa mère. Il avait dit en substance, plus béret blanc que ça, c'était sa mère. Henri était révolté, il n'était pas content, je le sentais troublé. Cela m'avait étonnée, puisque le rencontrant pour la première fois, il m'avait parlé uniquement de sa mère.

Par la suite, j'ai rencontré Henri et Yvonne lorsque nos enfants se fréquentaient. Nous avions été invités à Saint-Charles-de-Mandeville et peu de temps après, ils vendaient le chalet.

Par la suite, nous avons assisté à de nombreux concerts dont Henri était l'animateur, lors de ces émissions réalisées par Armand Plante. Après les concerts, il y avait toujours une petite fête, chez Jean Deslauriers, chez Jeannette et Armand Plante, chez Henri ou chez nous. Ces rencontres étaient toujours très agréables, la table était copieuse et le tout bien arrosé. C'était très convivial.

Raymond Tanguay :

— J'ai rencontré Henri Bergeron pour la première fois à un match de curling à l'Université de Montréal. Je jouais avec des étudiants des HEC, ainsi qu'avec mon frère aîné, Jean-Jules. Henri faisait un reportage sur le curling, c'était avant 1970, parce que notre fille Anne ne fréquentait pas encore leur fils Sylvain. À ce moment-là, Henri avait été très gentil, il était venu s'asseoir avec nous, on avait placoté, on avait parlé de divers sujets, y compris le curling. Ça avait été très agréable de faire sa connaissance, puisqu'il m'impressionnait déjà par ses émissions à la radio et à la télévision. Je n'ai pas été surpris de constater qu'il était facile d'approche, je savais quel sorte d'homme il pouvait être.

C'est ainsi que le groupe s'est constitué. On se rencontrait aussi pour le week-end, chez les Plante à Sainte-Marguerite, chez nous à Berthier-sur-Mer. Yvonne et Henri ne pouvaient se contenter de venir seuls, il fallait qu'ils emmènent leur cour. C'est donc grâce à eux si nous avons fait la connaissance du frère d'Henri, Joseph, et de sa femme Valérie, et puis celle des Hébert, Yvonne et Maurice. On mangeait bien et on buvait autant! Yvonne et Henri étaient des gens de *party*, ils avaient le sens de la fête. Nous avons passé de bons moments ensemble.

Andrée Maher-Tanguay :

— Yvonne et Henri disaient : « Même si un jour nos enfants se séparaient, il faudra rester ami. » Malheureusement, ce fut le cas. Mais notre amitié est demeurée intacte sans aucune explication de part et d'autre. Nous étions tous évidemment très tristes, c'est à ce moment-là que j'ai découvert le verbe, geindre. Ma sœur m'avait fait remarquer que je ne pleurais pas, je geignais!

Raymond Tanguay :

— On considérait Sylvain comme un fils, on l'aimait beaucoup, alors ça a été une surprise totale pour moi. Je n'aurais pu soupçonner le moindre malaise entre eux. Ça a été tout un choc.

Andrée Maher-Tanguay :

— Nous, les femmes, on voit des signes, quand même…

Raymond Tanguay :

— Lorsque nous sommes allés chercher son permis de chasse chez le marchand général à Montmagny, Henri est entré et a attendu son tour. Aussitôt qu'il est entré, les gens se sont tous écartés : « Passez monsieur Bergeron ! » Il y avait deux files et les préposés ont arrêté de travailler, tout le monde regardait Henri Bergeron. On voyait qu'Henri était fier et heureux de bénéficier de ce traitement de faveur.

Andrée Maher-Tanguay :

— Une autre fois, à Berthier-sur-Mer, nous étions allés chercher des légumes chez les sœurettes, comme on les appelait. C'était deux sœurs qui vendaient des bons légumes dans leur sous-sol. Alors, on descend avec Henri et lorsqu'elles l'ont aperçu, elles ont figé net ! Revenues de leur stupéfaction, la première a dit : « Si j'avais su que vous veniez, j'aurais enlevé mes bigoudis ! » L'autre a enchaîné : « Un instant, je vais aller chercher mon père ! » Les sœurettes avaient eu la surprise de leur vie !

Nous avons voyagé avec eux en campignole, un mot qu'Henri avait inventé et qui n'a jamais été homologué. Nous sommes allés entre autres vers la côte est des États-Unis. Oui, un voyage plutôt avorté. Nous avions fait cuire des coqs et Raymond a fait une indigestion monstre, il a été malade toute la nuit et, en plus, il faisait mauvais temps, il n'y avait rien de drôle, alors Henri a dit on rentre. Pour moi, c'était des vacances, car je travaillais encore, alors je me suis dit, ça y est, c'est fini, on retourne à Berthier et on reçoit ! Comme Henri avait bon caractère, il a chialé tout le long à propos des routes qui étaient impraticables, comparativement aux routes américaines. Ça brassait ! Alors nous avons terminé nos vacances à Berthier !

Raymond Tanguay :

— Je suis allé en Abitibi avec Henri, à deux reprises. Nous étions allés chez Léandre pour conditionner les agneaux que Léandre élevait et tuait à notre intention. Alors nous faisions l'emballage pendant que Léandre faisait le débitage. Ça avait été extrêmement agréable, j'ai beaucoup apprécié ces deux voyages, d'abord pour mieux connaître Léandre, sa femme Francine et leurs fillettes. Je me rappelle, la seconde fois, il faisait -40 °C, moi qui ai horreur du froid ! C'était assez pénible, ne serait-ce que de se rendre aux toilettes, éloignées de la maison.

J'ai beaucoup aimé ces voyages en compagnie d'Henri. On arrêtait à Mont-Laurier où Henri avait un endroit préféré pour manger, il y était bien accueilli, les gens l'aimaient beaucoup.

La relation entre les frères semblait tout à fait bonne. À notre premier voyage, Léandre avait déjà publié son fameux dictionnaire sur le parler québécois, alors on en a beaucoup discuté et je lui ai apporté plusieurs exemples qu'il ne connaissait pas comme *rubber tires* que l'on prononçait *robbeurtailles*. Quand j'étais jeune, dans le coin de Québec, on disait ça pour les pneus.

Lors du second voyage, la mère d'Henri et de Léandre était là. Elle y est restée, je crois, jusqu'à la fin de sa vie. Je pense que Liliane était là également. Henri et moi, nous y sommes restés au moins trois ou quatre jours.

Église Sainte-Madeleine, 10 h 48

Henri :

— Ah oui ! Le *Dictionnaire de la langue québécoise* de Léandre ! Je n'étais évidemment pas très heureux, surtout lorsque j'ai pris connaissance de la bague publicitaire qui encerclait le livre : *Interdit aux moins de 18 ans, aux linguistes, aux professeurs de français et aux annonceurs de Radio-Canada.*

N'étant pas naïf, je savais que le message m'était directement adressé. Comme l'a si bien dit Denise Bombardier, si ce n'était pas de la provocation, il n'y avait qu'un pas. Et j'avais même accepté d'allonger le mien, de pas, en participant à une émission radiophonique, le 22 novembre 1980, *La vie quotidienne*, animée par Andréanne Lafond, en compagnie de mon frère Léandre afin de débattre du sujet, même si cet ouvrage était manifestement à l'index pour moi.

Nous y avions certes croisé le mot, passant du vouvoiement au tutoiement, tout en maintenant chacun nos positions. Léandre affirmait qu'il avait été un scribe, un petit copiste qui avait transcrit le parler d'ici, afin que les Québécois se retrouvent dans leur langue. Je soutenais que le dictionnaire de Léandre était plutôt un répertoire de termes utilisés dans le langage québécois parce qu'à mon point de vue, la langue québécoise n'existe pas en tant que telle, ou bien, il y aurait alors la langue belge, brésilienne, américaine, canadienne et on ne s'y retrouverait plus.

Nous avions terminé l'émission dans un éclat de rire commun où Léandre déclarait que l'interdiction était une blague et qu'il me dédicacerait son dictionnaire, ouvrage dont la préface d'ailleurs, était écrite dans un excellent français. La guerre n'avait pas eu lieu!

Raymond Tanguay :

— Oh oui! Je me souviens de cette discussion assez musclée avec M. Mercier et Henri à propos de la dernière guerre. Dans mon esprit, la guerre se faisait non pas pour l'Angleterre, mais plutôt pour la paix, la protection de l'humanité et contre les trois dictatures. Au début de la guerre, les Russes étaient contre nous, ils étaient alliés depuis le 24 août avec Hitler et Mussolini, alors c'est ça que nous combattions. Alors, M. Mercier a eu une parole, un peu légère disons! Henri lui a saisi la main et a cassé le verre de son beau-père dans sa main. Il a dû le serrer pas mal fort! J'étais malheureux, mais j'ai revu M. Mercier quelque temps plus tard et les choses avaient bien tourné.

Andrée Maher-Tanguay :

— Ce moment-là avait été pénible, nous étions à table, comme dans toutes les familles unies, c'est à la table que ça se passe...

Raymond Tanguay :

— Henri s'emportait assez facilement. Je me souviens d'une discussion avec Jeanne Deslauriers, voilà un autre moment absolument épouvantable.

Andrée Maher-Tanguay :

— Nous étions tous à bord de la campignole et à un moment donné, Henri a été obligé de freiner brusquement et les tiroirs ont volé. Jeanne a dû faire une remarque à sa façon, elle avait le don d'avoir la phrase assassine. Alors, Henri s'est retourné et ils ont eu un affrontement comme ils en avaient régulièrement.

Raymond Tanguay :

— Je me rappelle aussi, au sujet de Jean Vallerand (chef d'orchestre). Quelqu'un a passé une remarque qui n'était pas du tout défavorable à l'endroit de Jean Vallerand, mais Jeanne a mal interprété ce qui venait de se dire. Elle s'est fâchée. Henri a fait une colère en sortant quelques gros mots. Là, il était en spectacle, alors je suis sorti dehors et j'ai dit à Armand Plante : « Moi je n'ai pas payé pour assister au spectacle. » Et en ce qui concerne Jeanne, il n'était pas question pour elle de s'excuser et elle a terminé en disant : « Il m'a amenée et il va me ramener. » C'était dommage, parce que c'était un beau week-end. Nous avions toujours bien du plaisir, chacun apportait son alcool et on fournissait la bouffe.

Andrée Maher-Tanguay :

— Henri faisait des colères, il n'aimait pas se faire attaquer pour rien. Moi-même, je lui ai passé quelques phrases en douce...

À la fin, il en avait ras le bol de Radio-Canada, il en faisait de l'eczéma.

Quand Henri disait à Yvonne, «toi ma Bretonne», il y avait là une belle complicité. Ils se couchaient toujours très tôt et se levaient à une heure du matin pour manger. Ça faisait rire Yvonne lorsque j'appelais Raymond mon trésor ou bien lorsque je partais avec la visite pendant que Raymond préparait le repas et que nous revenions un peu tard, et que je lui disais : Trésor, dis-moi que tu m'aimes! Un jour, Yvonne était allée chez des gens et il était arrivé une situation semblable, alors Yvonne avait dit : «Dites comme une de mes amies : "Trésor, je t'aime!"»

Raymond Tanguay :

— J'avais remarqué qu'entre eux, il n'y avait pas de démonstrations d'affection.

Andrée Maher-Tanguay :

— Par contre, on voyait qu'Henri comptait sur Yvonne et elle devait faire la même chose en retour. Mais Yvonne a toujours veillé au grain, elle était tellement dévouée. Fallait la voir, charger son lave-vaisselle après un *party*, elle en mettait assez! Yvonne, c'était le genre *happy go lucky* (sans soucis). Elle a été très dévouée pour la famille d'Henri.

Ismène Toussaint, auteure :

— J'ai connu Henri Bergeron indirectement, lorsque j'étais au Manitoba dans les années 90, par ses publications, c'est-à-dire *Un bavard se tait pour écrire* et *Le Cœur de l'arbre, le bavard récidive*. Ce qui m'avait frappée surtout, c'était son visage, celui d'un homme très ouvert, d'un homme fait pour les communications. J'en avais entendu beaucoup de bien, entre autres par Lionel Dorge, directeur des Éditions du Blé qui avait publié ses livres. Cependant, je n'ai pas rencontré Henri Bergeron au Manitoba, mais au Québec. Je l'ai rencontré d'abord par correspondance. En 1994, je lui ai écrit parce que je préparais mon livre *Les Chemins secrets de Gabrielle Roy* et je savais qu'il avait connu l'auteure manitobaine. J'ai eu l'agréable surprise de recevoir une lettre manuscrite et tout un rapport sur son amitié avec Gabrielle Roy. En lisant sa lettre, j'ai été surprise par sa grande ouverture sur le monde, sa grande humanité, de la manière dont il m'a parlé de Gabrielle Roy et de constater la modestie de ce grand homme des communications au Québec et dans le Canada francophone, en lisant cette phrase : « J'ai encore beaucoup à apprendre. »

Il m'a dit qu'il apprenait maintenant à écrire après avoir beaucoup parlé. Ça m'a beaucoup touchée. Je me suis dit, c'est un homme avec qui je m'entendrais bien.

J'ai tout juste fini mon entrevue avec Henri par téléphone pour mon livre *Les Chemins secrets de Gabrielle Roy,* dans lequel on retrouve non seulement son témoignage, mais également deux lettres inédites de Gabrielle Roy à Henri. Malheureusement, il m'a tout de suite dit qu'il était malade. Il m'a dit : « J'ai une épreuve, je souffre d'un début de cancer au côlon. » Il était attristé et très inquiet.

J'ai rencontré Henri au début du mois de février 1999. Il m'a accueillie très gentiment. J'ai été frappée par la grande précision de son vocabulaire, la grande clarté et la qualité de son français, le ton posé de sa voix, sa grande simplicité. Je me suis sentie à l'aise et en confiance en sa présence. Nous nous sommes assis près du feu et nous avons conversé tout près de deux heures. Il venait de recevoir les résultats d'analyses de son cancer, et il était plus rassuré et plus optimiste que lorsque je lui avais parlé au téléphone. Nous avons parlé de Gabrielle Roy bien sûr, de la France, de sa vie. Je l'ai écouté surtout. En nous quittant, Henri m'a dit : « C'est drôle, on ne se connaît que depuis deux heures et j'ai l'impression que l'on se connaît depuis toujours. » J'en étais très touchée, et de là est née notre amitié.

Aussitôt le livre publié, j'ai tenu à en remettre une copie dédicacée à Henri. Depuis mon arrivée au Québec, je logeai chez les religieuses du Saint-Nom de Jésus et de Marie, boulevard Mont-Royal, à Outremont. L'arrivée de l'animateur à la maison mère a créé tout un émoi. C'était l'effervescence au couvent. Recevoir Henri Bergeron, c'était toute une affaire. J'ai demandé quand même une entrevue privée avec lui. On nous a installés dans un beau et grand salon et on a été tranquilles, quoique les sœurs étaient agglutinées à la fenêtre et ça faisait rire Henri.

On a encore beaucoup conversé. Je lui ai offert un exemplaire dédicacé et en relisant les lettres de Gabrielle Roy, Henri a pleuré. Il a été très touché aussi par la manière dont j'avais traité son témoignage. C'était un moment très émouvant. Toute sa sensibilité s'est exprimée à ce moment-là. Il a commencé à me tutoyer et notre amitié, petit à petit, a vraiment grandi. Quelques jours plus tard, Henri me téléphonait pour m'inviter à dîner et pour souligner la sortie de mon livre. J'étais très contente, d'autant plus que je ne connaissais pas grand monde à Montréal. Je me sentais très seule. Malgré le succès de mon livre, je ne me sentais pas du tout chez moi ici et j'étais ravie de m'être fait un ami qui est devenu d'ailleurs le meilleur.

Henri m'a présenté sa femme, que j'ai trouvée très différente de lui. C'était un couple qui se complétait très bien ; Henri étant plutôt très tourné vers sa carrière, bien sûr, et Yvonne vers sa maison, ses enfants, sa famille. Henri était plutôt rêveur, aussitôt qu'il parlait d'un sujet, il partait vers un autre monde, tandis qu'Yvonne a les pieds bien sur terre. J'ai trouvé une famille sympathique. Il y avait leur fille, sa sœur Liliane et sa belle-sœur Mimi, qui sont devenues aussi des amies. Nous avons passé un très bon moment. Et puis, de fil en aiguille, Henri et moi, nous avons continué à nous téléphoner et il m'a reçue très régulièrement, soit seul à seule, soit en famille. J'ai bientôt fait partie de la famille Bergeron.

Quand on se retrouvait seul à seule, on parlait beaucoup du Manitoba, un pays que je ne retrouvais pas ici, que j'avais quitté à regret pour poursuivre ma carrière littéraire. C'était très important ce lien avec Henri, mis à part le fait que j'appréciais beaucoup l'homme, bien sûr, je retrouvais un peu mes racines manitobaines à travers Henri.

Un autre personnage nous a beaucoup liés, c'est Louis Riel, qui est un peu mon père spirituel, dont j'ai fait la connaissance posthume à Saint-Boniface, et sur qui j'ai écrit un livre dédié à Henri, *Louis Riel – Le bison de cristal*. Henri était lié à Riel, comme rarement je l'ai vu. Il le comprenait de l'intérieur, il était à sa manière un grand fils spirituel de Louis Riel. Henri m'avait dit que s'il mourait, il aimerait retrouver Riel sous une forme quelconque.

Henri a prêté sa voix à Louis Riel dans un documentaire peu connu du Manitobain Martin Dokworst. Henri arrivait même à imiter parfaitement Riel en roulant ses *r* et en disant Manitoba en baissant sa voix sur la dernière syllabe. On aurait dit qu'il l'avait vraiment connu. Mais je crois qu'Henri s'était abondamment documenté sur lui en lisant des biographies et l'histoire de la nation métisse. Henri a aussi fait une présentation à l'Union nationale métisse Saint-Joseph du Manitoba pour commémorer le centième anniversaire de la mort de Riel. C'était en 1985. En guise de remerciement, on lui avait remis des verres à l'effigie de Louis Riel.

Henri m'a dit que j'étais sa dernière amitié. Il est devenu comme un père québécois. C'était une amitié et un amour filial. Il avait ce don de vous apaiser, de vous rassurer, de vous consoler. Il trouvait toujours les mots pour vous remettre en forme, vous revaloriser.

D'Henri émanait une lumière intérieure qui lui conférait une sorte d'aura, qu'on ne voyait pas bien sûr, mais qu'on ressentait à travers son parler, à travers ses mots choisis, à travers ses yeux expressifs sans être embarrassants. Je garde le souvenir d'un homme calme qui avait quand même du tempérament. Il n'était pas orgueilleux, mais plutôt fier, fier de son parcours, et il y avait de quoi. Il s'imposait naturellement par sa stature, sa jovialité, son visage ouvert avec des narines larges, paraît-il que c'est le propre des gens ouverts vers les autres, en psychologie. C'était un homme profondément spirituel sans être bigot.

Un jour, je suis venue le chercher pour aller manger une glace au Bilboquet, à Outremont. Il me répondit à la troisième personne :

— Mais Henri Bergeron ne va pas sortir en short dans Outremont, que diraient les gens !

— Mais Henri, les gens s'en fichent, c'est l'été ! Vous êtes orgueilleux !

J'y suis donc allée avec Yvonne. Il faut dire que sa maladie avait progressé, à ce moment-là. Malgré le fait qu'il espérait toujours s'en sortir, Henri n'était pas révolté contre la mort, il l'acceptait, il réalisait qu'il avait eu une belle vie. Ce que j'ai trouvé extraordinaire, c'est qu'il a donné des conférences auprès des cancéreux pour leur redonner espoir et il a fait des émissions à Radio Ville-Marie jusqu'à la fin, plutôt que de rester chez lui à ressasser des idées moroses et se replier sur lui-même.

Henri m'a fait une autre surprise. Lors de son dernier voyage en France, en septembre 1999, il est allé voir mes parents, en Bretagne, sans me le dire. Et comme un enfant espiègle, il m'a montré ses photos de vacances. Ma mère m'avait dit, à propos d'Henri et de sa visite, qu'elle sentait que c'était un ami depuis toujours. Mon père, qui était médecin, ne s'était pas aperçu qu'Henri était malade.

Je savais que c'était le dernier jour de l'An que je passais avec Henri. J'en ai bien profité et, en même temps, je n'étais pas tellement en forme. J'ai fait bonne figure, mais quand on sait qu'on va perdre un ami dans l'année, on n'est quand même pas très heureux. Il y avait des cadeaux et jusqu'au bout, animateur dans l'âme, Henri a calmé les enfants en organisant des jeux et des danses. C'était sa vie quoi.

Je suis allée voir Henri régulièrement pendant sa maladie. Pour un homme actif, c'était douloureux de ne plus pouvoir se lever. Il avait encore des projets de livres, d'émissions, des communications à rédiger. Nous avons mangé ensemble huit jours avant sa mort, chez lui, avec Yvonne et le journaliste Jean-Louis Morgan. Henri était déjà dans un autre monde. Il nous écoutait parler surtout. Je me suis éclipsée pendant les derniers jours de sa vie. C'est Mimi Mercier qui m'a appelée pour me dire qu'Henri était décédé. Ça a été un choc. J'ai du mal à pleurer, alors je garde tout à l'intérieur.

Je n'ai travaillé qu'une fois avec Henri. Je faisais une conférence sur Gabrielle Roy pour les anciens d'Outremont. Henri a fait la présentation avec beaucoup de professionnalisme. J'ai vu qu'il appréciait la manière avec laquelle j'avais mené ma conférence. C'était toute une reconnaissance, de la part d'un grand pro. Ce qui m'a frappée, par contre, c'est qu'il avait beaucoup plus le trac que moi, alors que c'était lui le grand professionnel de la communication. Je le sentais nerveux et il me communiquait son trac. Mais c'est le propre des grands animateurs, des grands comédiens…

CHAPITRE 8

Le professeur de communication

«Communiquer, c'est bien s'entendre…
à commencer par soi-même et avec soi-même.»
Henri Bergeron

«Tu fais de la communication une religion.»
Monseigneur Rémi de Roo

«Fallait le voir évoluer en classe, comme un danseur.»
Jacques Laurin

Église Sainte-Madeleine, 10 h 51

Henri :

— Ah! Ce fichu trac! C'était désespérant! Le seul moment où il me laissait tranquille c'était en classe, devant mes élèves. J'ai toujours aimé l'enseignement, on a ça dans le sang chez les Bergeron. Mon frère Jos a enseigné le français et l'histoire pour les Forces armées canadiennes; mon frère Léandre a été professeur de littérature à Concordia; Antoinette a été directrice d'école à Notre-Dame-de-Lourdes et au Précieux-Sang, au

Manitoba, et elle a également enseigné le français à l'École des langues à Ottawa pendant huit ans ; Marie, Louise et Laurette ont été professeures, même Gertrude a enseigné la natation à Saint-Boniface, et quatre de mes enfants ont également la vocation. Lorraine est professeure au collège privé ECS de Westmount ; Alain enseigne la musique au collège Jean-Eudes à Montréal ; Sylvain, l'ingénieur forestier, transmet ses connaissances à des élèves inscrits en aménagement paysager du cégep de Sainte-Thérèse, et Éric est chargé de cours aux HEC et y enseigne le commerce électronique.

Pour ma part, j'ai donné des cours de communication pendant quelques années à l'Université de Montréal, au début des années quatre-vingt et je me rappelle qu'Éric, qui était alors à Jean-De-Brébeuf, m'assistait dans mon travail. Pendant que je donnais le cours théorique, Éric s'occupait du laboratoire. Il installait mes quatre têtes enregistreuses, que j'avais baptisées Marguerite, et il prenait en notes les commentaires des élèves à l'audition des enregistrements. Éric prenait son rôle très au sérieux, et je sentais déjà qu'il aimait l'enseignement, qu'il aurait beaucoup de facilité à transmettre ses connaissances aux élèves.

J'ai également enseigné la communication pendant plusieurs années au Conservatoire Lassalle. Il a été fondé en 1906 à Montréal, puis incorporé en 1908 par l'homme de théâtre français Eugène Lassalle et sa femme, la comédienne Louise Doëlling-Landreau. Le Théâtre des Nouveautés avait fait venir le couple au Québec et, dès son arrivée, il a ouvert les portes du conservatoire et a dispensé des cours de théâtre et de diction. C'était une première au Québec. Des laïcs fondaient une école qui, jusqu'à maintenant, était le monopole des institutions religieuses. C'était également la première école privée subventionnée à Montréal, affiliée pendant 50 ans à l'Université de Montréal, jusqu'en 1972. Depuis 1972, on y offre le programme collégial en art dramatique et art oratoire. Le conservatoire offrait donc des diplômes pour les adultes qui suivaient les quatre années de formation. Louise Doëlling-Landreau s'occupait des petits et Eugène Lassalle des adultes.

Les fondateurs étaient les grands-parents de Nicole Germain. Louise Landreau avait eu un fils d'un premier mariage, Georges Landreau. Celui-ci avait eu deux filles, Nicole et Micheline, qui ont hérité du conservatoire. En 1964, elles l'ont vendu pour la somme symbolique de 1 $ pour le transformer en corporation à but non lucratif, donc dirigé par un conseil d'administration. Conseil présidé par Nicole Germain jusqu'à son décès, le 11 février 1994, à 77 ans. Elle suivait de très près la bonne marche de l'établissement sans y donner de cours.

Le corps professoral se composait entre autres du comédien Henri Poitras, qui interprétait le rôle de Jambe de bois aux côtés d'Andrée Champagne (Donalda), dans *Les Belles Histoires des pays d'En-Haut*, rôle tenu dans la version cinématographique par Nicole Germain. Enseignaient également messieurs Phil Desjardins, Georges Landreau, le fils de la fondatrice, René Guénette et madame Janette Brouillette.

Plusieurs élèves désormais célèbres ont fréquenté l'établissement : Cora Élie Lepage, la mère de Monique Lepage, Olivette Thibeau, Yvette Brind'Amour, Denise Pelletier, André Montmorency et puis madame Yvonne Audet qui, pendant de nombreuses années, formera à son tour plusieurs comédiennes et comédiens, ainsi que des personnalités du monde de la communication, entre autres Suzanne Le Beau. Si ma mémoire est bonne, Suzanne est entrée au conservatoire en 1973 comme professeure, ensuite elle est devenue directrice des études et, aujourd'hui, elle en assume la direction générale.

Suzanne Le Beau, directrice générale du Conservatoire Lassalle :

— Monsieur Bergeron est arrivé en 1973 pour donner des cours d'appoint en communication orale. Pendant près de 15 ans, il a offert un cours spécial d'une durée de quatre à cinq semaines aux nouveaux inscrits, cours qui avait pour objectif d'éveiller chacun à sa propre voix et à ses dispositions naturelles, et de faire comprendre ce qu'est réellement la communication en utilisant sa fameuse Marguerite. Les jeunes étudiants trouvaient cette approche formidable ; mais pour certains ce fut un choc plutôt rude !

Église Sainte-Madeleine, 10 h 52

Henri :

— J'avais *patenté* une tête de mannequin munie de deux microphones dissimulés dans chaque oreille de cette assistante d'apparence bien inoffensive. Je l'avais baptisée Marguerite. J'en profitais pour enregistrer la voix des élèves à leur insu. L'écoute qui s'ensuivait provoquait des surprises, car les élèves s'entendaient souvent pour la première fois et ils reconnaissaient rarement leur propre voix. Je leur disais : « Voilà comment est votre voix. Il faut s'entendre pour se comprendre. » C'était la base de mon enseignement : être soi-même, comment on se perçoit, l'attitude envers les autres, la respiration.

Angelo Cadet, étudiant de 1985 à 1987. Animateur, comédien, journaliste et réalisateur :

— Mon premier souvenir d'Henri Bergeron est sa voix lorsqu'il présentait les *Beaux Dimanches*. J'avais alors cinq ans. Mais je ne pouvais voir la suite, puisqu'il fallait que j'aille me coucher. Mais j'aimais l'entendre, on aurait dit un bon papa.

Quand j'ai mentionné à mon père que j'aurais Henri Bergeron comme professeur, il a été surpris. Et moi aussi ! J'avais devant moi Henri Bergeron qui me parlait, qui s'intéressait à moi ! Il prenait le temps de m'écouter, il comprenait ce que je ressentais. Il était très accessible. Un jour, il m'a pris à part et il m'a dit : « J'aimerais te former comme journaliste. » Je lui ai répondu étonné : « Mais je veux devenir comédien ! »

Revenu de mon étonnement, je lui ai dit que la journaliste Michaëlle Jean (nommée gouverneure générale du Canada au mois de septembre 2005) était ma cousine. Il a souri comme si je venais de lui confirmer ses attentes envers moi. Il décelait rapidement notre potentiel. Il s'occupait beaucoup de moi et de mon évolution, parfois au détriment des autres, dans la classe. J'en étais un peu gêné au départ, et puis je me suis dit : Au diable! je m'amuse. Je ne me sentais pas du tout comme à l'école. Je sentais que j'étais dans mon élément.

Henri Bergeron était un professeur d'une simplicité désarmante. On apprenait le métier avec des exercices assez inusités, celui de la boule de papier, par exemple. Il commençait le premier cours en nous faisant écrire le mot ridicule sur une feuille de papier. Ensuite, on en faisait une boulette et il nous demandait de la jeter à la poubelle. Henri Bergeron s'exclamait : « Bon, maintenant que le ridicule est aux poubelles, on peut travailler! »

Nous avions devant nous un monument et il usait d'un truc aussi simple pour nous faire comprendre les mécanismes de la communication : *émetteur-transmetteur-message*. C'était la magie d'un génie de la communication qui nous apprenait de grandes choses avec simplicité. Il nous tendait la main en livrant ses trésors, ses secrets. Il m'a appris à être moi-même en tout temps, peu importe où je suis, au travail ou ailleurs.

Durant les cours, je m'amusais à fermer mes yeux pour me concentrer sur sa voix. Je me considère très chanceux d'avoir eu Henri Bergeron comme professeur. Je le trouvais droit, fort, authentique. J'avais envie d'être comme lui.

Gino Chouinard, animateur de l'émission *Salut Bonjour week-end* à TVA :

— J'arrivais de Mégantic avec mon accent du coin et un français plutôt boiteux. Monsieur Bergeron demande de nous présenter à tour de rôle. Lorsque mon tour arrive, Henri Bergeron s'exclame : « Pardon? » Je redis mon nom et il me repose la même question à cinq reprises. J'en viens à douter que mon nom est bien Gino Chouinard! Ça partait mal! C'est alors que M. Bergeron m'explique que je dois dire Chouinard et non Chouinord, comme je le disais avec mon accent.

Henri Bergeron a été un professeur marquant. Il nous permettait de prendre conscience de notre voix, de nos possibilités avec des méthodes rudimentaires. Je me rappelle la fameuse phrase : «Antoine, je veux de l'avoine», un exercice de basses fréquences. En répétant cette phrase tout en déplaçant le son en bouche, nous développions la sonorité de notre voix. J'ai tellement répété ces mots que mes amis me taquinent encore aujourd'hui en m'imitant!

Les trucs que je retiens de son enseignement sont archi simples, mais combien efficaces, comme la lecture à haute voix. Mais mon favori est celui de l'oreille gauche. C'est un moyen magique pour placer sa voix. On bouche l'oreille gauche et automatiquement on s'entend très bien. Ou encore, on se place dans un coin, un endroit qui devient comme une caisse de résonance. J'ai encore ses notes de cours, qui sont très précieuses à mes yeux. Cela fait partie des intouchables.

Il nous apprenait à puiser en nous à la découverte de nos ressources. Il était très accessible, disponible. Son enseignement était donné de façon simple et directe. Lorsque j'ai terminé, en 1986, Henri Bergeron m'a offert de prendre des cours supplémentaires. La première fois que je suis allé chez lui, il a refusé que je le paie. J'étais très mal à l'aise. Mais il savait que je n'avais pas beaucoup d'argent et il tenait à m'aider. J'y suis retourné une seconde fois, en le payant cette fois, mais je n'y suis plus retourné, car j'étais horriblement gêné et aussi orgueilleux. Je ne voulais pas abuser de lui. Il insistait tellement pour ne pas être payé. C'est la seule chose que je regrette, de ne pas avoir continué avec lui qui m'ouvrait sa porte. J'avais la possibilité d'écouter un grand sage de la communication.

Je me suis donné 10 ans et finalement je suis arrivé à l'animation de *Salut Bonjour week-end*. J'ai beaucoup de plaisir à faire ce métier, grâce à Henri Bergeron. Il s'est imposé par la qualité de sa langue, sa prestance, sa puissance.

Suzanne Le Beau :

— Cette première approche avec les nouveaux élèves ressemblait plutôt à un accompagnement humanisé qui se faisait en deux temps, au microphone et à la caméra, donc la dimension vocale et celle de l'image. Henri Bergeron inculquait à ses élèves le sérieux du travail. Quand on entre en studio, on ne fait pas et on ne dit pas n'importe quoi. Aux yeux d'Henri Bergeron, c'était très important de faire comprendre cela.

Geneviève Borne, animatrice et comédienne :

— J'ai eu la chance d'avoir Henri Bergeron comme professeur d'art oratoire au Conservatoire Lassalle. Au départ, c'est sa voix qui m'a impressionnée. Il avait une voix unique et remarquable. Les vitres de la classe en tremblaient. La première fois qu'il est entré dans la salle de cours, j'étais émue à en avoir le frisson. Celui qu'on regardait en famille tous les dimanches était là devant moi. Pour moi, c'est un souvenir mythique.

Il nous enseignait comment raconter des histoires de façon captivante. Il disait qu'il fallait apprendre à raconter le sens de l'histoire. Cela m'est toujours resté en tête. J'apprécie la chance de l'avoir eu comme professeur.

Liette Bourassa :

— Ma mère, Nicole Germain, et Henri étaient de grands amis. Henri a d'ailleurs assisté à mon mariage. Je l'ai côtoyé longtemps, puisque nous avons siégé au conseil d'administration du Conservatoire Lassalle. J'y suis encore aujourd'hui.

Danièle Bourassa, rédactrice en chef pour le Réseau de l'information :

— Henri Bergeron, c'est toute mon enfance et ma jeunesse. Il faisait partie de mon univers. C'était un ami très proche de ma mère et je l'ai connu lorsque j'étais toute petite. C'était un bon « mon oncle ». J'ai même été hébergée à quelques reprises chez lui, lorsque mes parents étaient en voyage. Je me rappelle, un jour, je m'étais blessée en voulant sauter une haie. Henri m'avait emmenée à la clinique. Je me sentais entourée d'affection. C'était drôlement rassurant. Henri aimait beaucoup les enfants. J'ai joué avec ses enfants, Alain, entre autres.

Nous avons toujours gardé contact, puisque nous siégions au CA du Conservatoire Lassalle. C'était un gentleman dans tous les sens du mot. Après chaque réunion, nous allions souper tous ensemble. Il avait une conversation agréable, puisqu'il s'intéressait à tout. Il faisait preuve d'une curiosité intellectuelle évidente.

Pour souligner les 30 ans de l'homme sur la Lune, j'ai réalisé une émission spéciale à RDI, et malgré sa santé plus fragile, Henri Bergeron y a participé avec beaucoup d'enthousiasme en évoquant ce moment historique. Il en était extrêmement heureux.

Henri Bergeron a largement contribué à la protection de la langue française. Il a aidé les gens à s'ancrer dans un bon français, non pas ampoulé, mais correct et bien de chez nous. À l'écran, c'était un phare. Il avait une crédibilité inébranlable, si bien qu'on avait envie d'être à l'écoute.

Réjean Léveillé, journaliste et professeur de journalisme écrit, chronique et animation radio au Conservatoire Lassalle, où il avait été étudiant en 1974 :

— *Les Beaux Dimanches* était un rendez-vous, tout comme les émissions de Walt Disney. Henri Bergeron allait chercher des gens de tous les milieux. Il nous permettait de faire le pont vers une culture qui n'était pas la nôtre. C'était un moment privilégié. Il a été un pionnier marquant avec sa voix chaude, sa moustache, son raffinement et le souci de la langue bien parlée.

Ici, au conservatoire, l'esprit d'Henri Bergeron court entre les murs. Le Conservatoire Lassalle est un bel arbre, une institution de qualité qui poursuit depuis 100 ans les mêmes objectifs : la qualité du français écrit et parlé, et l'encouragement des élèves afin qu'ils croient en eux. Mon rôle de professeur me permet de perpétuer ces valeurs.

Suzanne Le Beau :

— Le souvenir que j'ai de monsieur Bergeron est sa très grande humanité, sa simplicité aussi. Sans pour autant être familier, on ressentait une empathie naturelle en sa présence. Malgré son image publique, sa forte personnalité, il était facilement accessible. Il était un communicateur-né, en étant ouvert à l'autre, en ayant le goût d'apporter aux autres, peu importe son interlocuteur, peu importe l'âge. Il était lui-même dans sa vérité. Il ne jouait pas, il était… Et c'est ce que recevaient les jeunes, cette vérité-là, s'ouvrir aux autres, s'exprimer. Henri envoyait un message de rigueur et de vécu.

Il a été un modèle de rigueur professionnelle, fidèle à lui-même, respectueux du public. C'était véritablement un grand, il avait atteint une plénitude dans son domaine et nous avons tous besoin de ce genre de modèles.

Sa dernière grande joie a été d'apprendre qu'il y avait une école nommée en son honneur, au Manitoba. Il est entré dans mon bureau, rayonnant, avec des photos de l'école. Il en était très fier.

Jacques Laurin, linguiste, auteur de plusieurs ouvrages de référence, conseiller en communication, professeur, *coach*, éditeur et conférencier. Il œuvre au Conservatoire Lassalle depuis 60 ans. Il y est entré comme élève, par la suite, il est devenu professeur, pour en devenir le directeur pendant 10 ans. Il siège toujours au conseil d'administration :

— Henri avait le français souriant. Sa voix était joyeuse, riche et pleine. Il nous faisait aimer la langue. Il avait une grande ouverture envers les autres. Jamais on ne se sentait inférieur en sa présence. Il aimait l'être humain. Il a eu une influence énorme sur tous. Après tout, la communication, c'est de la séduction et Henri était un séducteur-né.

C'était dans sa nature. Il ne dérangeait personne, puisqu'il séduisait tout le monde sans exception. Il avait l'œil taquin et complice. Il s'adressait directement aux gens. Il venait vous chercher par son charme et sa simplicité.

La voix est une signature tout comme les yeux sont le reflet de l'âme. Nous sommes beaucoup plus attirés par une voix joyeuse que terne et triste. On ne peut pas tricher avec la voix.

Lorsque j'étais directeur du Conservatoire Lassalle, j'ai engagé plusieurs professeurs comme Jacques Morency, Pierre Maisonneuve et Henri Bergeron. J'étais persuadé qu'ils apporteraient énormément aux élèves. Ils ont cette honnêteté intellectuelle en commun, ils aiment leur métier et communiquent leur passion en permettant aux jeunes de se découvrir et d'évoluer. Et je ne me suis pas trompé. Henri était davantage un *coach*. Fallait le voir évoluer en classe, comme un danseur. Il était très à l'aise.

Henri était un bon conseiller. Lorsqu'il a été question de déménager le conservatoire, Henri insistait pour qu'il reste au centre-ville. Nous sommes partis de Durocher et Milton, pour emménager rue Sherbrooke, près d'Amherst.

L'image est la base du respect envers soi et envers les autres. L'image que l'on projette est importante. Henri en était très conscient. Il se sentait investi d'une responsabilité envers le public. Il était toujours lui-même. Il ne changeait jamais son niveau de langage, puisqu'il l'utilisait dans la vie de tous les jours. Ce n'était pas fatigant pour lui, puisque c'était naturel, il n'y avait rien de faux.

La contribution d'Henri Bergeron est énorme. Il a été le premier qui a donné aux Québécois le goût de bien parler. C'était beau, agréable à entendre. Les gens sont attirés par la beauté, et ce qu'il offrait était raffiné. En l'écoutant, on se disait, mon Dieu j'aimerais parler comme lui. Il a été un communicateur près des gens.

CHAPITRE 9

Les derniers moments

« Le plus beau métier du monde, c'est d'unir les hommes. »
Saint-Exupéry

« Je n'ai jamais eu d'angoisse, même dans les plus dures
épreuves. Je pense que c'est attribuable à ma foi en
l'avenir, ma foi au Créateur et ma foi au Dieu miséricorde. »
Henri Bergeron

« Un beau matin, vous verrez les flammes de ma fusée
Prendre le ciel vers mon île. »
« J'ai quitté mon île »
Daniel Lavoie et Claude Roux

Église Sainte-Madeleine, 10 h 54, les funérailles d'Henri Bergeron se terminent.

Henri :

— Ça y est ! La communion est terminée. Le curé Murray dit les dernières prières… Tous se lèvent comme de bons petits soldats, mais cette fois, la guerre est bien finie, la représentation s'achève... Non ! Ne partez pas ! Laissez-moi encore écouter vos souvenirs, juste un moment !

Chacun se dirige vers l'extérieur de l'église. On semble se réunir sur le parvis... Attendez-moi ! Je suis ici ! Oh ! Mais c'est une véritable conférence de presse ! Ne parlez pas tous à la fois ! Que de monde ! Et vous étiez tous venus pour moi ? Si vous saviez comme je suis touché ! Je reconnais... Mais oui, c'est Bernard Derome et Claude Quenneville qui s'entretiennent avec le sculpteur Armand Vaillancourt, et je reconnais également monsieur Ryan, un autre Outremontais...

Philippe Schnobb, journaliste à Radio-Canada, couvre les funérailles :

— Quelques centaines de personnes ont assisté ce matin aux funérailles d'un pionnier de la télévision, une cérémonie émouvante, mais sobre et simple comme Henri Bergeron l'avait voulue, dans l'église Sainte-Madeleine d'Outremont. Sa famille et beaucoup de collègues... d'anciens collègues de Radio-Canada, collègues également du milieu artistique, de politiciens, d'anciens politiciens, l'ex-ministre Claude Ryan ont rendu un dernier témoignage...

Claude Ryan, ex-ministre libéral :

— Il avait un don spécial qui n'est pas donné à tout le monde. Il ne provoquait pas d'animosité ou d'antagonisme. C'était un homme qui réunissait les gens.

Armand Vaillancourt, sculpteur :

— Ah oui ! Tous ces gens connus qui débarquaient à la fonderie, c'était très impressionnant. J'avais beaucoup d'admiration pour ces communicateurs et leurs démarches pour démocratiser l'art. J'aime les gens qui marquent leur époque et qui font avancer les choses. Avec mes ouvriers, nous avions coulé une douzaine d'œuvres devant eux et ensuite j'avais monté chacune d'elles sur un socle de bois. Ils n'avaient pas payé cher.

J'écoutais Henri à *L'Heure du concert*, et c'est un homme que j'admirais, car il était très cultivé et il s'exprimait dans un français impeccable.

Claude Quenneville, journaliste sportif à Radio-Canada depuis 1971 :

— J'ai toujours admiré sa générosité, sa franchise et son honnêteté, mais aussi sa joie de vivre. C'est un homme qui va nous manquer parce que le métier vient de perdre un gros, gros, gros morceau.

Pierre Dufault, journaliste sportif à Radio-Canada jusqu'en 1996 :

— Il avait cette délicatesse de vous dire des choses pour vous aider à être un meilleur communicateur. Il avait toujours le bon mot pour vous faire un reproche, mais on ne sentait jamais que c'en était un.

Sophie Thibeault, journaliste et présentatrice des informations à TVA :

— Comme je suis née en 1961, le nom d'Henri Bergeron me rappelle en premier le papillon qui apparaît à l'écran où l'on entend : « Une émission couleur de Radio-Canada », et ensuite *Les Beaux Dimanches*, qui était un rendez-vous incontournable en famille. Henri Bergeron avait une voix d'or, enjôleuse même, une diction parfaite et une grande classe. Il a eu une carrière magnifique comme annonceur et présentateur. C'était la signature radio-canadienne par excellence.

Pierre Bruneau, journaliste et présentateur des informations à TVA :

— Dès l'âge de 12 ans, je rêvais de devenir journaliste. Un jour, alors que j'étais pensionnaire à Victoriaville, j'avais écrit à

Henri Bergeron pour lui demander conseil. Eh bien! Il m'avait répondu. Je me demande si je n'ai pas gardé cette lettre-là!

Henri Bergeron était un passionné dans son travail et un amoureux de la langue française. Il était un homme sans prétention. Il a été l'image télévisuelle par excellence et il en aura inspiré plusieurs.

Pierre Maisonneuve, journaliste à Radio-Canada :

— J'avais fait une dernière entrevue avec Henri Bergeron. Nous étions chez lui, au sous-sol, à côté du foyer, et je savais qu'il était malade. Mais ce que je retiens de ce moment-là, c'est qu'il avait gardé cette passion pour son métier. Il n'en parlait pas avec nostalgie, bien au contraire. Il venait d'ailleurs ; son regard sur le monde devait être bien différent du nôtre.

Édith Butler, auteure-compositrice :

— J'ai souvent eu l'occasion de rencontrer Henri Bergeron. À chacune de ces rencontres, j'avais l'impression de le connaître depuis longtemps. Il y avait cette reconnaissance spontanée qui s'explique par le fait que l'on venait tous les deux d'ailleurs. Un jour, il m'a raconté qu'il avait été à Verdun, au poste CKVL, alors qu'il arrivait tout juste au Québec. Il se rappelait à ce moment-là qu'il avait été impressionné de voir une foule nombreuse qui s'était amassée à la station pour voir l'idole de l'heure. Il s'agissait d'Alys Robi.

Pour moi, Henri Bergeron avait une belle voix rassurante. C'était un homme qui me semblait paisible, un homme beau et très calme.

Suzanne Laberge, journaliste à Radio-Canada :

— Je sais qu'il était franco-manitobain. Pour moi, il y avait même plus de richesse dans sa langue que dans la mienne. Moi, ça m'était donné, j'étais née à Montréal. Lui, il avait travaillé pour la garder.

Roger Gosselin, annonceur maison, journaliste et animateur à Télé-Métropole, devenue TVA :

— J'ai rencontré Henri Bergeron à plusieurs occasions. La première fois, c'était pour la Semaine du bon parler français, commanditée par la Société Saint-Jean-Baptiste, vers 1965. Mon employeur m'avait délégué à Radio-Canada et j'avais enregistré des annonces publicitaires pour l'ouverture de la Semaine du bon parler français. Henri avait été très aimable et courtois, mais je crois que c'était dans sa nature, il était d'une gentillesse extrême. Il m'avait même offert à ce moment-là de venir travailler à Radio-Canada. J'avais été flatté par cette marque d'appréciation venant d'un pionnier de la télévision mais, d'une certaine façon, je me sentais redevable à Télé-Métropole qui m'avait donné ma première chance. Je l'appelais régulièrement lorsque j'avais une interrogation à propos de la langue française. Henri était d'une grande disponibilité.

La deuxième fois que nous nous sommes vus, c'était à Télé-Métropole. Henri m'avait félicité pour ma mémoire, qu'il qualifiait de phénoménale. Il avait remarqué que je regardais à peine mes feuilles de nouvelles lorsque je faisais le *Télé-journal*. Alors, j'ai dit à Henri : «Venez avec moi ! Je vais vous montrer ma mémoire !» Et j'ai entraîné Henri Bergeron dans le studio où était installé le premier télésouffleur. Il n'y en avait pas encore à Radio-Canada. On en avait bien ri tous les deux !

Michelle Tisseyre, annonceure à la radio de Radio-Canada dès 1941, animatrice à Radio-Canada jusqu'en 1974 :

— Je n'ai jamais travaillé avec Henri Bergeron. Par contre, je puis dire qu'il était toujours d'une gentillesse et d'une courtoisie remarquables. Le succès ne lui est pas monté à la tête, bien au contraire. Il était plutôt émerveillé de son succès. Lorsque je suis allée au salon funéraire, j'ai remarqué qu'il avait énormément d'amis.

Stéphan Bureau, journaliste, animateur et producteur :

— Pour moi, Henri Bergeron, c'est sans aucun doute l'émission *Les Beaux Dimanches*, le rendez-vous familial où Henri Bergeron nous prenait par la main. Il était l'image de marque, un drapeau de la télévision d'État, tout comme le *Téléjournal*.

Il avait cette capacité de rendre la langue belle et accessible. C'était un beau langage qui était le nôtre, qui ne nous excluait pas.

Janine Sutto, comédienne :

— Henri Bergeron était un excellent annonceur. Pour moi, Bergeron me rappelle les télé-théâtres. Quand nous (les comédiens) on entendait sa voix, on se disait : «Ça y est! On embarque pour une heure et demie en direct!» Il y avait, à ce moment-là, une espèce d'urgence là-dedans qui était bonne. C'était affolant aussi. Je me rappelle, j'avais fais un truc de Choquette (Robert), j'avais trois robes sur le dos! Ça n'avait pas de bon sens! Pendant que j'étais en gros plan, et que je pouvais dire une réplique du genre : «Je t'aime», eh bien mon habilleuse, qu'on surnommait Tititt, m'enlevait une jupe! Les éclairages étaient horribles, les maquillages aussi. Je me souviens dans *Les Hauts de Hurlevent,* où je mourais, Roger Garceau disait : «Mon Dieu! Elle est *ben* belle! Qu'est-ce que vous lui avez fait?» On lui a répondu : «On l'a démaquillée!»

Il arrivait des choses très comiques.

Les réalisateurs avaient été régisseurs avant. Ils connaissaient tout d'un plateau.

Je me payais des tracs gigantesques, et c'est pire aujourd'hui. Je faisais *Bilan*, de Marcel Dubé, et mon Jacques Létourneau qui me dit :

— Qu'est-ce que t'as, donc?

— J'ai le trac!

— Ben voyons donc! Qu'est-ce que c'est ça, c't'affaire-là!

Le trac est très différent d'une personne à l'autre.

À cette époque, on se croisait tous dans les corridors et les plateaux. C'était un monde restreint. L'ambiance était très chaleureuse et mystérieuse à la fois. On était bien sûr en contact avec les réalisateurs, mais c'était les cameramen qui voyaient l'image, et souvent ils nous faisaient signe discrètement pour corriger notre position pendant qu'on était en ondes! J'ai beaucoup de reconnaissance envers ces techniciens. Tout le monde apprenait le métier, mais le tragique, c'est que c'était nous qu'on voyait! Ça, je ne le prenais pas! C'est là que j'ai sacré pour la première fois!

Sur *Jean de la lune*, un boulevard charmant, je demande au régisseur Roger Racine par où je devais entrer. Il me répond: «Ben tu rentres...» Là, j'ai dit «criss!» J'étais bleue!

Sur *Le Malentendu*, avec Louis-Georges Carrier, on descendait un escalier sans rampe, madame Marthe Thierry et moi, et on transportait Guy Provost! Guy Provost était quand même costaud. Je me rappelle mes deux régisseurs, André Bousquet le maigrichon et Aimé Forget, le rondelet, le regard affolé, qui semblaient dire: elles vont l'échapper!

Françoise Faucher, comédienne:

— C'était une époque merveilleuse. C'était de la haute voltige. On sentait que le couperet allait tomber. J'avais un trac fou. Encore aujourd'hui, lorsque j'entends la ritournelle des *Beaux Dimanches*, ça me bouleverse littéralement.

Henri Bergeron était un travailleur acharné. Il a donné ses lettres de noblesse à un métier qu'il faisait avec professionnalisme.

Lucille Dumont, la Grande Dame de la chanson:

— Henri était un gentilhomme, très délicat, respectueux envers les autres. Il était disponible et serviable, il m'a déjà reconduite à la maison après une rencontre avec les aînés. Il était élégant, charmant et c'était un puriste du français. On sentait qu'il était un perfectionniste, et il a toujours apporté un soin méticuleux au bon parler français. On se croisait souvent dans les studios. Lui se tenait dans un studio adjacent pour les présentations. C'était le bon temps du direct. Nous avions le trac, mais cela rendait le moment excitant. J'ai déjà été invitée lors d'une dernière émission de saison à la maison des Bergeron, rue Wiseman, à Outremont. C'était un fin gourmet.

Colette Boky, soprano :

— J'ai travaillé à quelques reprises avec Henri Bergeron, entre autres aux concerts commentés à la salle Claude-Champagne. Il était très agréable, et ce qui était remarquable, c'était son grand amour de la musique.

Bertrand Potvin, confrère de collège à Saint-Boniface, animateur radio :

— Henri était dans les premiers de classe. D'un tempérament sérieux, il prenait à cœur tout ce qu'il entreprenait. Déjà à cette époque, il parlait avec le mot juste. Il était très serviable. Il avait le sens de l'humour, mais il ne fallait pas que ça dure trop longtemps.

Puis, nous nous sommes revus à la radio de Saint-Boniface, à CKSB, où nous étions annonceurs. Henri était très consciencieux, et déjà il avait une voix extraordinaire. C'était un bon copain de travail. Il acceptait difficilement les erreurs. Malgré sa nature sérieuse, il aimait rire. Henri adorait la musique et faisait jouer des airs classiques dans son émission de radio.

La dernière fois que je lui ai parlé, c'était à l'occasion de son soixante-quinzième anniversaire. À ce moment-là, il était très malade, et je me souviens de ses dernières paroles : «Je n'en ai plus pour très longtemps. Je vais aller rejoindre mon Créateur.»

Je trouve que cela résume bien le tempérament d'Henri : un homme réaliste, un peu poète et croyant. Pour Henri, la foi était un don qu'il appréciait.

Henri Bergeron a contribué grandement au domaine des communications au Québec. Il se faisait un point d'honneur de s'exprimer correctement avec les mots justes, des phrases complètes, dans un grand respect des gens, des choses et de la langue. Il était très humain dans son approche et sa réplique. Il était surtout très délicat, jamais vulgaire. Il a été un modèle du bon parler français. La communication, c'était toute sa vie.

Annette Saint-Pierre, éditrice aux Éditions des Plaines :

— J'ai connu Henri Bergeron surtout lorsqu'il a écrit son premier roman *L'Amazone*. Nous nous parlions souvent et il acceptait facilement les suggestions. Il était très ouvert. Nous avions lancé nos livres conjointement au Salon du livre de Montréal.

Je lui ai parlé quelque temps avant son décès, à l'hôpital. J'avais été surprise de constater qu'il était très serein face à la mort. Je lui avais demandé s'il avait la foi et il m'avait répondu par l'affirmative.

Henri Bergeron était un homme chaleureux, passionné et très doué. S'il avait commencé l'écriture un peu plus tôt, il aurait sans doute écrit sur sa terre natale, tout comme Gabrielle Roy. Un bon 85 % de son écriture concerne le Manitoba.

Jean-Claude Corbeil, linguiste, auteur de nombreux ouvrages de référence et directeur éditorial des ouvrages de référence chez Québec Amérique :

— C'était une grande joie de travailler avec Henri. Il était sérieux, compétent, attentif et d'une grande simplicité. C'est d'ailleurs Henri et Raymond Laplante qui m'ont formé à la radio. J'ai collaboré à l'émission radiophonique *Langage de mon pays* à titre de recherchiste, et par la suite je me suis joint à eux en ondes. Henri était plus détendu à la radio qu'à la télévision. Il a été victime de son image «très dimanche soir». Et pourtant, il était très simple et chaleureux, pas compliqué. Son image télévisuelle était disproportionnée par rapport à sa vraie nature.

Quand Henri se permettait un glissement langagier, il y mettait beaucoup de guillemets !

Nous habitions le même quartier. Lorsqu'il était très malade, il croyait fermement en un produit naturel à base de miel. Il en avait même apporté à ma femme, qui souffrait de problèmes pulmonaires. C'est un homme que j'ai beaucoup aimé.

Marie-Louise (Mimi) Mercier :

— J'ai constaté son état de santé lorsqu'ils sont revenus de la Floride. Je me souviens, je l'avais gardé un après-midi, pendant qu'Yvonne avait été faire des courses. Henri avait enfilé son kimono et m'avait demandé de l'accompagner jusqu'à sa voiture pour qu'il puisse récupérer des papiers personnels. Alors on est sortis, il s'est installé au volant et voilà qu'il démarre la voiture ! Là, j'ai eu peur ! Mais Henri voulait juste vérifier si la voiture fonctionnait toujours. Ensuite, il a voulu aller à son bureau au sous-sol. Je l'ai laissé quelque temps, et puis je l'ai aidé à remonter. Il avait un bon moral. Il était très serein. Il s'exaltait moins. Il devait sans doute réfléchir beaucoup.

Léandre Bergeron :

— Ah, rien ! Y a même pas eu d'échange, j'avais l'impression d'entendre une machine à enregistrer. Je me souviens à peine de ce qu'il me disait, je ne sais même pas s'il m'a reconnu. Non, y a pas eu de contact. Il était amaigri, il avait plus de voix, il était l'ombre de lui-même et parler à une ombre, c'est difficile. Non, il n'y a pas eu de dialogue, on s'est parlé de rien. Comment ça va ? Oui ça va... Rien, rien ! Liliane m'avait appelé pour me dire si tu viens à Montréal, viens faire un tour. J'y suis allé. Liliane était là, et elle a dit, j'espère que vous allez vous réconcilier...

Y a rien là… Moi, je n'ai jamais eu de rancune à son égard, je me suis juste tenu à distance, parce que j'en avais assez de me faire envoyer des éclaboussures, mais c'est tout. Moi, je n'ai jamais eu de mauvais sentiments à son égard, au contraire. D'ailleurs, en 1977, c'est moi qui suis allé le voir. Je lui ai dit : «Écoute Henri, on peut se parler.» Je me souviens, on avait été au restaurant manger un steak.

Liliane Bergeron :

— Henri et moi, on a travaillé ensemble à Radio Ville-Marie. En fait, on a commencé ensemble et on a fini ensemble. On lisait des textes de grands philosophes, de grands spiritualistes et de grands poètes. Henri était très strict. Si l'on faisait le moindre bruit, il arrêtait tout et disait : «Silence! On ne peut pas se concentrer!» On lisait parfois des textes difficiles, comme sur la mort. On savait qu'il avait le cancer et qu'il ne vivrait pas longtemps, et ça, c'était dur. Henri arrivait à dire son texte avec plus de présence et d'authenticité. Mais il avait souvent la larme à l'œil. Il était très sensible. On s'entendait bien. On avait les mêmes réactions par rapport aux textes, au travail et tout.

Sa maladie nous a tellement préparés. Il devait aller chez Dominique (la fille de Liliane qui demeure à Halifax), mais il avait déjà le cancer. Son mari, Paul, qui travaille aux soins palliatifs m'avait demandé si Henri avait la foi parce que ça allait beaucoup l'aider. Je lui ai répondu qu'Henri avait la foi. Je lui apportais la communion lorsque Antoinette ne le pouvait pas.

Henri avait bien vécu, il allait bien mourir. Henri a bien vécu son départ. Il était serein. Il n'y avait rien de dramatique. Il était prêt.

Il y a tellement de choses qui ont changé, à Radio-Canada, je suis contente qu'Henri ait été épargné. Il n'a pas vu tout ça. Sacrer à l'écran, Henri ne l'aurait pas supporté. Il était conscient de la dégradation de la langue.

Antoinette Bergeron-Nielson :

— Je lui apportais la communion et il me disait : « Je suis prêt. » Parfois, dans mon zèle apostolique, je commençais avec mon action de grâces et là, Henri me faisait un petit signe en disant, laisse-moi faire, je vais parler au bon Dieu moi-même.

Laurette Bergeron :

— Je l'ai vu quelques jours avant sa mort. J'ai trouvé ça très difficile. Yvonne nous a appelés en disant qu'Henri faisait des conférences. Henri était assis dans son lit. Il n'était manifestement plus avec nous. C'était sûrement l'effet de la morphine. J'ai enregistré ses propos parce que je trouvais que ça en valait vraiment la peine. C'était tellement beau et tellement prenant. Lui qui lisait toujours de beaux textes et qui les rendait tellement bien, voilà qu'il improvisait sur les ablutions du matin. Ça coulait de source.

Joseph Bergeron :

— Je fais du psoriasis, comme Henri et comme mon père, je tiens ça des Bergeron, pas des Bourrier. Ce qui est curieux, c'est que j'en fais aux mêmes endroits qu'Henri, le même genou ! Parlant de genou, je m'agenouille de la même façon qu'Henri et je me relève de la même manière que lui. Valérie (la femme de Jos) m'a même confondu avec Henri un jour au camping. Henri et moi, on s'achetait toujours les mêmes sortes de chemises sans se concerter. On est parents proches, hein ?

Oui, on l'a aimé Henri. Yvonne aussi. Je te dis qu'il a eu de la chance d'avoir une femme compréhensive et patiente comme Yvonne. En tout cas, on pourra dire qu'elle aura mis le paquet pour les funérailles d'Henri, *a royal send-off !*

Yvonne Mercier-Bergeron :

— Henri a souvent été malade dans sa vie. Je me rappelle, il avait eu une crise d'hémorroïdes sur le plateau de *La Poule aux œufs d'or.* Il avait perdu connaissance. Il avait été opéré à ce moment-là.

Ensuite, il a connu deux épisodes de problèmes d'ulcères, un à Ville Saint-Laurent et l'autre sur Wiseman.

Il avait toujours de fortes fièvres et des grippes, mais Henri fumait beaucoup, à l'époque. C'était un *chain smoker*, un paquet par jour. Un jour, à cause d'ulcères, il avait été à Saint-Charles pour se reposer, mais finalement il avait fait venir toute l'équipe de Radio-Canada sur place pour faire un enregistrement. Pas étonnant, lorsqu'il prenait ses vacances, il tombait toujours malade.

Mais il était quand même fort de constitution. Il faisait des siestes l'après-midi avant de retourner en studio ou au concert.

Il a eu un nodule au poumon et il avait dit avant l'opération : « Je veux entendre le mot bénin… »

Henri était toujours stressé et angoissé. Aussi lorsqu'il finissait, il était comme programmé : il prenait sa voiture et entrait directement à la maison. Un jour, il avait offert à la réalisatrice radio Huguette Paré de la reconduire chez elle. Eh bien, il l'a oubliée et deux fois plutôt qu'une ! Il décrochait rapidement du boulot.

Juste avant de partir pour New York avec les Eluerd, Henri avait passé des tests. Même s'il était fort, physiquement, ce voyage l'avait beaucoup fatigué. Je me rappelle, dans une librairie, à Boston, il s'était assis. Il était épuisé. Au retour, on avait un message du médecin. Il a été opéré et, tout de suite après, il a eu des traitements de chimio. C'était en 1998.

Un an plus tard, il était opéré une seconde fois mais, déjà, le cancer avait atteint le foie. Le chirurgien a ouvert et refermé aussitôt. Quand le spécialiste a expliqué la situation à Henri, il a répondu simplement : « C'est dommage ! »

Il a tout essayé, des traitements, des vitamines et le miel. Maintenant il se repose, pauvre Henri… Je ne sais pas s'il discute, là-haut ?

Lorraine Bergeron :

— Je n'ai pas l'image d'un père qui a été malade. Papa n'a jamais manqué une seule journée de travail. Même vers la fin de sa vie, alors qu'il était très malade, il ne se plaignait pas. Il voulait tellement s'en sortir, je dirais qu'il n'a jamais accepté de mourir, il n'a jamais voulu en parler, il n'a jamais employé le mot mort. Il l'a peut-être accepté intérieurement, pour être mort si sereinement, dans un sens, mais il ne l'a jamais verbalisé. Il tenait sans doute à donner l'exemple de celui qui était fort et qui passerait au travers. À sa mort, nous avons tous réagi un peu comme lui, ce n'était pas un drame, c'était une réalité de la vie.

Je n'ai pas eu de conversation avec mon père en étant à son chevet, comme je l'aurais souhaité. J'attendais qu'il s'ouvre, qu'il fasse les premiers pas, mais il disait : « Quand je serai mieux. »

On n'avait pas à le pleurer. Pourquoi pleurer ? On pleure parce qu'on a des regrets. Moi, je me dis qu'il a eu une belle vie. Il ne pouvait pas avoir plus belle vie que la sienne. Il a réussi tout ce qu'il voulait, une vie familiale heureuse, une carrière qui a coïncidé avec les débuts de la télévision. Il a sûrement eu des déceptions, mais qui n'en a pas.

Il était encore lui-même, l'image publique. Le seul regret que j'ai, c'est qu'il n'ait pas laissé tomber son masque. Peut-être que c'est nous qui imaginions qu'il était autrement. Il était ce qu'il était. J'aurais sans doute voulu qu'il me dise : « Je suis fier de toi, je suis content de ce que tu as fait. » Bien sûr, je sais qu'il le pensait. Il me l'a sûrement dit quand j'étais jeune, parce que je me suis toujours sentie aimée.

Denys Bergeron :

— Ça s'est fait en plusieurs étapes. Il avait d'abord été opéré à un poumon, et on avait dit que ce n'était pas cancéreux. Quelques années plus tard, il était opéré de nouveau, cette fois pour le côlon ascendant qui était cancéreux. Il a suivi des traitements de chimio et, lorsqu'il a été opéré la seconde fois et que le foie était atteint, c'est à ce moment-là que ça m'a vraiment frappé. C'est évident que quand tu apprends une nouvelle aussi grave, ça te bouleverse. Le chirurgien est entré dans la chambre et a dit : «Je ne peux rien faire.» Tu es secoué, tu veux savoir combien de temps il lui reste. «Peut-être 12 mois…»

Il avait vu juste.

Lorsque mon père n'a pas été parmi nous, à Pâques, chez Éric, c'est à ce moment-là que j'ai compris que c'était fini. J'ai eu une réaction de colère. Je suis allé le voir, ce matin-là. Il était relativement serein, malgré le fait qu'il avait maigri. Ses forces le lâchaient, et il se voyait péricliter. Ça ne devait pas être facile pour lui, mais il n'avait pas l'air d'un homme torturé.

J'allais souvent le voir sur Hartland. Il y avait toujours plein de visiteurs qui venaient saluer mon père.

Quand il est entré à l'hôpital, c'était pas mal la fin. Il était un peu confus et il avait perdu le contrôle. Il devait être fort malheureux d'être à la merci de tout le monde.

Non, je n'ai pas pleuré mon père. J'étais triste, bien sûr, mais j'avais fait le deuil de mon père quelques semaines avant son décès.

Ce qui doit revenir le plus, dans l'esprit des agonisants, c'est ce qui a marqué leur vie. Alors pour Henri, c'était ses conférences, ses communications, qui refaisaient surface.

Mon père et moi n'avons jamais eu de conflit, des petits accrochages, mais rien de sérieux. Je n'ai rien à reprocher à mon père. Quand il est parti, tout était réglé. Il a laissé à ma mère tout ce dont elle avait besoin. Mon père nous a bien préparés à sa mort. Il n'est pas mort aigri, au contraire. Ça a été une belle mort, la souffrance n'a pas été trop longue ni trop pénible. Comme il a bien vécu sa vie, il a bien vécu sa mort.

Alain Bergeron :

— Moi, j'ai une carapace, face à la famille, alors ça a été moins difficile à vivre. La période précédant la mort de papa s'est bien passée. On a eu le temps de lui parler, d'être avec lui, le temps de régler des choses. Mais je dirais qu'on n'est pas très affectés par les événements, d'un point de vue psychologique. On vit peut-être ça différemment, on ne garde pas des crottes sur le cœur pendant des années, on n'est pas si rancuniers que ça, au fond.

À Noël, papa a eu une période de rémission. On a passé un jour de l'An extraordinaire avec lui, c'était le passage à l'an 2000, les feux d'artifice dehors... et ils sont partis pour la Floride.

On allait le voir régulièrement en bas (chez lui, au rez-de-chaussée), on jasait avec lui. On a passé de beaux moments ensemble. J'avais joué un *Ave Maria* à la flûte et ma fille Béatrice était au piano. On aurait dit qu'il appréciait chaque petit moment, chaque petite chose. Papa a toujours vécu en fonction de l'avenir, si bien qu'il ne profitait jamais du moment présent. Mais là, on sentait qu'il savourait chaque seconde de vie. Il était beaucoup plus sensible. Il a été très serein jusqu'à la fin.

J'ai passé beaucoup de temps à son chevet. On avait fait un horaire. On lui lisait des passages de livre. Et puis, il a commencé ses envolées lyriques. La morphine aidant, il partait. À un moment, il nous expliquait comment installer les micros, c'était technique. Papa était un inventeur, il pensait constamment à des nouvelles façons de faire les choses. Il inventait des mots. Alors, il était dans une invention de micro !

La veille de sa mort, papa nous a dit qu'il nous aimait beaucoup. À ce moment-là, papa était très agité. Il sentait que c'était ses derniers moments. C'est Sylvain qui a vécu les derniers soubresauts de vie de papa avec maman.

Sylvain Bergeron :

— La veille de sa mort, j'ai dit à maman qu'elle devrait sans doute rester pour la nuit avec moi, au chevet de papa. Maman était tout à fait d'accord, car on sentait que c'était les derniers moments. Je ne lui ai pas posé la question deux fois. Elle est restée. Tout le monde est parti, et nous sommes restés tous les deux avec papa. Il souffrait, et les doses de morphine augmentaient substantiellement toutes les 15 à 30 minutes.

Papa vivait une espèce d'angoisse, comme s'il essayait de lutter pour rester en vie. Il cherchait à respirer. C'était difficile. C'était paniquant pour nous. Puis, papa s'est calmé. Maman et moi, on a récité bien des chapelets. On lui a encore dit qu'on l'aimait. Je crois qu'il nous entendait parce qu'il avait une réaction dans les mains et les yeux. Il ne pouvait plus parler. Ses yeux étaient ouverts, mais est-ce qu'il nous voyait encore ? Je ne le sais pas. Mais il y avait un courant qui passait quand même. Nous avions une sorte de discussion sans que personne ne dise un mot. Ensuite, il y a eu de longs râlements qui ont duré environ une heure, et puis plus rien. On n'entendait que le bruit du respirateur. Maman était très calme. J'étais bien content d'être avec papa à ce moment-là et avec maman aussi. Maman aurait voulu retirer le masque à oxygène, mais j'ai dit de laisser faire papa pour que les autres le voient le lendemain matin. Alors, maman et moi on s'est couchés. Maman dans l'autre lit et moi dans le fauteuil. Au matin, papa respirait encore. Alain est arrivé et je suis parti à l'ouvrage. J'ai dit à François : «Occupe-toi des gars, «mon père vient de mourir…»

Alain Bergeron :

— Lorsque je suis revenu, tôt le lendemain matin, il était pratiquement mort. Il respirait à l'aide d'un respirateur artificiel. On s'est retiré dans le couloir et tout à coup, on ne l'entendait plus respirer. Et à ce moment-là, un médecin qui faisait sa tournée avec ses internes a vérifié la condition de papa. Il s'est tourné vers nous et nous a offert ses condoléances.

Je n'ai pas vraiment pleuré mon père. Le seul moment où j'ai pleuré, c'était dans les derniers instants. J'ai fermé ses paupières et là j'ai pleuré. On s'est recueillis en se tenant dans les bras. C'était une libération. On pleure intérieurement, mais on est content en même temps. On a eu la chance d'apprivoiser notre peine.

ΔΔΔ

Les belles « zigounes »

Rosalie Bergeron, née à Outremont, le 22 mai 1974. Fille d'Alain Bergeron et de Geneviève Langlois :

— Mon papi aime les bicyclettes. Il adore ça. Un jour, il m'en a acheté une dans une « vente de garage ». Il était si heureux de magasiner une bicyclette avec moi, une bonne vieille bicyclette qui a du vécu et que je pourrais refiler à ma sœur ensuite. Il avait le sens de la récup' mon papi ! Nous avons donc fait le tour des « ventes de garage », regorgeant de trésors pour la roulotte de mon papi qui adore sa roulotte et aussi « les ventes de garage ».

Quelques assiettes incassables, un bibelot, mais toujours pas de vélo. Moi, ça ne me dérangeait pas trop, j'étais avec mon papi, j'étais bien. Il me présentait à tout le monde : « C'est ma petite-fille, ma première ! »

Là, j'étais fière, importante... alors la bicyclette, je m'en foutais un peu. Quand, tout à coup, les yeux de mon papi se mirent à briller. Il y avait devant une porte de garage ouverte avec quelques autres « bébelles », une bicyclette grise avec trois vitesses ! Un peu grande, mais ce n'est pas grave, « on va baisser le siège », m'a dit mon papi. Puis, on l'a achetée. D'après papi, c'était une aubaine, enfin c'est ce qu'il a dit à mon père quand il m'a ramenée, que j'étais assez grande pour avoir une bicyclette à vitesses, trois pour commencer.

Papi a expliqué la même chose quand il a apporté la bicyclette de mon cousin Anthony, pour mon propre fils, Alexandre : il est assez grand pour une bicyclette à deux roues, avec des petites roues arrière pour commencer.

Son arrière-petit-fils venait d'hériter d'une bonne vieille bicyclette avec du vécu et qu'il pourrait refiler à son frère Olivier après...

Encore aujourd'hui, quand j'enfourche ma bicyclette, je pense à lui. Car nous en avons fait, des randonnées ! De la Floride jusqu'au canal Lachine et du lac Champlain jusqu'à Outremont. Que de merveilleux souvenirs dans la tête d'un enfant ! Des souvenirs parmi tant d'autres ! Merci papi !

Noémie Bergeron, née à Outremont, le 13 avril 1976. Fille d'Alain Bergeron et de Geneviève Langlois :

— Ma sœur Rosalie et moi, nous étions en campignole avec papi et mamie, quelque part entre Montréal et la Floride, nous avions alors neuf ans et sept ans. Nous nous étions arrêtés dans un terrain de camping en forêt et nous nous apprêtions à manger le repas du soir. Mamie nous avait préparé, comme d'habitude, un super souper, et papi y avait mis du sien en s'activant autour du feu de bois pour griller de très beaux et très gros steaks… des *T-Bone* !

Il me tendit mon assiette, avec le gros steak et la salade, avec un sourire au coin des lèvres, qui semblait vouloir dire : elle ne pourra jamais avaler tout ça !

Moi, bonne fourchette, depuis ce jour qui a fait ma réputation, j'ai entamé la pièce de viande avec appétit, et je l'ai terminée en me léchant les babines. Mon papi n'arrivait pas à y croire (il était même un peu déçu, car il ne l'avait pas prévu). Je peux assurer que je l'ai entendu raconter cette histoire au moins 50 fois (sans compter les fois où il a dû la raconter en mon absence !) Il la racontait toujours de la même façon, avec les gestes des mains qui accompagnaient le récit : « Je ne peux pas croire qu'une si petite fille ait pu avaler un si gros steak ! Je ne comprends toujours pas où la petite avait bien pu le mettre ! »

Depuis cet épisode, je ne peux manger un steak sans penser à mon papi !

Béatrice Bergeron, née à Outremont, le 8 août 1988. Fille d'Alain Bergeron et d'Anne Fournel :

— À l'âge de sept ans, j'ai découvert le patin à roulettes. J'en avais reçu une paire pour ma fête, et depuis, j'en faisais tous les jours. Papi me regardait faire mes aller-retour et je crois que ça l'impressionnait beaucoup, parce qu'un matin, il m'a emmenée magasiner avec lui, rue Saint-Hubert, pour que je lui donne des conseils en matière de patins à roulettes. Il m'a emmenée dans un magasin un peu bizarre où l'on vend à peu près de tout. Je ne croyais pas vraiment qu'il allait s'acheter des patins, je croyais en fait qu'il m'avait emmenée là pour m'impressionner. Mais, finalement, il s'est vraiment acheté une paire de patins à roulettes. De retour à la maison, il a voulu tester tout de suite la marchandise dans notre rue. C'était tellement drôle, les gens n'en revenaient pas de voir un homme de 70 ans sur des patins à roulettes, et il avait le casque et tout ce qui va avec ! Moi, j'étais très fière parce qu'il m'avait demandé de lui donner des cours. Je crois que ça a duré une semaine et puis, je n'en ai plus jamais entendu parler.

En tant que conseillère et professeure, j'ai quand même eu droit à un CD, acheté dans la même boutique que les patins. C'est là que j'ai découvert Madonna ! Merci papi !

Stéphanie Williams, née à Montréal le 29 août 1975. Fille de Lorraine Bergeron et de Robert Williams :

— J'ai de magnifiques souvenirs de mon grand-père Bergeron. Je l'appelais papi. Papi adorait ses campignoles. Il me semblait d'ailleurs que chaque année, du moins, chaque fois qu'il changeait de véhicule récréatif, il en choisissait un de plus en plus grand et de plus en plus confortable. Cela permettait à mes cousines et à moi-même de faire de très beaux voyages avec mes grands-parents. Imaginez la générosité, la patience et l'amour que cela impliquait d'emmener ses petits-enfants en Floride ou dans le Maine pendant quelques semaines. C'était pour nous l'occasion de beaux voyages, de moments inoubliables et de belles joies d'être tous ensemble. Il ne faut pas que j'oublie de mentionner combien il était bricoleur et combien il aimait «patenter» des choses. Je sens que j'ai été gâtée par mon papi et j'ai été privilégiée de l'avoir comme papi.

Martine Bergeron, née à Dollard-des-Ormeaux, le 11 septembre 1979. Fille de Denys Bergeron et de Christine Lamer :

— La dernière fois que j'ai vu papi à l'hôpital, il était évidemment difficile pour tout le monde de le voir malade comme ça. Il avait changé, physiquement, par contre, il n'avait guère changé autrement. Toute sa vie, il fut un grand communicateur sachant toujours employer les bons mots, et cela, jusqu'à la fin. Même les calmants ne pouvaient l'arrêter. J'ai eu droit à une conférence sur l'importance de l'eau : « Nous venons tous de l'eau, nous y naissons et nous y retournerons à notre mort. Tout au long de notre vie, elle nous est indispensable, vitale ! L'eau est si précieuse… » Quel sage homme il était !

Véronique Bergeron, née à Outremont, le 19 février 1980. Fille de Sylvain Bergeron et d'Anne Tanguay :

— Parfois, il y a des personnes qui me disent quel homme important était Henri Bergeron. Ils me disent souvent que ça devait être impressionnant de le côtoyer. Alors, je leur réponds tout simplement que mon grand-père, pour moi, mon papi est celui qui se roulait par terre pour jouer avec nous, qui aimait nous faire plaisir, qui m'appelait sa « zigoune ». Avec le temps, j'ai grandi et je sais tout ce qu'il a réalisé et ce qu'il représentait pour eux. Mais moi, chaque jour, je m'ennuie de celui qui me prenait dans ses bras et qui savait prendre du temps pour nous. Récemment, j'ai revisionné les films que papi avait faits de mes deux premières années de vie. La caméra à la main, il était toujours prêt à croquer sur le vif mes premiers pas, mes premiers mots, ma première dent, etc. Le plus beau souvenir est la fierté qu'il ressentait devant nous, ses petits-enfants.

Un autre beau moment que j'ai partagé avec papi et mamie est notre voyage en Floride, dans la campignole, avec mon frère Julien. Deux semaines à vivre avec eux, sans nos parents. (Youpi ! C'est excitant à 12 ans.) Ils voulaient toujours nous faire plaisir : Walt Disney, les manèges et réconforter mamie dans le manège de la Guerre des étoiles, la mer, le *Shuffleboard*, les perroquets, le marché aux puces, etc. Il faut dire que papi était l'homme à gadgets! Plusieurs dans la famille ont d'ailleurs hérité de ce goût pour la «patente» tellement merveilleuse dont on ne peut se passer.

Mon papi reste dans mon cœur, et je me souviendrai toujours de notre dernière conversation qui, j'en suis certaine, était une façon pour lui de transmettre la mission qu'il s'est donnée toute sa vie : sa passion pour la langue française. Il m'a alors dit qu'il fallait continuer de se battre pour la protection de la langue française et que beaucoup restait à faire. Il m'a aussi raconté ce qui s'était passé au Manitoba et comment, après l'école, il devait aller dans le sous-sol de l'église afin d'apprendre le français lorsqu'il était jeune. Finalement, il m'a dit combien il faut toujours rester vigilant si l'on veut préserver notre culture, notre identité et notre langue, si l'on veut continuer d'être cette nation francophone d'Amérique avec toutes ses richesses et sa beauté.

Ma profession étant directement liée à ce vœu (attachée politique de la députée de Rosemont pour le Parti québécois), il a su me donner la persévérance de travailler de façon assidue afin d'atteindre ce but. Je pense régulièrement à cette merveilleuse conversation et cela me pousse à continuer. J'ai toujours voulu qu'il soit fier de moi et je suis certaine qu'il l'est. De toute façon, comme tout grand-père, il ne peut faire autrement!

Quelques jours avant son décès, papi apprenait que le gouvernement du Québec lui décernait le Prix George-Émile Lapalme, accordé à une personne ayant contribué de façon exceptionnelle, tout au cours de sa carrière, à la qualité de la langue française parlée et écrite au Québec. Comme lui, j'étais très fière et aussi très émue de cette décoration tant méritée.

La vie me donne l'occasion de rencontrer des personnes qui me parlent de lui, notamment pour avoir travaillé avec lui, et je me rends compte du bel héritage qu'il nous a légué. Mais la plus belle chose qu'il m'a donnée, c'est son amour. Je t'aime papi.

Mireille Des Groseillers-Bergeron, née à Mascouche, le 26 janvier 1993. Fille de Sylvain Bergeron et de Thérèse Des Groseillers :

— Moi, je suis la plus jeune petite-fille de papi Henri. Je n'ai pas eu beaucoup de temps pour le connaître, mais j'aimais beaucoup être avec lui. Je me souviens surtout de la fois où nous étions allés en roulotte avec papi, mamie et mon cousin Anthony, voir les sculptures flottantes, sur un lac, dans un parc. Nous avions joué aux cartes dans la roulotte pendant le trajet et nous avions dîné ensemble dehors, à côté de la roulotte. J'aimais beaucoup sa voix. Il me racontait des choses de sa vie et ça m'intéressait. J'aurais voulu l'avoir encore avec moi plus longtemps. J'espère qu'il est bien, maintenant.

ΔΔΔ

Les petits-fils

Julien Bergeron, né à Outremont le 17 février 1982. Fils de Sylvain Bergeron et d'Anne Tanguay :

— Papi a été pour moi un modèle, dans la famille, par ses manières d'agir et de parler, de partager et de recevoir. Je ne l'ai pas trop vu à la télévision. Par contre, un jour, je suis allé visiter le musée Stewart et j'ai été étonné d'entendre sa voix en activant le plan-relief. Comme j'étais toujours surpris lorsque j'entendais sa voix, enregistrée sur la cassette, dans nos examens d'anglais à l'école. Là, j'ai pas été bien vite ! Avoir su, je lui aurais demandé les réponses ! Mais je ne pense pas que papi me les aurait données ! Avec ma sœur Véronique, je suis allé en Floride à bord de la campignole. On a visité le Magic Kingdom et papi avait laissé sa carte de crédit à la billetterie. Heureusement, il l'avait retrouvée sans problème. Au parc de roulottes, on avait joué au *Shuffleboard* et on avait frappé des balles de golf dans l'étang. À cet endroit, tout le monde parlait français. J'avais trouvé ça bien drôle, puisqu'on était en Floride. J'avais alors 11 ans.

Anthony Williams, né à Montréal le 31 décembre 1987. Fils de Lorraine Bergeron et de Robert Williams :

— Mon grand-père a toujours représenté pour moi une personne exceptionnelle et géniale, car il savait profiter de la vie et il savait comment transmettre sa joie de vivre autour de lui. Ce n'est pas juste que cette vie qu'il aimait tant lui ait été enlevée trop tôt. Il nous laisse son exemple et, grâce à lui, je trouve aussi que la vie est belle. Mes derniers souvenirs heureux remontent à une belle croisière que nous avions faite à l'île Anticosti et aux îles Mingan. Je suis heureux d'avoir pu partager ces beaux moments avec mes grands-parents.

ΔΔΔ

Les belles-filles

Anne Fournel, conjointe d'Alain Bergeron :

— Henri Bergeron a fait partie de ma vie pendant 20 ans, exactement, dont 12 comme voisin. Il était plus qu'un beau-père. Notre relation a pris des formes variées grâce à cette proximité. Nos champs d'intérêt, au travail comme dans la vie, guidaient nos discussions : j'aimais l'entendre raconter ses expériences de travail, ses voyages et les rencontres qui l'avaient marqué. Nous discutions beaucoup d'éducation, d'édition et de politique, et il me conseillait lorsque j'avais des décisions à prendre. Il m'appelait affectueusement Anne des mille jours… Ces tranches de vie me reviennent souvent en mémoire.

Je me revois, assise à ma table de travail, dans cet espace commun que nous partagions au rez-de-chaussée de notre maison. À titre de chargée de projet, je révisais et transcrivais à l'ordinateur le manuscrit de son ouvrage, *La communication… c'est tout !* Nous révisions ensemble la tournure d'une phrase, le choix d'un mot, le schéma qui conviendrait le mieux… Puis, vers midi, la voix d'Yvonne annonçait que le repas était servi.

Nous nous revoyions au cours de l'après-midi, lorsqu'il n'était pas occupé par ses conférences.

Dans le cadre de mon travail de recherchiste pour l'émission de Christine et Denys, *Les Anges du matin*, Henri et moi avons passé une semaine au Manitoba. Chaque jour, un pan de sa vie se dévoilait : le collégien, les studios de CKSB, la Fourche, le Cercle Molière, les lieux historiques, les rencontres, bref, l'univers qui l'avait façonné m'apparaissait, presque inchangé, animé par tant d'anecdotes !

Nous avons partagé un dernier moment de complicité à l'occasion de la fête de Pâques, en 2000. Retenue à la maison à la suite d'une légère intervention, j'ai tenu compagnie à Henri, alors que toute la famille était réunie chez Éric et Geneviève. Même à ce moment, il m'a réconfortée en m'assurant que ce malaise était bien temporaire. C'était bien lui !

Thérèse Des Groseillers, conjointe de Sylvain Bergeron :

— Nouvellement entrée dans la famille Bergeron, j'étais très intimidée de côtoyer un personnage d'une telle renommée. J'admirais déjà sa prestance dans ses présentations télévisuelles, sa classe, la chaleur de sa voix et la pureté de son discours. Qui pourrait avoir oublié *Les Beaux Dimanches* ?

Le percevoir comme une personne, non plus comme un personnage, s'est fait graduellement, au fil des rencontres familiales, des visites, des sorties. Par exemple, Henri, Yvonne, Sylvain et moi sommes allés durant plusieurs années aux présentations des *Grands Explorateurs*, après avoir partagé un bon souper.

La période de 1997 à 2000 a été la plus intense pour moi. Mon appartenance au domaine de la santé nous a permis de partager des interrogations, des connaissances, des impressions. J'ai pu l'accompagner dans des conférences qu'il donnait sur le cancer et sa façon d'aborder cette maladie, à des démarches thérapeutiques. J'ai été impressionnée par sa lucidité, son ouverture d'esprit et sa grande capacité d'analyse et de remise en question. Les traitements de réflexologie étaient des moments privilégiés d'échange et de réflexion. Cette période a été une véritable leçon de vie.

J'ai le souvenir d'un homme généreux, ouvert et courageux qui avait le souci de partager ses convictions avec les autres. Nous avions en commun la curiosité d'apprendre, l'ouverture à des approches alternatives et le désir de transmettre ces connaissances. Il est toujours inspirant…

Geneviève Côté, conjointe d'Éric Bergeron :

— J'ai travaillé pour la maison de production qui a créé la série *Maman Dion*, mettant en vedette nulle autre que la maman de Céline, Thérèse Tanguay-Dion. Maman Dion était une communicatrice naturelle, mais elle était un peu nerveuse à l'idée d'animer sa propre émission. Nous cherchions à lui trouver un *coach* pour la rassurer avant les premiers enregistrements. J'ai pensé à Henri Bergeron. Maman Dion l'avait évidemment connu par la télévision et l'avait toujours admiré pour son beau parler. Elle n'en revenait pas qu'Henri Bergeron se déplace pour elle. Je sais qu'Henri l'avait trouvée très naturelle et que madame Dion avait apprécié les conseils du pro qu'il était. Elle avait pris de l'assurance à sa seule présence. J'aurai, au moins une fois, joué à l'entremetteuse professionnelle pour mon beau-père.

ΔΔΔ

Éric Bergeron :

— Quand tu aimes vraiment quelqu'un, quand tu le vois amaigri, délirant, tu trouves ça triste, et en même temps tu dois l'accompagner dans les derniers instants. Ça ne m'a pas perturbé. L'espèce d'icône qu'était mon père était disparue. Depuis quelque temps, mon père n'était plus un guide, un modèle. Avec le recul, je me rends compte que j'intellectualise davantage. Ce que je trouve triste, c'est que mes enfants ne connaîtront jamais mon père. C'est sans doute une des raisons pour laquelle je me suis marié, ça a accéléré le processus.

J'ai pleuré mon père avant qu'il meure, quand il m'a appris qu'il avait le cancer. Pour moi c'était fini, surtout ce type de cancer-là. Je me souvenais d'une expérience antérieure avec le père de Chantale, une copine.

Mon père ne me manque pas. C'est terrible de dire ça. Je ne m'ennuie pas de mon père. Je ne suis pas gêné de le dire. L'un des objectifs importants de papa était de nous rendre le plus autonomes possible. Je vais plus m'ennuyer de ma mère.

J'en ai déjà discuté avec Denys et Sylvain. On ne s'ennuie pas. Bien sûr, on serait content qu'il soit là. Il avait un côté pas *relax*, un côté rigide. Il fallait qu'il fasse son *show*. Il prenait de la place.

Mon père m'a appris beaucoup de choses et il m'aura appris à mourir sereinement. Ça c'est une des choses les plus importantes, apprendre à *dealer* avec la mort, apprendre à en parler, apprendre à l'accepter. J'ai été présent, pas autant que je l'aurais voulu, mais d'être à côté de lui et sentir qu'il était *relax* parce que j'étais là, sans se parler. Papa a écrit sur la mort et il disait qu'on pouvait se rebeller face à la mort, mais aussi l'accepter et la vivre mieux sans se fâcher avec l'entourage. Moi je ne suis pas croyant, mais papa l'était et il croyait qu'il y avait quelque chose d'autre après...

Parvis de l'église Sainte-Madeleine, 10 h 58

Henri :

— Mais bien sûr qu'il y a quelque chose après la mort ! Je suis ici ! Ah, comme c'est frustrant ! Personne ne m'écoute ! On m'a écouté toute ma vie, oui enfin, je me rends compte qu'il y a tout de même quelques personnes de mon entourage qui m'ont écouté, et puis aussi les téléspectateurs, Dieu merci ! Mais maintenant, ça ne fonctionne plus ! Quand même !

Je n'ai plus de corps, plus de voix... Il ne me reste que la vue et l'ouïe... Tiens, tiens, l'ouïe... comme lorsque nous sommes dans la cavité utérine, c'est un des sens qui s'active en premier. Je commence à comprendre le cycle de la vie... Retournerais-je à mon lieu de départ? C'est absolument déroutant, et affolant...

Ah, mon Dieu! Répondez-moi!

Ça alors! Tout le monde est parti! Je ne m'en suis même pas rendu compte! Chacun est reparti vers sa vie. Bon! Que faire maintenant? Que va-t-il se passer? Mon Dieu! Faites-moi un signe!

Rien! Il ne se passe rien! C'est désespérant! Je suis seul, désormais. Je suis devant le néant, le trou, l'abandon... Mais qu'est-ce que je raconte là! Je suis devant une église, profitons-en! Il me semble que si je fais une dernière prière, le bon Dieu saura m'écouter, lui!

Église Sainte-Madeleine, 10 h 59

Henri :

— Ah, comme je me sens bien à l'intérieur de ce lieu de prière, surtout en ce moment où le temple s'est vidé de ses fidèles! Quelle sérénité! Quelle douce paix!

Au nom du Père, du Fils et du Saint-Esprit...

Seigneur, je me confesse à vous. Tous ces gens ont dit de belles choses à mon sujet, ils ont parlé aussi de mes colères, de mes frustrations mais, à tout peser, je crois sincèrement que j'ai été un bon chrétien, un bon père de famille et aussi un bon époux. J'ai été rude, direct et sans détour parfois, mais j'ai aussi été sincère, compréhensif et généreux.

Je me frappais souvent la poitrine de mon poing dans un geste de révolte ou d'apaisement, j'ai souvent mis mon poing sur la table dans un geste de protestation, de rage ou d'injustice, et je ne regrette absolument rien! Vous m'entendez, Seigneur? Je n'ai aucune honte d'avoir été égal à moi-même, inébranlable dans mes convictions et sérieux. Oh là là! Que j'ai été sérieux dans la vie! Que je t'ai prise sérieusement, ma chère vie!

Mais en vous regardant tous, toi, ma belle Yvonne, vous mes enfants, mes petits-fils et mes petites-filles, mes «zigounes», comme j'aimais vous surnommer, mes frères et mes sœurs, mes nièces et neveux, mes belles-filles, amis et collègues de travail, dites-vous bien qu'il y a un peu de moi en vous, qu'il y aura toujours une trace de papi en chacun de vous. Je vous aurai un peu appris à vivre, je vous aurai un peu appris à mourir... Amen

— Henri! Henri!

Henri :

— Comment? Qui est là? (*Simone, la petite sœur d'Henri, est debout au milieu de l'allée centrale. Elle tient dans ses bras son petit frère Paul. Il porte une sorte de robe de baptême toute blanche en jolies dentelles. Simone est également vêtue de blanc, seuls ses cheveux bruns contrastent sur la blancheur éclatante de ses vêtements. Autour d'eux, une aura lumineuse les éclaire, comme deux anges descendus du ciel.*)

Simone :

— Bonjour Henri! (*Henri se retourne et aperçoit les enfants enveloppés d'une lumière intense. Il est un peu aveuglé par l'étrange apparition.*)

Henri :

— Ah! Ça y est! Je suis au paradis!

Simone :

— Voyons Henri! C'est moi, ta petite sœur Simone, et voici ton petit frère Paul!

Henri :

— Simone ? Ma petite sœur ? Paul... Mais qu'est-ce que vous faites ici ? Il me semble que j'ai déjà posé cette question un peu plus tôt !

Simone :

— Nous sommes venus à ta rencontre ! Allez, viens ! Prends ma main ! Nous avons une belle surprise pour toi !

Henri :

— Mais enfin, où m'emmenez-vous ?

Simone :

— Ah ! C'est une surprise ! Tiens, veux-tu prendre notre petit frère, s'il te plaît ? Il est un peu lourd pour moi !

Henri :

— Mais Simone ! Comment veux-tu que je le prenne dans mes bras, je n'ai plus de corps !

Simone :

— Et ça, qu'est-ce que c'est ? Un épouvantail à moineaux, peut-être ?

Henri :

— Quand même ! Je n'arrive pas à y croire ! Je suis de nouveau moi-même ! C'est bien mon corps, mes bras, mes jambes, ma tête ! Oh ! Mais, je n'ai plus de moustache !

Simone :

— Regarde-toi dans le bénitier. (*Le visage d'Henri apparaît clairement à la surface de l'eau bénite.*)

Henri :

— Mais c'est absolument hallucinant ! On dirait que j'ai de nouveau 20 ans ! Aucune ride et... Oh ! Mes cheveux, j'ai des cheveux !

Simone :

— Oui, bon, ok, tu es bien beau, tu as rajeuni, on a compris ! Bon, maintenant, ouvre la porte de l'église. La surprise est de l'autre côté !

ΔΔΔ

L'Éternité, 0 h

(*Henri pousse la porte de l'église. Une lueur intense les éblouit. Devant eux, la plaine à perte de vue. Henri tient toujours son petit frère Paul dans ses bras et Simone est à ses côtés. Ils se tiennent au beau milieu de la route, dans une région familière.*)

Henri :

— Mais je reconnais l'endroit ! Nous sommes au Manitoba ! Dans la région de la montagne Pembina !

Simone :

— Tu te rappelles ce que tu as déjà dit, un jour, alors que tu t'apprêtais à repartir pour le collège ?

Henri :

— C'est ma terre, c'est ici que je veux vivre, sur cette terre, je ne veux pas partir d'ici !

Simone :

— Eh bien voilà ! Ton souhait est finalement exaucé ! Tu pleures ?

Henri :

— Ce n'est pas croyable ! Je retrouve mon coin de pays, ma terre et son odeur de blé frais coupé et ce ciel ! Il n'y en pas de plus beau au monde. Il me rappelle ce passage que Gabrielle Roy a écrit à propos d'un de ses rêves d'enfance :

> « Vous savez combien il se joue de nous cet horizon du Manitoba ? Que de fois, enfant, je me suis mise en route pour l'atteindre ! On croit toujours que l'on est à la veille d'y arriver, et c'est pour s'apercevoir qu'il s'est déplacé légèrement, qu'il a de nouveau pris un peu de distance. C'est un grand panneau indicateur, au fond de la vie, qu'une main invisible s'amuse sans doute à sans cesse reporter plus loin. Avec l'âge, enfin, nous vient du découragement et l'idée qu'il y a là une ruse suprême pour nous tirer en avant et que jamais nous n'atteindrons l'horizon parfait dans sa courbe. Mais il nous vient aussi parfois le sentiment que d'autres après nous tenterons la même folle entreprise et que ce bel horizon si loin encore, c'est le cercle enfin uni des hommes. »
>
> Fragiles lumières de la terre

Mais, on dirait que l'on s'est également déplacés, Simone ! Nous sommes devant la petite maison en bois rond blanchie à la chaux à Saint-Lupicin. Comme nous y avons été heureux !

Simone :

— Si tu te rappelles, Paul et moi, nous n'y sommes pas restés bien longtemps !

Henri :

— Avec ton sens de la fatalité, tu dois tenir de maman !

Simone :

— Avec ton air sérieux, tu tiens de notre père ! Allez Piton, détends-toi ! C'est pas possible comme tu es tendu ! Une vraie corde de violon !

Henri :

— Tiens! Y a quelqu'un au loin qui vient vers nous! Ah, je distingue également un cheval blanc, un peu crotté, et un chien qui… mais je les reconnais! Rigodin! Papino! Et, non… je rêve là…

Marcien :

— Non, tu ne rêves pas Henri!

Henri :

— Marcien! Mon grand frère! (*Henri remet son petit frère Paul dans les bras de Simone et tombe dans ceux de Marcien. Ils s'embrassent tout en pleurant et en riant. Le chien Papino jappe en tournant autour d'eux et Rigodin pousse un hennissement en secouant la tête comme pour dire, je suis heureux de te revoir. On entend une mélodie qui résonne d'un son cristallin.*)

Henri :

Dans le grand pré de notre enfance,
Les souvenirs sont abondants.
Ces belles années d'insouciance
Redonnent l'âme de nos vingt ans.

Quand on peut faire ce beau voyage,
Et retrouver ses joies d'antan,
Loin du présent, on est sans âge,
Pour gambader au gré des ans.
Belle excursion, belles vacances,
Dans le passé sereinement.
Tout reprend l'air d'une romance,
Que nous chantait notre maman.

Même les plus violents orages,
Moments de peine, de découragement,
Semblent s'enfuir sans bruit, sans rage,
Nous laissant calmes et souriants.

Marcien :

— Dis Henri, tu viens jouer avec moi maintenant ?

ΔΔΔ

J'avais été très flatté d'apprendre qu'une école manitobaine porterait désormais mon nom. J'avais rencontré quelques élèves de l'école et je m'étais empressé de féliciter la directrice et instigatrice du projet, ma nièce Charlotte Bergeron-Kaminski.

J'ai reçu plusieurs prix et distinctions tout au long de ma carrière, mais j'étais particulièrement fier de recevoir un doctorat honorifique de l'Université du Manitoba, le 31 mai 1983.

J'avais été très ému de recevoir des mains du premier ministre de l'époque, Jacques Parizeau, la décoration de l'Ordre du Québec, en 1995.

*En avril 1978, j'ai été nommé officier de l'Ordre du Canada
pour ma carrière de communicateur à la radio et à la télévision.
On me voit ici en compagnie de ma femme Yvonne,
du gouverneur général du Canada Jules Léger et de son épouse.*

*Le 7 novembre 2000, quelques mois après mon départ, le gouvernement
du Québec me décernait à titre posthume le prix Georges-Émile
Lapalme, pour ma contribution au développement culturel de la société
québécoise. Sur la photo on reconnaît la ministre de la Culture
et des Communications d'alors, Agnès Maltais,
avec Yvonne et Denys, qui ont accepté le prix en mon nom.*

*En février 2005, le Trust AV (trust pour la préservation
de l'audiovisuel du Canada) choisit l'émission* Les Beaux Dimanches
*comme Œuvre magistrale. La présidente de Trust AV,
Sandra Macdonald, remet une plaque souvenir à Yvonne,
qui est accompagnée de mon fils Denys.*

*Me voici en compagnie de mon premier arrière-petit-fils, Alexandre,
le garçon de l'aînée de mes « zigounes », Rosalie.*

*Tout comme j'ai pris le temps de jouer
avec mes enfants, j'ai joué avec mes
petits-enfants. C'était une immense joie
de les emmener en voyage à bord d'une
« campignole ». Ici, en compagnie
de Véronique et Julien Bergeron, les
enfants de Sylvain.*

*J'ai toujours gardé mon cœur
d'enfant. C'est la raison pour
laquelle je me sentais près
de mes « zigounes ». Allez,
Mireille ! On tourne la page !*

C'est à mon petit-fils Anthony Williams de prendre la pose.

Une image qui vaut mille mots de tendresse et d'affection.

Un dernier portrait de famille, à l'automne 1999 :
Alain, Éric et Denys, et à l'avant, ma fille Lorraine, Yvonne,
moi-même et Sylvain.

Cette photo a une signification bien particulière. Le Club Richelieu de Saint-Boniface m'avait remis cette magnifique toile de l'artiste manitobain Réal Bérard, une huile qui représente Saint-Lupicin. D'une main, je tiens une photo de l'époque où j'étais étudiant et, de l'autre, un stylo, prêt pour rédiger une autre de mes présentations.

*Chères lectrices, chers lecteurs, je vous offre une dernière pensée
d'amour, de bonheur et de paix.*

Honneurs et distinctions

— Trophée Radiomonde, annonceur le plus populaire, 1955, 1957, 1959

— Membre du Conseil de la vie française, 1963

— Certificat en reconnaissance du Cercle Molière par le Manitoba, 1975

— Commandeur de l'Ordre International du Bien Public, 1978

— Officier de l'Ordre du Canada, 1978

— Prix Italia, Milan, 1978

— Membre de la Compagnie des Cent-Associés franco-phones, 1980

— Prix Radio du ministère des Communications du Québec, Année des Communications, 1980

— Doctorat honorifique en droit de l'Université du Manitoba, 1983

— Membre de l'Ordre des francophones d'Amérique (Conseil de la langue française), 1989

— Membre de La Pléiade

— Ordre de la Francophonie et du dialogue des cultures, 1994

— Chevalier de l'Ordre national du Québec, 1995

— Grand Maître de la Confrérie des Compagnons de Gutenberg, Paris, 1998

À titre posthume

Prix Georges-Émile Lapalme, 2000

Les Œuvres magistrales : *Les Beaux Dimanches* (1966-2004), 2005

Une école élémentaire d'immersion en français, la Queen Elizabeth School, de Winnipeg, au Manitoba, porte le nom d'Henri Bergeron depuis le 30 août 1998, grâce aux démarches entreprises par la nièce d'Henri Bergeron, Charlotte Bergeron-Kaminski, alors directrice de l'école.

On peut entendre une narration d'Henri Bergeron au musée Stewart, à l'île Sainte-Hélène, à Montréal. Un plan-relief interactif concernant les communautés fondatrices du temps de la Nouvelle-France fait partie de l'exposition permanente.

Au manoir seigneurial Fraser, à Rivière-du-Loup, qui est un centre d'interprétation de l'histoire, Henri Bergeron personnifie le seigneur William Fraser, dans une mise en scène que l'on peut visionner à l'aide d'un système multimédia intégré à la salle à manger du manoir. On peut écouter plus de 45 minutes de dialogue entre le seigneur Fraser et trois convives, lors d'un souper simulé.

Pour souligner le centenaire du Conservatoire Lassalle, un studio de radio portera désormais le nom Henri-Bergeron. L'inauguration est prévue pour l'automne 2006.

Bibliographie

BERGERON, (les sœurs). *J'irai la voir un jour.*

BERGERON, Henri. *Le cœur de l'arbre, le bavard récidive,* Saint-Boniface, Éditions du Blé, 1995.

BERGERON, Henri. *Un bavard se tait... pour écrire,* Saint-Boniface, Éditions du Blé, 1989.

BERGERON, Rosalie. *Ma vie et celle de mes ancêtres.*

BOCQUEL, Bernard. *Au pays de CKSB. Grand Reportage, 50 ans de radio française au Manitoba,* Saint-Boniface, Les Éditions du Blé, 1996.

BOISVERT, Normand. *Boisvert, Saint-Gabriel-de-Brandon. Généalogie et histoire,* Québec, 1995.

CINÉMATHÈQUE QUÉBÉCOISE, *Devant le petit écran.*

COLLECTIF, *Circuit fermé,* Édition spéciale, *25 ans de télévision,* 6 septembre 1977, vol. 13, n° 12.

DORGE, Lionel. *Introduction à l'étude des Franco-Manitobains. Essai historique et bibliographique,* Saint-Boniface, La Société Historique de Saint-Boniface, 1973.

LAVOIE, Daniel. « J'ai quitté mon île », sur *À court terme,* 1975.

MERCIER, Isidore. *Isidore Mercier se raconte 1890-1982.*

MUSÉE DES SCIENCES ET DE LA TECHNOLOGIE DU CANADA. *L'histoire d'Alphonse Ouimet.*

PETEL, Pierre. *L'Arbre de l'oisiveté,* Montréal, Éditions Leméac, 1982.

Roy, Marie-Anna. *La Montagne Pembina au temps des colons,* Canadian Publishers, Toronto, 1970.

Statistique Canada. *Statistique historique du Canada,* section E-41-135.

Toussaint, Ismène. *Les Chemins retrouvés de Gabrielle Roy, Témoins d'occasions au Québec,* Montréal, Stanké, 2004.

Table des matières

Préface 9

Avant-propos 17

Introduction Un coin de pays célèbre 21

Chapitre 1 Rendez-vous avec la vie 35

Chapitre 2 Une sainte enfance 47

Chapitre 3 La route du destin 97

Chapitre 4 Ici, Radio-Canada 117

Chapitre 5 Une émission couleur... *Les Beaux Dimanches* 135

Chapitre 6 Le papa-vedette de la famille 175

Chapitre 7 Le frère et l'ami, sincère et explosif ... 225

Chapitre 8 Le professeur de communication 275

Chapitre 9 Les derniers moments 285

Honneurs et distinctions 329

Bibliographie 331